MITOS E FALÁCIAS
SOBRE A AMÉRICA LATINA

CARLOS RANGEL

MITOS E FALÁCIAS SOBRE A AMÉRICA LATINA

DO BOM SELVAGEM AO BOM REVOLUCIONÁRIO

Da culpa externa pelos nossos fracassos, exploração imperialista e outros clichês que produzem lideranças populistas.

Tradução
CARLOS SZLAK

COPYRIGHT © FARO EDITORIAL, 2019
MITOS E FALÁCIAS SOBRE A AMÉRICA LATINA © 2019 BY FARO EDITORIAL
DEL BUEL SALVAJE AL BUEN REVOLUCIONARIO © MONTE AVILA EDITORES
C. A. ALL RIGHTS RESERVED.
PUBLISHED BY ARRANGEMENT WITH HEIRS OF CARLOS RANGEL

Todos os direitos reservados.
Nenhuma parte deste livro pode ser reproduzida sob quaisquer meios existentes sem autorização por escrito do editor.

Diretor editorial PEDRO ALMEIDA
Preparação MONIQUE D'ORAZIO
Revisão GABRIELA DE AVILA E BARBARA PARENTE
Projeto gráfico e diagramação OSMANE GARCIA FILHO
Ilustração de capa FERNANDO MENA

Dados Internacionais de Catalogação na Publicação (CIP)
Angélica Ilacqua CRB-8/7057

Rangel, Carlos, 1929-1988
   Mitos e falácias sobre a América Latina : do bom selvagem ao bom revolucionário / Carlos Rangel ; tradução de Carlos Szlak. — São Paulo : Faro Editorial, 2018.
   352 p.

   ISBN 978-85-9581-059-4
   Título original: Del buen salvaje al buen revolucionario

   1. América Latina – Política e governo 2. América Latina – Condições sociais 3. América Latina – Civilização I. Título II. Szlak, Carlos

19-0003   CDD 980

Índice para catálogo sistemático:
1. América Latina

1ª edição brasileira: 2019
Direitos de edição em língua portuguesa, para o Brasil, adquiridos por FARO EDITORIAL

Avenida Andrômeda, 885 – Sala 310
Alphaville – Barueri – SP – Brasil
CEP: 06473-000
www.faroeditorial.com.br

Por e para Sofía.

Em política e história, quem se rege pelo que se diz, vai errar de forma lamentável.

— ORTEGA Y GASSET

A (verdadeira) revolução – que sob nomes diversos agita e impulsiona o homem desde a alvorada histórica – quer libertar o homem dos mitos que o oprimem, para que ele exista em toda plenitude [...]; enquanto a propaganda procura se apoderar da criatura [...], alterar o homem, aliená-lo de si mesmo. A propaganda afirma que tem o fim de promover a revolução ou de defender a liberdade, mas sua consumação consiste em paralisar o homem, em possuí-lo e escravizá-lo.

— HÉCTOR A. MURENA

Parece-me gravíssimo que as ideias dominantes a respeito dos Estados Unidos no resto do mundo sejam falsas em tão grande medida; isso introduz um elemento de erro na vida de todo o planeta, que vive, já só por isso, mas não só por isso, em estado de erro.

— JULIÁN MARÍAS

A mentira se estabeleceu em nossos povos quase constitucionalmente. O dano foi incalculável e alcança zonas muito profundas de nosso ser. Movemo-nos na mentira com naturalidade. Daí que a luta contra a mentira oficial e constitucional seja o primeiro passo de todas as tentativas sérias de reforma.

— OCTAVIO PAZ

SUMÁRIO

- 11 Carlos Rangel: enfrentando o turbilhão da história
- 32 Prefácio
- 39 Introdução — Espanhola, não latina

- 45 CAPÍTULO 1 — Do bom selvagem ao bom revolucionário
- 58 CAPÍTULO 2 — A América Latina e os Estados Unidos
- 108 CAPÍTULO 3 — Heróis e traidores
- 123 CAPÍTULO 4 — Ariel e Caliban
- 145 CAPÍTULO 5 — A América Latina e o marxismo
- 187 CAPÍTULO 6 — A América Latina e a Igreja
- 221 CAPÍTULO 7 — Algumas verdades
- 248 CAPÍTULO 8 — Mais algumas verdades
- 274 CAPÍTULO 9 — As formas de poder político na América Latina (I)
- 305 CAPÍTULO 10 — As formas de poder político na América Latina (II)
- 335 CAPÍTULO 11 — As formas de poder político na América Latina (III)

Carlos Rangel: enfrentando o turbilhão da história

"Diante da arbitrariedade, da insegurança, da ausência de um marco jurídico e institucional estável e adequado, os seres humanos respondem buscando aconchego e amparo em um sistema piramidal de relações pessoais, com um tirano no topo (...) é por isso que os países comunistas reinventaram o caudilhismo, lá chamado de 'culto à personalidade'."

CARLOS RANGEL, 1975
(*Do bom selvagem ao bom revolucionário*, Capítulo 9)

HÁ ALGUNS MESES, PEDRO ALMEIDA, DIRETOR DA FARO Editorial, em São Paulo, entrou em contato comigo gentilmente para solicitar a permissão de publicar uma nova edição de *Do bom selvagem ao bom revolucionário*, de Carlos Rangel, em português, e a escrita de uma nova apreciação. Mais de quatro décadas se passaram desde que este livro foi publicado pela primeira vez. Anteriormente, em Lisboa, em 1976, Aee Uliseea publicou a primeira edição em português e, em 1982, a UNB de São Paulo, a segunda. A Faro Editorial oferece agora esta terceira edição ao mundo de língua portuguesa, no contexto de uma encruzilhada global incerta, marcada por um novo conflito ideológico: o conflito entre nacionalismo e globalismo. O texto de Carlos Rangel preserva a relevância não apenas para entender as fontes dessa encruzilhada, mas também para situá-la no contexto latino-americano.

Diz-se que Carlos Rangel foi um profeta que ninguém ouviu, que ele estava condenado ao mito de Cassandra. Até certo ponto, isso é verdade, principalmente no mundo da política. O verniz profético do livro é particularmente arrepiante na seção dedicada às "Formas de poder político na América Latina", quando se lê nos casos do Chile e do Peru antecedentes claros do que ocorreu posteriormente na região, de maneira quase exata nos países protegidos sob a roupagem do "socialismo do século XXI" promovido pelo Foro de São Paulo.*

Porém, o florescimento limitado do liberalismo hoje na América Latina tem uma grande dívida com o pensamento de Carlos Rangel, e a luta contínua para fortalecer a democracia liberal é nutrida por suas ideias. O contexto de origem do livro, sua aceitação e rejeição originais, e a base histórica para a formulação das ideias de Rangel ilustram sua importância e seu impacto nos dias de hoje. Agradeço à Faro Editorial e ao seu editor pelo convite para partilhar este contexto na nova edição da obra-prima de Carlos Rangel.

UM BALDE DE ÁGUA FRIA: DESMASCARANDO ILUSÕES

Em 1976 foi publicada pela editora Monte Ávila, em Caracas, a edição original da obra *Do bom selvagem ao bom revolucionário*, em uma edição limitada com capa branca. Alguns meses antes, o livro havia sido publicado na França. O filósofo francês liberal Jean-François Revel relata em suas memórias** a concepção do livro:

> Quando conheci Carlos, em Caracas, em agosto de 1974 [...], ele me pediu para ler um par de páginas que tinha escrito sobre o destino histórico e a psicologia política da América Latina. Modestamente, ele as apresentou para mim como, no máximo, um projeto de artigo. Depois de ler tais páginas brilhantes, e também estimulado por uma amizade pessoal e uma fraternidade intelectual que nasceram quase de imediato entre nós, eu o encorajei, não sem entusiasmo, a desenvolver suas ideias, com todo o rigor que mereciam, em um livro amplo e detalhado sobre o tema da civilização latino-americana. Quando voltei a Paris, fiz com que a (casa editorial) Éditions Robert Laffont lhe enviasse um contrato. Isso explica o paradoxo de a edição original da obra-prima em teoria política latino-americana ter aparecido pela primeira vez em francês.

---

* O Foro de São Paulo é uma conferência de partidos políticos e organizações de esquerda de toda a América Latina e do Caribe, que ocorreu pela primeira vez em 1990, com o intuito de discutir propostas e soluções comuns à região contra o "neoliberalismo" e o "imperialismo". (N.T.)
** *"Mémoires: Le voleur dans la maison vide"*, J-F Revel, Éditions Plon (1997).

Os manuscritos originais em espanhol foram traduzidos para o francês por Françoise Rosset, tradutora também de Jorge Luis Borges e Adolfo Bioy Casares (autor de *A Invenção de Morel*). Revel disse, ademais, que, aparecendo em francês, o livro se dirige aos dois públicos que semearam a inspiração de Rangel: a Europa, com seus conceitos românticos e errados sobre a América Latina, e a América Latina, com seus grandiosos conceitos errôneos sobre si mesma. Conceitos infelizes que, naturalmente, também coexistiram nos EUA. Em suas memórias, Revel prossegue:

> A esquerda europeia espera da América Latina, e do Terceiro Mundo em geral, a revolução que acabou frustrada em sua própria terra. Assim, durante as férias de verão de 1969, na Tunísia, em Hammamet, lembro-me de uma conversa que tive com Jean Daniel, uma tertúlia perto da praia onde ele gentilmente me havia convidado para jantar. O diretor do Nouvel Observateur [Daniel] me disse: "Hoje em dia já não sei de onde virá a revolução mundial; talvez da América Latina?". Após o fracasso de Maio de 68, a esquerda francesa, principal especialista em questões de revolução, procurou no Novo Mundo da América uma filial do Quartier Latin. Essa esquerda revolucionária europeia encontrou um novo impulso para seus sonhos insurrecionais, em 1994, no México: o Exército Zapatista de Libertação.* Assim, novamente caiu no esquecimento o que eu gosto de chamar a lei de Rangel, postulada por Carlos em *Do bom selvagem ao bom revolucionário*, apropriada em 1976 e observada repetidas vezes desde então, a saber: sempre que na América Latina as pessoas, pessoas reais, votam livremente em eleições não manipuladas, escolhem soluções moderadas, partidos de centro-esquerda**

---

* Nesta passagem das memórias de Revel, publicadas no início de 1997, a contínua idealização sobre a "revolução" se reflete no discurso de um grande número de formadores de opinião na Europa e no mundo ocidental. O que Revel descreve era uma intelectualidade em busca de um ídolo, um arquetípico Davi, nobre e fraco, que derrotou o maligno e poderoso Golias. Logo após as ações do EZL, surgiria Hugo Chávez, um esquerdista democraticamente eleito em um dos países mais poderosos e irrefutavelmente democráticos da América Latina. O redentor da revolução havia chegado.
** Chávez compareceu perante o eleitorado como um "antipartido" de centro-esquerda, com a aceitação das elites empresariais e políticas da época. Mesmo assim, as eleições de 1998 tiveram uma das taxas de abstenção mais altas na história da Venezuela. Chávez conseguiu sua vitória com apenas 33,34% do registro eleitoral.

ou de centro-direita. O lendário extremismo latino-americano é um fenômeno elitista. Os intelectuais, os militares, os fascistas e os revolucionários que lutaram entre si durante séculos pelo poder, com tiros de fuzil e retórica inflamada, são oligarquias opostas, desejosas de satisfazer seu apetite pela dominação (para não falar de seus apetites financeiros).

Mais à frente, Revel prossegue:

Que o Bom Selvagem tenha aparecido em francês antes da edição castelhana não é uma anedota simples, mas de importância relacionada à substância do livro. [O público-alvo da obra] era de fato, pelo menos, tanto europeu quanto latino-americano. As duas fontes de inspiração para Carlos são, conjunta e complementarmente, os erros da América Latina sobre si mesma e os erros dos europeus sobre a América Latina. As aberrações e ilusões latino-americanas sempre foram encorajadas pelas projeções narcisistas dos europeus. Para eles, a América é como um espelho de suas próprias obsessões, repulsivas no caso da América do Norte, sonhando com a América do Sul.

A elite intelectual ocidental sustentava o remanescente daquelas farras da primavera de 1968, a reação idealista diante dos assassinatos políticos nos EUA, o México '68 (o massacre de Tlatelolco e os Jogos Olímpicos) etc., enquanto buscava justificar Praga, a Revolução Cultural Chinesa — e não sabia como reagir ao genocida Pol Pot. Ante essas contradições existenciais, surge Regis Debray, que afirma que há uma nova "revolução na revolução" (1974), adjudicando que ela se engendra de maneira nobre na América Latina. A esperança de uma utopia comunista, cada vez mais impossível na Europa, mantinha uma chama acesa nas exóticas florestas tropicais das quais vinham o café, o cacau e o tabaco. O romantismo revolucionário eleva, assim, as figuras de Che, esse Fouché tropical de La Cabaña, de Camilo Torres, rebelde sacrificado diante da todo-poderosa Igreja, para deleite dos intelectuais ateus e, é claro, de Fidel Castro, o bravo David, que enfrentou o Golias imperial dos EUA.

Carlos Rangel foi vilipendiado por muitos, já que seu livro nasceu naquele período de turbulência política no marco do apogeu da Guerra Fria.* Seu argumento de que o comunismo era uma promessa vazia e uma desculpa para justificar regimes totalitários não era bem-vindo na América Latina da época e, francamente, tampouco na intelectualidade ocidental. Um crítico nos EUA, ele escreveu: "pelo menos é impresso em papel reciclado, assim nenhuma árvore foi derrubada". Seus apelos para fortalecer as instituições da democracia liberal como o melhor caminho para a prosperidade foram ignorados à medida que o enlevo da ilusão socialista se apoderava do panorama político da região.

Quem era esse Rangel, que argumentava que o atraso era prejudicial em vez de enobrecedor? Que propunha que as razões do atraso eram introspectivas, não impostas pelo imperialismo ianque? Essa "libertação", essa "revolução", era um mito para perpetuar "caudilhos consulares"? Houve quem fizesse a leitura para reafirmar seus próprios mitos e preconceitos colonialistas ou pseudossocialistas com tons pomposos e irônicos. Por exemplo: "Em um trabalho impactante de desmistificação, o autor venezuelano exonera os EUA da responsabilidade pelos fracassos da América Latina" (*Foreign Affairs*, abril de 1978);

> Como argumento polêmico apresentado vigorosamente, este trabalho vai deliciar muitos dos que se situam no extremo não revolucionário do espectro político, mas seus pontos, apesar de tudo, merecem consideração (Kirkus, novembro de 1977).

"Seu livro provocativo, estimulante e pró-americano é frequentemente mais forte na afirmação do que na evidência" (Wilson Quarterly, primavera de 1978). Até mesmo Helen Wolff, diretora do selo editorial, foi um tanto superficial ao falar no *The New York Times* sobre sua grade de publicações para o último trimestre de 1977 ao mencionar:

> *The Latin Americans* (título do livro em inglês), de Carlos Rangel, um venezuelano. É sobre o relacionamento de amor e ódio com os Estados Unidos, que tem um viés incomum por ser pró-americano.

---

* No final de 1977, foi publicada a edição em inglês, com o selo de Helen & Kurt Wolff, da editora Harcourt Brace Jovanovich. O livro também foi publicado em português (1976) e em italiano (1980).

Em sua terra, Carlos Rangel foi denunciado como reacionário, *pitiyanqui*,* direitista e até agente da CIA. Em um incidente muito lembrado, seu livro foi queimado em uma cerimônia pública na Universidade Central da Venezuela por "desonrar a virtude histórica da nação indígena". Rangel acusou as universidades latino-americanas, em sua maioria, de não fazer bem seu trabalho de educar e graduar profissionais de maneira eficiente. Por isso, quando — dentro do marco de uma sociedade democrática — ele seguiu caminho até um fórum na universidade para discutir seu livro, foi assediado por uma multidão de militantes e levou cusparadas junto com sua esposa. Como profissional e democrata, chegou ao fórum, limpou o rosto e tomou seu assento.

O principal postulado das ideias do livro escapa a essas reações. Rangel argumenta que a América Latina tem todas as condições para o êxito e que sua falha está em não enfrentar as falhas desse fracasso, com um sugestivo "até agora". Porém, para alcançar esse sucesso, a região precisa fazer uma autopsicanálise para que consiga se livrar das sombras mentais que a desviam do seu futuro potencial, que dissipe os mitos que perpetuam uma fatídica auto-opressão, marcada pela perversão do estado de direito e pela racionalização que atribui aos países capitalistas o atraso dos países "terceiro-mundistas" — incluindo a América Latina. Rangel, com sua obra, tratou de iniciar o diálogo requerido para essa psicanálise, e sugere que o tratamento diante dos males que afligem o paciente são grandes doses de democracia. De verdadeira democracia: desordenada, pluralista, independente de manipulações leninistas e com liberdade de imprensa.

CARLOS RANGEL, LIBERAL

Rangel não era de direita no sentido maniqueísta da palavra. Tampouco era de esquerda. Ele era liberal. O que é ser liberal? Um de seus autores favoritos era Daniel Patrick Moynihan, que define o liberalismo desta forma:

---

* "Pequeno ianque", um termo pejorativo disseminado na Venezuela para acusar alguém de admirador dos EUA. (N.T.)

A essência do liberalismo consiste em uma crença otimista no progresso, na tolerância, na igualdade, no estado de direito e na possibilidade de obter uma medida alta e sustentável de felicidade humana aqui na Terra.

Rangel tinha aversão a Somoza, a Trujillo, a Stroessner, ao que Pinochet representava. Também a Fidel Castro, a Gualtieri, a Videla, a Ernesto Cardenal... a todo tirano que perpetuava (e perpetua) o mito de que nossos países necessitam de um governo forte, centralizado e todo-poderoso para o qual a democracia representativa é um luxo desnecessário. Rangel teve que enfrentar aqueles que não desejavam que se entrevistasse publicamente representantes da esquerda venezuelana para não lhes dar palanque. Por ser um democrata crente na liberdade de expressão, na tolerância (o antissectarismo), e a diversidade de ideias teve que circular com seus programas de opinião pelos canais da TV quando já não fazia a vontade dos donos. Rangel acusou a sociedade cúmplice empresarial, cuja arma competitiva favorita era ser amiga do governo. Em um discurso famoso disponível nas redes sociais diante de altos representantes da classe empresarial venezuelana em 1984, acusa os empresários de serem cúmplices do atraso do país, e foi aplaudido vigorosamente por eles.* Isso é ser liberal... e desafia as definições de "esquerda" e "direita". Para entender as origens desse pensamento liberal, é preciso passar em revista um pouco a história pessoal de Rangel dentro do contexto histórico de sua formação; entender "quem é esse Rangel".

Os anos cinquenta na Europa, a fronteira da Guerra Fria. Em 1949, a União Soviética enfrentou o mundo, explodindo sua primeira bomba atômica e elevando a rivalidade entre as novas potências mundiais. Rangel identificou os vícios e defeitos que a democracia enfrentava na América Latina, mas estabeleceu um contexto global dentro desse confronto entre o totalitarismo e o liberalismo, identificados nas respectivas hegemonias do comunismo e do capitalismo. Seu livro conta como, no final da Segunda Guerra Mundial, houve uma mudança na ortodoxia do Partido Comunista russo, que tinha se permitido certa dose de indisciplina durante a guerra em busca de aliados contra o poder nazista. Isso mudou rapidamente no final da guerra, e o chefe do

---

* O texto completo do discurso intitulado "A crise e suas soluções" está disponível em seu terceiro livro, *Marx e os socialismos reais e outros ensaios* (1989).

partido comunista nos EUA, Earl Browder, foi a primeira vítima simbólica do que Rangel chama de sectarismo renovado de esquerda, uma prática que repudia e exclui todos aqueles que não acatem a linha ortodoxa do partido central, o PC russo. Browder foi denunciado em um artigo publicado no *Les Cahiers de Communisme*, a revista do PC francês, assinado por Jacques Duclos, o líder desse partido. Anos depois, ficou-se sabendo que tal artigo havia sido escrito nos escritórios da KGB, o serviço secreto da União Soviética em Moscou.

Em fins de 1948, na Venezuela, o presidente eleito democraticamente Rómulo Gallegos foi derrubado por uma junta militar; ele, que havia sido muito próximo de José Antonio Rangel Báez, pai de Carlos. Essa influência paterna precoce, associada ao fervor democrático revolucionário do período 1945-48 no país, lhe deixaria uma marca indelével acerca da promessa da democracia.

O chamado triênio democrático na Venezuela se originou em um golpe de estado anterior, em fins de 1945, que derrubou o presidente militar Isaías Medina Angarita, que havia ascendido ao poder por votação indireta. O jovem e sagaz dirigente político Rómulo Betancourt se dera conta de que entre as fileiras militares havia ambiciosos — entre eles, um em especial chamado Marcos Pérez Jiménez — com a intenção de derrubar o presidente Medina. Betancourt sabia que no caso de isso ocorrer, o processo de transição a uma democracia universal (que o governo de Medina via com receio) se veria truncada e fez um pacto com os militares. Isso também convinha a Pérez Jiménez para participar na credibilidade de uma aliança cívico-militar, credibilidade que não teria em caso de executar seu simples e ambicioso golpe militar. Em outubro de 1945 ocorreu o golpe e Betancourt encabeçou a junta "revolucionária" de governo.

O mundo se transformava de modo acelerado em direção a uma nova era, assinada pelo aterrador resplendor de apenas poucos meses antes no Japão e um reajuste do equilíbrio no mundo, agora global. As comunicações a longa distância, notícias quase instantâneas e novas facilidades de transporte revolucionavam o pensamento e as aspirações. Na Venezuela, os três anos seguintes ao golpe de 1945 seriam uma cátedra democrática para o país, enquanto se debatia publicamente por ondas de rádio a redação de uma nova constituição. Aprovada a nova constituição que garantia o voto universal direto e estabelecia direitos sociais, convocaram-se eleições. O resultado favoreceu esmagadoramente o escritor e intelectual Rómulo Gallegos, o primeiro presidente civil constitucional da Venezuela desde o ano 1859. Porém, a nova constituição democrática e a revolução de expectativas populares não foram do agrado de Pérez Jiménez, que conspirou novamente e executou um golpe em novembro de 1948, apenas nove meses depois do presidente Gallegos tomar posse.

O golpe de estado de 1948, combinado com a morte de seu pai em 1949, distanciou Carlos Rangel do país, do qual saiu aos 21 anos para terminar sua carreira universitária. Três anos depois, em certo afã de rebeldia, independência e impulso de juventude, fugiu para Paris com sua noiva estrangeira para se casar na cidade das luzes, transtornando ambas as famílias tradicionais e chegando a um mundo de expurgos partidários, depuração ideológica, intrigas e suspeitas, por onde transitava durante os estudos na Sorbonne de Paris, outro viveiro de esquerdistas.

Em Paris, no Quartier Latin, havia exilados de toda estirpe, refugiados das ditaduras e dos tiranos que dirigiam os destinos nos países latino-americanos e na Península Ibérica. Lá Rangel conheceu muitos venezuelanos que fugiam da ditadura de Pérez Jiménez, que oprimia cada vez mais a Venezuela e cada vez com mais força. Entre eles estava Luis Aníbal Gómez, quem, em um ensaio recente,* recorda e descreve a época em que conheceu Rangel e fez amizade com ele:

> Ele vivia perto do *Parc MontSouris*, nos prédios da Ligne de Sceaux, tinha carro. Foi uma amizade desinteressada, inspirada pela sinceridade e pela franqueza. Ele, também absorto na atmosfera sartreana do momento, disse-me que concordava com quase todo o marxismo, exceto em relação à arte. Ele não acreditava na arte engajada, e eu, de minha parte, detestava os quadros dos generais soviéticos, abarrotados de medalhas, comendo pipoca nos parques.
>
> Respondi inequivocamente que o que interessava era derrubar Pérez Jiménez, a qualquer custo, enquanto os generais dos sovietes se empanturravam de pipocas; e que todo o resto acabaria se resolvendo depois, ou não. Era uma questão de prioridades.
>
> Ele concordou. Não seria militante do grupo, mas alguém mais útil não estando em evidência e nem militando, e sim mantendo-se à margem, um

---

* *Carlos Rangel — Última vuelta de tuerca*, Luis Aníbal Gómez, 2017 (inédito).

tanto *au dessus de la melée*. Seria criptocomunista, na expressão em voga. Estava de acordo.

Ele me confidenciou, então, como, por meio de amizades e influências, era possível que se fosse candidato a um cargo na Embaixada da Venezuela em Roma. Tinha que dar a resposta por aqueles dias... Eu disse a ele que pensaria a respeito... E eu pensei, mais a favor de sua pessoa do que nos interesses do partido: o mundo da espionagem nos era alienígena, exótico, muito perigoso. Não éramos aptos a isso, nem ele nem eu, para navegar as águas turvas da espionagem e da traição. Minha opinião foi negativa.

Carlos Rangel foi um grande exemplo daquele ditado que descreve bem sua geração: "quem é jovem e não é socialista não tem coração; e quem é velho e é socialista não tem cérebro". Nesse ínterim, Rangel tinha 24 anos, os EUA acabavam de obliterar uma pequena ilha do Pacífico com a terrível bomba H e o partido comunista russo aperfeiçoava suas técnicas para se infiltrar no mundo ocidental com propaganda subversiva. O comunismo ainda não havia demonstrado abertamente suas falácias internas que o conduziram insanamente ao totalitarismo feroz e foi aceito por grande parte da intelectualidade ocidental como um possível modelo econômico alternativo. Os crimes de Stalin estavam ocultos e os do regime soviético ainda careciam da eventual denúncia de Soljenítsin. Existia um debate intelectual sobre os pontos positivos e sobre as deficiências dos sistemas capitalista e comunista; debate em que o comunismo tinha vantagem oculta, posto que, em sua ortodoxia, não permite a livre expressão de ideias, pensamento e imprensa; enfim, de uma discussão verdadeira, e incita a infiltração subversiva e o uso de "idiotas úteis",* enquanto que, no regime liberal do capitalismo, a autocrítica aberta é oxigênio.

É notável uma participação de Rangel que descreve Gómez, em fins de 1952, nas atividades semiclandestinas na Paris dos exilados políticos venezuelanos. Para dezembro daquele ano, havia sido convocado o "Congresso Mundial dos Povos pela Paz" em Viena. Esse congresso foi um evento promovido pelo serviço de inteligência russo, a KGB, principalmente como uma oportunidade de fazer propaganda contra os EUA, por ocasião da Guerra da Coreia,

---

* Metodologia claramente exposta em *O manifesto comunista*, de Marx e Engels.

e presidido por Jean-Paul Sartre,* que havia denunciado essa guerra como uma guerra entre o capitalismo e o proletariado.

> ... quando foi divulgado o convite para participar da Conferência de Viena, tanto os adecos** como nós nos mudamos para a Maison des Savants, um local onde se podia alugar salas para eventos ocasionais, localizada no Quartier Latin. [Os adecos] tinham convocado suas fileiras de seguidores de outros países, de modo que havia mais de cinquenta participantes, e tudo foi desenvolvido de acordo com as diretrizes do nosso grupo: deixar cada um expressar suas opiniões. A extrema esquerda seria exposta por mim e por [Manuel] Caballero, como correspondia ao clichê que [os adecos] Luis Esteban [Rey] e [José María] Machín tinham de nós.
>
> Depois de um tempo, quando todos haviam expressado sua opinião, Carlos fez uma votação magistral e propôs apoio irrestrito à Conferência. Todos votaram na sua proposta, exceto Luis Esteban e Machín.
>
> Isolá-los não fazia parte dos nossos planos unitários, embora fosse uma decisão democrática que, aliás, nos deixou a surpresa de um mundo de ensinamentos: o tratamento amistoso desapareceu e nos tornamos adversários impenitentes.

Ainda que, em suas memórias, Gomez considere essa reunião de dissidentes positivamente em favor dos comunistas venezuelanos, de fato ela alcançou o que a direção do PC russo havia formalizado no Comintern de 1947. A diretriz de sectarismo de esquerda: purgar matizes de "Browderismo" e indisciplina nas

---

* Sartre seria agraciado com o Prêmio Nobel de Literatura em 22 de outubro de 1964. Isso gerou grande controvérsia, pois Sartre, quando no início de outubro desse ano soube que estava sendo considerado para o prêmio, enviou uma carta ao júri pedindo que não fosse indicado. O que Sartre não sabia era que o júri já havia tomado a decisão em setembro, que era irreversível. Ao anunciarem o prêmio, Sartre publicou uma nota no *Le Figaro*, de Paris, em 23 de outubro, descrevendo sua correspondência para a Academia rejeitando o prêmio. Esta nota falou sobre sua rejeição a prêmios institucionais, em particular aqueles que poderiam ser considerados como a aceitação do modelo burguês e sua solidariedade pelo modelo socialista-comunista. Curiosamente, a nota inclui uma referência à sua simpatia pelos "revolucionários venezuelanos": os guerrilheiros da Luta Armada no início da era democrática na Venezuela, que Rangel menciona em uma seção de seu livro.
** Chamam-se "adecos" os membros do partido Ação Democrática (AD), o qual se identificava como social-democrata.

alianças com outros esquerdistas, conforme o relatado por Duclos em seu artigo de apenas alguns anos antes; e Rangel testemunhou essa diretriz em ação.

É interessante notar que o presidente da delegação venezuelana ao referido congresso é o general José Rafael Gabaldón, opositor e perseguido por Juan Vicente Gómez (ditador da Venezuela entre 1908 e 1936) e fundador e primeiro presidente do Partido Democrático Venezuelano, PDV, um dos primeiros partidos modernos do país, e associado com Isaías Medina Angarita, que foi derrubado em 1945. O general Gabaldón também era pai do guerrilheiro Arnoldo Gabaldón, um líder proeminente do período chamado Luta Armada na Venezuela, que morreu, acidentalmente, em um acampamento guerrilheiro no ano de 1964. O discurso do general Gabaldón diante do congresso foi intitulado "Em defesa da paz e da América Latina".*

O dramaturgo Bertolt Brecht também participou do congresso, e suas palavras bem poderiam descrever o futuro dos países que viriam a sofrer atraídos pela miragem do comunismo:

> A memória da humanidade quanto aos padecimentos tolerados é assombrosamente curta. A capacidade de imaginação para os padecimentos futuros é quase ainda menor.

Brecht morreu sob circunstâncias misteriosas em Berlim Oriental, em 1956, aos 58 anos.

Em 1953, Rangel regressou à Venezuela. O país se encontrava em plena repressão política derivada da ditadura e das cumplicidades mercantilistas típicas desse tipo de governo. Na falta de oportunidade para desenvolver suas capacidades intelectuais, junto com seu irmão e outros sócios, dedicou-se ao comércio, incluindo a construção de uma distribuidora de motocicletas Honda. Apesar disso, seus antecedentes em Paris evidentemente o deixavam nervoso, de modo que dormia junto de sua primeira esposa com um revólver debaixo do travesseiro. Em um episódio relatado por Gómez, Rangel o

---

* A título de curiosidade, uma das primeiras campanhas militares do general Gabaldón foi repelir em nome do governo do ditador Cipriano Castro, no início do século XX, uma invasão da Colômbia liderada pelo avô de Carlos Rangel, o exilado general Carlos Rangel Garbiras, que se opunha à ditadura de Castro.

escondeu no sótão da casa quando as autoridades da ditadura estavam perseguindo Gómez por ser militante ativo do PC venezuelano.*

Então, em fins de 1955, Rangel decidiu autoexilar-se. Vendeu sua casa e, em um camarote de navio mercante, mudou-se para Nova York, voltando para a cidade que o havia acolhido anos antes, durante o trauma imediato do pós-guerra. Em 1950, como relata em seu livro, Rangel tinha visto, de modo preocupante, nos EUA uma guinada à direita e uma ameaça incipiente de perseguição política conduzida pelo senador Joseph McCarthy. Naquele momento, chegava a uma cidade próspera, no auge da criatividade decorrente da aplicação de princípios liberais e a um país que rejeitara o discurso populista de direita do senador McCarthy, mediante um voto de censura e caída em desgraça. Certamente, a Guerra Fria ainda prosseguia, mas a evidente prosperidade daquela cidade era uma clara manifestação das melhores oportunidades oferecidas pelo liberalismo. No final de 1956, com a brutal invasão russa da Hungria, a convicção de Rangel contra o sistema comunista como uma opção para melhorar a condição dos povos foi definitivamente confirmada. A partir daquele momento, com sua experiência de viver sob a sombra de uma ditadura de direita e com seu conhecimento das intenções do partido comunista russo, Rangel tornou-se um defensor da democracia liberal, aquela que ele vira com os próprios olhos era a melhor alternativa de governo.

Estando em Nova York, aprofundou seus estudos e tornou-se professor-assistente de literatura latino-americana, iniciando lá seu permanente interesse pelo trabalho de Miguel de Unamuno e outros pensadores da mesma linha.** Naquele tempo, pensou em ficar nos EUA e fazer carreira acadêmica, mas os acontecimentos na Venezuela o levaram a tomar outro rumo. Como era natural, ele mantinha contato com a colônia venezuelana em Nova York. Um de seus conhecidos, Carlos Ramírez MacGregor, era próximo dos membros do conselho de transição que tomara posse após uma revolta popular em 1958, que havia deposto o ditador Pérez Jiménez. MacGregor convidou Rangel a acompanhá-lo como Conselheiro Cultural na embaixada da Bélgica e, uma vez finalizada a transição na Venezuela sob um novo governo democraticamente eleito,

---

* Gómez, Op. Cit.
** O último ensaio de seu último livro é uma apreciação de Unamuno.

Rangel retornou à Venezuela. Em suas memórias sobre Rangel, Gómez* relata seu reencontro no início dos anos 1960:

"Aqui, novamente [na Venezuela], Carlos me contou sobre sua mudança de perspectiva a respeito da revolução cubana, extensível a todo o marxismo e a revolução. Eu o escutei e respondi:
— Acha que isso é o suficiente para acabar com a nossa amizade?
— Não, só queria que você soubesse..."

Crente na liberdade de opinião e no debate de ideias, encabeçou durante esse período a edição da revista *Momento*, a qual editava como uma combinação de *Time Magazine* e *Life*, e onde empregou seu amigo Luis Aníbal Gómez em conjunto com uma equipe de redação que incluía, entre outros nomes, Gabriel García Márquez, Plínio Apuleyo Mendoza, o líder social-cristão venezuelano Rodolfo José Cárdenas e o futuro presidente da Venezuela, Luis Herrera Campíns. Mas falta um ingrediente final que é o que consolidaria o liberalismo em Carlos Rangel.

Entre 1964 e 1968, Rangel fez carreira política no novo modelo democrático da Venezuela; um modelo e uma visão insigne de uma grande Venezuela, cuja modernidade se embasava em uma economia industrial, integrada ao comércio mundial de maneira robusta e promotora dos valores da democracia representativa e do respeito aos direitos humanos, plasmados na chamada Doctrina Betancourt, que rechaçava tal ditadura. Rangel queria se fazer partícipe desse projeto, candidatou-se e foi eleito ao conselho municipal de Caracas, a capital, nas listas do partido social-democrata, o Ação Democrática. Em sua posição como conselheiro, ele veria de perto o trabalho do político e o efeito negativo do populismo sobre a administração do governo. Ele caminhava pelos bairros, distribuía alimentos, inaugurava obras, discutia orçamentos e redigia decretos. Foi designado na câmara como presidente do Conselho Municipal de Caracas, pelo qual recebeu os mais necessitados e solicitantes de todos os tipos.

Anos depois, em conversa com sua segunda esposa, Rangel me disse que a pior parte da vida política pública, para ele, era ter que dar audiência e receber pessoas que viessem pedir, pedir e pedir. Ele me dizia que, em parte pela

---

* Gómez, Op. Cit.

frustração de não ser capaz de satisfazer as necessidades justas dos cidadãos, em parte por causa da frustração de ter que ouvir os privilegiados elitistas que se sentiam no direito ao patrimônio nacional, e em parte por causa da frustração sobre o desenvolvimento do clientelismo político que treinou todos a se submeterem ao paternalismo de Estado:

> É deprimente ver a fila de pessoas à porta da casa de um ministro, esperando desde as primeiras horas da madrugada para tratarem de lhe dar um papelzinho na mão, com seu pedido, quando ele sai pela manhã.

Apesar de frequentemente terem lhe oferecido cargos ministeriais em anos posteriores, Rangel perdeu qualquer vocação de político e não aceitou as ofertas, além de uma ocasional participação em alguma missão diplomática.

No entanto, o que, sim, colheu da experiência daqueles anos na política foi a relação causa/efeito entre a consolidação de sistemas autenticamente democráticos e o estado de direito, e a oportunidade de crescimento econômico e empresarial de uma nação e de seus cidadãos. Esse período foi igualmente de profundos estudos (tanto teóricos quanto práticos) acerca da natureza do Estado, o que o levou à conclusão de que um Estado limitado é um fator essencial para a prosperidade de um país. Foi daí que partiu sua pesquisa acerca das causas pelas quais o território ao sul do Rio Grande, em relação a seu vizinho ao norte, não se pode caracterizar de outro modo que não um fracasso. É a pergunta fundamental.

CONFRONTO EM DOIS TEMPOS: COMUNISMO × CAPITALISMO / NACIONALISMO × GLOBALISMO

O atrativo de uma ideologia é a convicção de que sua estrutura de valores e interesses é o que tem a "razão"; a razão, em linhas gerais, para melhorar os destinos presentes e futuros de um coletivo. Entre o princípio e meados do século XIX surge de maneira definida a ideologia do comunismo como resposta ao "lado escuro" do capitalismo. O capitalismo havia gerado um fenômeno na criatividade, na produtividade e na economia da Europa conhecido como a Revolução Industrial. Também havia resultado em uma disrupção tecnológica sem precedentes. Essa disrupção se manifestou de milhares a milhões de pessoas deixadas de fora da prosperidade resultante desse processo — fosse por exploração de sua mão de obra ou por sua obsolescência em uma nova economia — em centros urbanos crescentes com infraestrutura insuficiente para a explosão demográfica derivada dessas condições. A nova prosperidade também criou grande visibilidade para as desigualdades econômicas conforme a classe média se expandia e criava a expectativa de que existia a possibilidade de se tornar parte dessa prosperidade crescente.

As condições de vida da nova classe operária na Europa de meados a fins do século XIX eram miseráveis, particularmente em contraste com as da nova classe média. Os movimentos políticos que tinham as simpatias dessa classe operária eram os que alimentavam as expectativas de participar dessa bonança à vista da classe média e que fomentavam a inveja com sarcasmo e alfinetadas tais como "a pequena burguesia".

A Revolução Industrial precede as organizações políticas e governamentais que se adaptaram às consequências dessa revolução. As convulsões demográficas, econômicas e sociais que resultaram dessa revolução no mundo das nações com identidades próprias regidas por elites mercantilistas resistentes à mudança acabariam levando à Primeira Guerra Mundial e à Revolução Russa.

O princípio básico do mercantilismo, e de seus meios-irmãos, o comunismo e o fascismo, era o de que as relações comerciais geram uma soma-zero, enquanto que o do capitalismo é o de que as relações comerciais são vantajosas para todos. A Primeira e a Segunda guerras foram o resultado de conflitos entre países e setores sociais presos na abordagem de soma-zero (incluindo, por exemplo, a pureza da raça e a "luta de classes"). A ação de maior consequência mundial do segundo pós-guerra foi o reconhecimento da necessidade de criar uma ordem global de ganho global. Esse é o impulso subjacente ao Plano Marshall, à criação das Nações Unidas e à criação de organismos multilaterais, que resultaram no maior período de prosperidade crescente que o mundo conheceu e que faria sucumbir o império comunista liderado pela União Soviética, com sua ideologia baseada na abordagem de soma-zero.

O capitalismo é a interpretação econômica do liberalismo, enquanto que o comunismo é, em essência, uma reinterpretação do mercantilismo. Por sua vez, o mercantilismo baseia-se no instinto atávico de que, em luta entre duas tribos, uma morre e a outra sobrevive. Esse instinto é indelével, é a natureza humana; mas, como muitos instintos, pode estar sujeito à lei. É por isso que, em uma sociedade liberal, o estado de direito, que começa com as leis contratuais, é intrínseco à natureza da lei e que a maior proteção ao estado de direito ocorre em estados democráticos. Por sua vez, os Estados baseados em princípios mercantilistas se fortalecem quando o estado de direito e a democracia são fracos; isto é, quando estão sob a égide de um regime totalitário. Após a queda do fascismo, o comunismo se manteve como ideologia alternativa, sustentado no totalitarismo, da mesma forma que o mercantilismo de origem era sustentado por autarquias monárquicas.

O período entre 1917 e 1989, desde a Revolução Russa até a queda do Muro de Berlim, foi um período que enfrentou diretamente os modelos econômicos derivados do liberalismo e do mercantilismo. Entre os defensores do liberalismo, durante esse período, estava Carlos Rangel, que entrou em cena em 1976, com seu livro *Do bom selvagem ao bom revolucionário*. Neste livro, Rangel identifica vícios e defeitos que a democracia enfrenta na América Latina e estabelece o contexto global da região dentro do enfrentamento entre o liberalismo e o totalitarismo e seus modelos econômicos vigentes: o comunismo e o capitalismo.

Na América Latina, esse confronto é bem descrito por Rangel como matizado pela história da região. As consequências da conquista e do regime monárquico inseriram na psique da América Latina uma afinidade profundamente arraigada com os princípios mercantilistas. As oligarquias, desde os tempos coloniais e as subsequentes guerras internas, são uma substituição das elites que tinham como objetivo se apoderar das riquezas percebidas, fossem naturais ou de classe. Não se contempla nessas lutas pelo poder (como Revel sugere em seus comentários citados anteriormente) a criação de riquezas, só a distribuição de riquezas.

Nesse contexto histórico entra o comunismo em princípios do século XX e a criação de partidos políticos modernos. Destes, o que tem maiores consequências no longo prazo foi o APRA, fundado por Raúl Haya de la Torre, e que se origina como um socialismo adaptado à América Latina. Por causa da distância geográfica e cultural, o comunismo na América Latina será heterodoxo em relação à linha dura russa. Por isso, essa origem será um viveiro de partidos democratas, alguns solidários com suas origens socialistas e outros opositores, mas também no consenso com o modelo democrático liberal. Um consenso sobre a meta, embora não houvesse consenso sobre como alcançá-la.

O viés mercantilista pode ser atribuído a muitos males da região; por exemplo, o que é identificado como corrupção. Para o funcionário público (mercantilista) que está no cargo, a corrupção se justifica simplesmente como o exercício de um direito adquirido: seu direito a poder distribuir a riqueza como bem entender, incluindo em seu próprio bolso. É por isso que em burocracias mal estruturadas de governos "liberais", as oportunidades de enriquecimento ilícito são aproveitadas por funcionários de mentalidade atávica que assim justificam o fato de se beneficiarem delas. O funcionário honesto enfrenta o "dilema do prisioneiro" que incentiva a corrupção, no qual o mais estúpido é o que não se aproveita de sua posição para desfrutar de privilégios ilícitos, é pressionado a compartilhar o butim e é percebido como um corrupto por agentes externos (imprensa e cidadãos), mesmo quando não o seja, porque faz parte da estrutura que "todo mundo sabe que é corrupta".

Quando o caudilho Fidel chega ao poder, a influência da ideologia comunista ortodoxa na região, embora com sabor latino-americano, aumenta. O terreno fértil para o mercantilismo intrínseco na região é um grande aliado ideológico com um representante (Rangel o chama de "cônsul") nestas terras. A hegemonia "terceiro-mundista" torna-se a explicação pela qual existem "despossuídos", como afirma Carlos Alberto Montaner em seu prefácio à edição de 2005. Uma explicação que determina que existe má distribuição da riqueza, tanto internamente pelas elites no poder como internacionalmente pelos países capitalistas. Essa explicação afirma que os países ricos, em especial o vizinho do Norte, saquearam os países pobres; e nesta última categoria se inclui a América Latina, contra toda a realidade relativa ao resto do mundo. Esse tema é explorado mais profundamente no segundo livro de Rangel, *El Tercermundismo*. É a retórica emocional do momento e a política que é impulsionada mais por emoção do que por razão. Enquanto não se internalizar que a influência do mercantilismo soma-zero é perniciosa, será mantida a ilusão do "despossuído" e a sedução do comunismo como solução, com sua consequente descida ao totalitarismo, a história se repetindo uma e outra vez.

No Capítulo 10, Rangel descreve o processo que atravessou o Chile entre os anos de 1970 e 1973, praticamente idêntico e premonitório do período de quase 20 anos mais tarde, entre os anos de 1999 e 2002, na Venezuela. Ambos os processos de deterioração democrática culminaram em uma ruptura institucional, com a ressalva de que no Chile a tal ruptura foi acatada pela sociedade e consolidada, devido à evidente e precária situação econômica que atravessava o país, enquanto que na Venezuela, no meio de um *boom* petroleiro, o apoio coletivo à ruptura se manteve, com as consequências posteriores de uma aberta e feroz ditadura totalitária.

Quero enfatizar finalmente que Rangel identifica outro vício pernicioso e universal, com consequências particulares para sua relação direta com o "bom selvagem": o telurismo. Este define que até os mais recém-chegados se identificam com o passado histórico e com os indígenas do território e se consideram descendentes defensores do espírito do lugar, o "Genius Loci". Pode-se traçar neste conceito a origem de um novo confronto que, combinando o telurismo ao mercantilismo, abala nosso mundo contemporâneo: o nacionalismo *versus* o globalismo.

O globalismo econômico busca equilibrar de maneira eficiente as vantagens comparativas dos mercados de trabalho, de matérias-primas e de consumo, e maximizar as relações ganha-ganha dos mercados no seu conjunto. A iniciativa do globalismo econômico é consequência direta da ideologia liberal e do modelo capitalista. Para estabelecer um estado de direito com jurisdição extranacional, os tratados internacionais e os acordos comerciais são uma parte intrínseca do globalismo. Como consequência direta da interdependência econômica entre os países, diminuem as possibilidades de guerra entre parceiros comerciais, desde que ninguém queira destruir seus clientes ou fornecedores. As consequências do globalismo incluem a redução das barreiras e fronteiras entre países e uma grande disrupção nos respectivos mercados domésticos de cada país.

O nacionalismo, por outro lado, procura exacerbar a natureza especial e exclusiva dos habitantes de um território nacional, reivindicando o sentimento telurista de tais habitantes e alimentando-se de seu tribalismo atávico. O nacionalismo baseia seu ideal de sucesso econômico em relações de soma-zero. As grandes perturbações nos mercados internos dos países, consequência do globalismo, levam facilmente a ressentimentos semelhantes aos que alimentaram o comunismo em fins do século XIX e a movimentos políticos baseados no nacionalismo. Com o fracasso ideológico do comunismo, o nacionalismo é a nova bandeira, a nova âncora do mercantilismo, que, em sua iteração paralela, em princípios do século XX, ficou conhecido como fascismo. Posto que a relação comercial seja baseada no princípio de soma-zero, a possibilidade de totalitarismos e guerras se incrementam com o auge do nacionalismo.

Ideologias em conflito são interesses em conflito. O fim do comunismo não representou o fim do arquétipo que o carregava, o mercantilismo. Assim como o comunismo surgiu das rupturas causadas pelo capitalismo "desenfreado" do século XIX, consequência da ascensão da razão da aspiração liberal sobre a emoção do mercantilismo atávico, o auge do nacionalismo é resposta ao globalismo "desenfreado" dos nossos dias.

O LEGADO ATUAL DE CARLOS RANGEL

Mais de quatro décadas depois de ter sido publicado em 1976, este livro se tornou uma leitura obrigatória e fundamental para a compreensão da história política da América Latina. Qualquer um que busque entender as razões das diferenças de desenvolvimento entre os EUA e o resto do continente ao sul da fronteira, o surgimento de "caudilhos" e o sentimento populista incrustado na região, necessita ler este livro que, mais do que história, em partes se lê como um manual. Embora não tenha sido amplamente celebrado ou ouvido em sua época, a perspectiva histórica justificou a importância da contribuição de Rangel para o pensamento político e social e o estabeleceu como um importante contribuinte para o pensamento liberal.

Se fôssemos pensar de forma restrita, nos concentraríamos na resposta sobre a hegemonia ideológica do comunismo no grande território da América Latina, hegemonia semeada no início do século passado, como reação ao evidente sucesso do grande vizinho ao norte. Essa resposta, no entanto, não é inteiramente satisfatória, já que as diferenças entre as duas regiões são anteriores ao surgimento do comunismo. Entretanto, o comunismo penetrou no sentimento mercantilista existente na região. O comunismo foi apresentado por alguns como a solução para o fracasso e por outros como a razão para ele. Mas devemos buscar a razão de tal fracasso mais profundamente, e isso é o que Rangel faz.

Rangel estava certo quando apontou para o legado do império espanhol como o grande culpado dos vícios culturais de nossos povos. As febres desse legado, manifestadas na mentalidade de rapina, no paternalismo machista, no mercantilismo autocrático e do classismo sectário não são abaladas pelo corpo político estrutural de nossas nações. Essa mentalidade provém da conquista. Os vícios culturais são quase ou mais difíceis de mudar do que os genes do corpo. Porém, não foi por isso que não se tentou e nem há que se deixar de tentar. É necessário entender o contexto do que se pretende. Sempre haverá uma visão da sociedade ideal, uma utopia que alguns veem como comunista; outros, como capitalista; mas os vícios do mercantilismo, lançados como areia entre as engrenagens, convertem essas utopias felizes em duras realidades. No caso do comunismo, degeneram-se em um grande monopólio do Estado sobre a vida da sociedade, com elites privilegiadas e miséria coletiva sob repressão econômica, social e política. No caso do capitalismo, as distorções mercantilistas podem facilmente gerar poderosas oligarquias, grande desigualdade econômica e um elevado nível de expectativas frustradas.

O interesse próprio é natural para o ser humano e, quando se permite desenvolver, favorece a prosperidade geral. Esse é o fundamento básico do capitalismo, tal como postulado por Adam Smith e derivado da revolução liberal do século XVIII. Ao mesmo tempo, Smith alertava sobre o perigo dos monopólios e sua capacidade de distorcer essa prosperidade, restringindo oportunidades e criando desigualdades nocivas. Tanto a tirania socialista quanto a oligarquia mercantilista, duas faces da mesma moeda, exercem a repressão concentrando poder político e econômico em um ou em alguns monopólios setoriais. Os mecanismos da democracia liberal — liberdade de expressão, estado de direito, governo representativo, alternância de poder, multiplicidade de interesses e igualdade de oportunidade — controlam de maneira natural os abusos potenciais das oligarquias e das tiranias. A finalidade da política é melhorar a sociedade como um todo e, sem dúvida, a história demonstrou que sob a democracia liberal, as sociedades prosperam mais do que sob oligarquias mercantilistas ou tiranias socialistas.

Essa é a solução que Rangel sempre propôs em suas obras e em sua vida pública: mais e melhores doses de democracia verdadeira. É nesse sentido que a mensagem de Rangel continua vigente de maneira alarmante. Seu diagnóstico sobre a febre que origina o fracasso latino-americano ainda não foi aceito pelo paciente, que dificilmente poderá sarar, pois não está disposto a tomar o remédio: grandes doses de democracia verdadeira.

CARLOS J. RANGEL
(Filho do autor)

PREFÁCIO

O PRESENTE LIVRO É O PRIMEIRO ENSAIO CONTEMPORÂNEO a respeito da civilização latino-americana que contribui com uma interpretação verdadeiramente nova e provavelmente exata. Isto é (primeira condição de uma interpretação exata), o autor começa por dissipar as interpretações falsas, as descrições mentirosas e as desculpas complacentes. Sendo assim, é um livro indispensável, não só para compreender a América Latina, mas também boa parte do mundo contemporâneo, onde se reproduzem os mesmos fracassos, as mesmas impotências, as mesmas ilusões. Além de seu objeto imediato e de seu caso específico, a obra de Carlos Rangel constitui uma reflexão geral a respeito da discrepância entre o que uma sociedade é e a imagem que essa sociedade tem de si mesma. A partir de que ponto essa separação se torna grande demais para ser compatível com o controle da realidade? Essa é a questão de cuja resolução nos aproximamos por meio da história da América Espanhola e pela confrontação entre seus "mitos" e "realidades".

Os estrangeiros, em particular os europeus, são em grande medida responsáveis pelos mitos da América Latina. Nesse campo, a Europa foi a fabulista mais prolífica, o que é natural, na medida em que foi a potência colonizadora e forjadora da sociedade latino-americana e que, em nossos dias, na falta de seus soldados e de seus sacerdotes, persiste em enviar seus fantasmas à região, ainda nos dias de hoje como enviava no passado.

Porque os europeus se serviram com persistência das duas Américas para satisfazer suas próprias necessidades, muito mais do que tentaram conhecê-las.

Necessidades econômicas, imperiais, ideológicas; necessidades de aventura, de sonho, de exotismo; necessidades de converter, de estimular ou de odiar. Quantas imagens falaciosas o nosso narcisismo não fomentou!

De fato, imagens de nós mesmos projetadas sobre nós mesmos, na medida em que foi a Europa que povoou o continente americano, governou-o e administrou-o diretamente por séculos, deportou escravos africanos para a América, exterminou, dividiu e dominou as populações indígenas (conforme fossem mais ou menos densas). Fingimos esquecer que as civilizações americanas, tal como existem hoje, são fruto do imperialismo europeu, tanto o da conquista como o do que poderíamos qualificar de imperialismo pela fuga: o de milhões de emigrantes expulsos da Europa para a América, pela miséria ou pelas perseguições.

Seja qual for a mistura de culpa desviada e espírito de rivalidade, de sentimento de inferioridade ou de paternalismo beato que presidem nossos conceitos sobre as duas Américas, é necessário constatar que essa mistura engendra sobretudo mitos e que uma censura poderosa impede a percepção da maior parte das informações, até as mais elementares, que chegam a nós desses países. No século XX, esses mitos se cristalizaram (para simplificar) ao redor de dois grandes eixos: a América do Norte é reacionária; a América Latina é revolucionária.

Contudo, enquanto os "mitos" e as "realidades" da América do Norte são, apesar de tudo, objeto de debate constante, a favor do qual uma pequena parte das realidades consegue chegar à superfície, nossa percepção da América Latina é, por outro lado, domínio quase exclusivo da lenda. Desde o início, a tendência de conhecer essas sociedades, de compreendê-las ou simplesmente descrevê-las, foi subjugada pela necessidade de usá-las como suporte de fábulas. O dano não seria tão grande se nossas lendas não tivessem se convertido, ao longo dos anos, nos venenos com que se alimentam os próprios latino-americanos. Não que estes sejam inocentes da fabricação e da propagação de seus mitos. Porém, encontram, para isso, um estímulo prodigioso no fato de que as miragens de sua imaginação, as desculpas que fabricam, são devolvidas a eles a partir do estrangeiro, gravadas com um certificado de autenticidade da consciência universal.

Ao escrever esse prefácio, que o autor por amizade me pediu, minha dificuldade é que devo a seu livro a maior parte do que agora penso a respeito da América Latina. O habitual é que os prefácios sejam de autoria dos mestres e não dos discípulos. Assim, mais esclarecedores do que meus próprios comentários de europeu, apresento aqui alguns trechos e paráfrases de cartas que Carlos Rangel me escreveu enquanto trabalhava em seu livro, nos quais o leitor perceberá, de modo vívido, alguns temas fundamentais:

> Como disse a você, quando nos encontramos em Caracas, é necessário fazer um trabalho de desmistificação. Não que tudo o que se diz a respeito da América Latina seja falso, mas o conjunto oferece uma ideia falsa. Em parte, isso se deve a que, durante séculos, imagens deformadas da realidade desse continente tenham sido empregadas como ingredientes das controvérsias, das angústias e dos sonhos da civilização europeia. O próprio Colombo assentou a primeira pedra desse edifício de mitos, tanto pelas motivações de sua aventura, como pelas resenhas que fez aos Reis Católicos, nas quais sustentou ter talvez descoberto o Paraíso Terrestre. Posteriormente, o padre Las Casas e outros frades terminaram de elaborar a figura do "bom selvagem", viva ainda hoje, e lançaram a "lenda negra" referente aos supostos males absolutos da colonização espanhola, lenda que foi amplificada por Inglaterra, França e Holanda — potências rivais —, para subjugar a Espanha ainda mais facilmente, quando esta fez todo o possível para manter suas províncias americanas isoladas do resto do mundo.

> Na realidade, sejam quais fossem seus abusos e seus crimes, a colonização espanhola não foi e não podia ser exclusivamente uma acumulação de horrores durante três séculos seguidos. Em sua viagem por diversas regiões do Império Espanhol da América, nas vésperas de sua dissolução, o barão de Humboldt se surpreendeu com o grau de progresso, cultura e informação que encontrou em uma cidade tão insignificante como a Caracas de então. Isso explica o fato de que, em Caracas, assim como em outros lugares do continente, surgiram grandes espíritos como um Bolívar ou um Miranda, a respeito dos quais Carlos Rangel nos demonstra, ao analisar seus pensamentos, que estavam à altura dos teóricos e dos homens de Estados mais notáveis daquela época, na Europa e na América do Norte. Contudo, e ao contrário do que ocorreu de forma natural na América do Norte, e bem ou mal na Europa, na América Espanhola as ideias desses homens não conseguiram se inserir nas instituições, nos costumes ou nos métodos de governo.[1]

Como se explica esse fracasso? Porque não podemos nos enganar: desde o início do século XIX, a história da América Latina, em contraste com a história da América do Norte, é a história de um fracasso. Por quê? Essa é a pergunta que este livro responde, já que esse fracasso e suas causas se perpetuaram até o presente, ainda que os mitos que os mascaram evoluam, e que, por exemplo, o mito do Bom Selvagem tenha se transformado no mito do Bom Revolucionário.

Diversas causas, distantes ou próximas, podem ser consideradas. Os norte-americanos não tiveram que integrar os escassos índios que encontraram, que acabaram separados ou exterminados. Por outro lado, a necessidade de integrar os indígenas das civilizações meridionais, muitos mais numerosos e mais bem organizados, foi o fato central e persiste em ser o câncer da "América que fracassou"; isto é, a América Latina. Na América do Norte, o índio foi marginalizado. Na América Espanhola, converteu-se na maior parte da população ativa e no motor da economia.

De fato, em outra carta, Rangel assinala:

> O colonizador que veio da Europa Espanhola criou uma sociedade na qual os índios reduzidos à escravidão constituíam parte orgânica e indispensável; os homens, por seu trabalho; as mulheres, por seu sexo. De modo que nós, os hispano-americanos, somos simultaneamente descendentes dos conquistadores e do povo conquistado, dos senhores e dos escravos, dos raptores e das mulheres violentadas. Para nós, o mito do Bom Selvagem é uma mistura de orgulho e vergonha. No limite, só nos reconhecemos nele, e ainda que filhos ou netos de imigrantes europeus recentes, seremos 'Tupamaros' (de Túpac Amaru, descendente dos incas, que, no século XVIII, sublevou os índios contra o vice-rei do Peru). Dessa maneira, o Bom Selvagem se transforma no Bom Revolucionário, o redentor, aquele por meio do qual o Novo Mundo deve dar à luz o "Homem Novo" que essa Terra Prometida carrega em seu ventre: Che.

Ao contrário da Revolução da qual, em 1776, resultaram os EUA e pela qual os norte-americanos deixaram de se reconhecer como beneficiários e continuadores da civilização inglesa, não por repelir a tutela política da Inglaterra, a América Latina quis eliminar miticamente, por completo, uma herança espanhola que constituía sua única cultura:

Na América Latina, a guerra da independência foi uma manifestação de ódio antiespanhol, uma raiva violenta de filhos subjugados por muito tempo, um sacrifício ritual do pai. Foi, além disso, uma guerra civil (pouquíssimos espanhóis peninsulares participaram dos combates), com se as duas metades da alma latino-americana tivessem saído para se enfrentar nos campos de batalha.

Mas essa sociedade "revolucionária" não encontrou o seu caminho. Nem com a descolonização nem posteriormente conseguiu ser uma comunidade moderna, dinâmica, racional. Tendo repelido e destruído as estruturas do Império Espanhol, não soube obter outras que fossem simultaneamente estáveis e mais ou menos humanas. A história do século XX prolonga a contradição original da América Latina. Segue saltando entre as falsas revoluções e as ditaduras anárquicas, entre a corrupção e a miséria, entre a ineficiência e o nacionalismo exacerbado.

Entretanto, o êxito insolente dos EUA converteu-se em fator adicional de amargura, e não só pelos resultados concretos da hiperpotência norte-americana, já que:

[...] é um escândalo insuportável que um punhado de anglo-saxões, que chegaram ao hemisfério muito mais tarde que os espanhóis, desprovidos de tudo, e em um clima tão severo que sobreviveram aos primeiros invernos por pouco, converteram-se na primeira potência mundial.

Se a história da América Latina é a história de um fracasso, seria necessário, prossegue Rangel, ao desenvolver o tema:

"[...] uma inconcebível psicanálise coletiva dos latino-americanos para que a América Latina possa olhar de frente para as verdadeiras causas do contraste entre as duas Américas. Por isso que, ainda que sabendo ser uma afirmação falsa, todos os dirigentes latino-americanos são obrigados a sustentar que os nossos males encontram explicação suficiente no imperialismo norte-americano, que naturalmente existiu e ainda existe, mas ocorreu como consequência e não como causa de nossa impotência. Como afirmou Schumpeter, até o roubo, por mais moralmente odioso que seja, suscita o problema da origem da força do ladrão e da fraqueza de sua vítima."

Apesar do atraso econômico, nunca foi justa a classificação da América Latina no que denominamos Terceiro Mundo. Em primeiro lugar, porque a América Latina é basicamente ocidental, apesar do passado pré-colombiano, por suas línguas, sua visão de mundo, sua cultura e sua população. Em seguida — e essa é a lição que tirei pessoalmente do livro de Carlos Rangel —, porque o subdesenvolvimento latino-americano é político antes de ser econômico. De modo mais exato, parece-me que, na América Latina, o subdesenvolvimento econômico é consequência do subdesenvolvimento político, e não o contrário, como ocorre no verdadeiro Terceiro Mundo.

Seja como for, esse duplo subdesenvolvimento precipitou a vocação "revolucionária" da América Latina, já que a "revolução" parece o atalho para superar uma situação marcada pela incapacidade de construir Estados democráticos modernos e economias prósperas capazes de reduzir a dominação estrangeira. No entanto, as "revoluções" latino-americanas foram de tal virulência que arruinaram o que pretendiam salvar (com a Revolução Mexicana de 1911, que durou dez anos e terminou mantendo na pobreza os camponeses que foram sua razão de ser); ou de um verbalismo que, sob uma "linguagem social", dissimula uma incompetência geradora de repentino desastre, como o "socialismo" peruano de 1969 a 1974 ou como o "justicialismo" de Perón que arruinou numa velocidade assombrosa e aparentemente irremediável a economia mais próspera da América Latina; ou então como a Revolução Cubana, que não fez mais do que transferir o país da dominação norte-americana para a satelitização soviética. Em outra nota de trabalho, Rangel me escreveu:

> A Revolução Cubana deu nova virulência a todos os equívocos sobre a América Latina. Fidel Castro encheu de júbilo o coração de todos aqueles que se sentem humilhados pela força norte-americana. Como no tempo em que estava na moda o 'bom selvagem', os olhos da Europa se fixaram em nós, mas não para descobrir verdades científicas, e sim para encontrar pontos de apoio a preconceitos, mitos e frustrações inteiramente europeus. Enojada do stalinismo e vítima de um complexo de inferioridade em relação à América do Norte, a Europa, encantada, descobriu em Fidel o 'bom revolucionário', e continua vendo isso no 'Che'. Nós, os latino-americanos, recebemos esse dilúvio retórico com certo prazer; mas, ao mesmo tempo, com irritação.

A atenção que nos davam era lisonjeira, mas constituída de grande frivolidade, grande presunção e grande condescendência.

Teria sido presunçoso tentar resumir neste prefácio as conclusões de um livro cujo mérito reside, precisamente, em nos sensibilizar para a complexidade de um tema a respeito do qual reinaram, até o presente, simplificações exageradas. Preferi, com a ajuda de alguns textos preparatórios que não figuram na obra, auxiliar o leitor a seguir, como eu mesmo fiz, na progressão (e espero que com o mesmo e profundo interesse) do desenvolvimento da reflexão de Carlos Rangel; e enunciar as grandes perguntas que Rangel responde de forma brilhante em *Do bom selvagem ao bom revolucionário*.

Para terminar, enfatizo que o alcance deste livro vai além da América Latina, na medida em que a América Latina é, em si mesma, um tema interessante e importante, e seus problemas e seus fantasmas são os mesmos de outros continentes. Seus ressentimentos e seus temores em relação aos EUA são a versão exacerbada das paixões também conhecidas pela Europa. Suas dificuldades para aclimatar a democracia liberal, o fracasso do "socialismo democrático" chileno e o auge de um "socialismo nacional-militarista" que serve para mascarar e tornar aceitáveis novas formas de caudilhismo, correspondem a dados que também se encontram em outras partes do mundo. Se, com sua herança cultural ocidental e situação relativamente favorável, a América Latina não consegue encontrar seu caminho sem renunciar aos ideais e às conquistas da Revolução Liberal, isso será de muito mau augúrio para o resto do planeta, pois significaria que a maior parte da humanidade não pode ser governada senão pelo autoritarismo e pelo terror.

JEAN-FRANÇOIS REVEL

NOTA

1. Repetidas vezes, Carlos Rangel utiliza a noção de *América Espanhola*, e não de *América Latina*, pois esta última inclui o Brasil, cuja história é diferente, enquanto que todos os países herdeiros do antigo Império Espanhol compartilham características básicas.

INTRODUÇÃO

Espanhola, não latina

NÓS, LATINO-AMERICANOS, NÃO ESTAMOS SATISFEITOS com o que somos; mas, ao mesmo tempo, não conseguimos entrar em acordo a respeito do que somos e nem do que queremos ser. Em que consiste, exatamente, esse ser *latino-americano* que compartilhamos desde o Rio Bravo até a Patagônia? Uma resposta possível é dizer que não existe uma única América Latina, mas vinte (título do livro bastante conhecido de Marcel Niedergang*), e inclusive incluir o Brasil (e até o Haiti). Mas todo *hispano-americano* sabe, ao se encontrar com um brasileiro, que está *em posição distinta* em relação a ele, e não *junto* dele, que um e outro enxergam o mundo de perspectivas diferentes e, eventualmente, conflitantes.

Por outro lado, os 10 mil quilômetros que separam o norte do México do sul do Chile e da Argentina são uma distância geográfica, mas não espiritual.

Na América Espanhola, sem dúvida existem grupos humanos marginais que habitam um ou outro desses países sem participar da cultura hispânica dominante. O fato de que esses grupos sejam remanescentes dos habitantes pré-colombianos, dos "donos legítimos" do território, que seus antepassados tenham sido vítimas (e eles mesmos continuem sendo) de uma conquista e de uma dominação — *para eles* — estrangeira; e o fato adicional de que o sangue

---

* *Les 20 Amériques latines*, ou "As 20 Américas Latinas", publicado em 1962, em francês, sem tradução no Brasil, no qual Niedergang argumenta que a América Latina é formada por nações muito distintas entre si. (N.E.)

desses escravos circule misturado nas veias de uma enorme proporção de hispano-americanos, são fatores que tendem a confundir a consciência do continente, injetando-lhe elementos de indefinição, mitologia, racismo, complexos de culpa, de inferioridade etc.

Contudo, por enquanto, para simplificar um dos debates mais angustiantes e fundamentais entre os muitos que atormentaram a América Latina, direi que é justamente a América *Espanhola* que, desde a Conquista até hoje, apresentou-se como sujeito ativo; um problema no qual as culturas indígenas e os seres humanos protagonistas dessas culturas têm sido objetos passivos. Os assim chamados índios, por sua presença na América no momento do descobrimento; por aquilo de sua cultura que, bem ou mal, não deixou de aderir às sociedades hispânicas forjadas na conquista, na colonização e na evangelização; pela imensa tragédia de sua derrota, massacre e escravização; por sua participação nos processos de miscigenação, e por sua *presença* persistente, contribuíram para formar uma parte muito importante da consciência (e também da *má consciência*) latino-americana. Porém, apesar do indigenismo moderno, Argentina, Bolívia, Cuba, Colômbia, Costa Rica, Chile, Equador, El Salvador, Guatemala, Honduras, México, Nicarágua, Panamá, Paraguai, Peru, Porto Rico, República Dominicana, Uruguai e Venezuela reúnem uma única cultura, a cultura hispano-americana, implantada em 18 países independentes e em um país submetido politicamente aos Estados Unidos.*

Os espanhóis encontraram inúmeras culturas e até civilizações indígenas nesses territórios. Depois, importaram negros africanos. Posteriormente, imigrantes de diversas procedências se integraram em proporções variáveis a cada país. A hegemonia anglo-saxônica, hemisférica e mundial, teve impacto profundo — de modo mais significativo em alguns países —, mas geral. No entanto, de modo um pouco surpreendente, se assim se quiser, mas palpável, a América Espanhola existe e é possível discorrer sobre ela sem necessidade de dividi-la em vinte, ou sequer em três, ou cinco.

Por outro lado, seria evidentemente abusivo generalizar a respeito de uma "América Latina" onde o Brasil estaria incluído como mais um componente. O Brasil é diferente da América Espanhola não só por causa de sua origem lusitana e sua língua portuguesa, mas também pelo modo como o território foi

---

* Porto Rico (N.E.).

conquistado e colonizado, por ter sido metrópole do Império Português por muito anos, e, em vez de sofrer uma ruptura traumática com Lisboa, por ter alcançado sua independência por um ato de governo, por um decreto, mantendo intactas as estruturas políticas e administrativas do Império.

Em resumo, há pontos de contato, semelhanças, parentescos entre o Brasil e a América Espanhola, mas a soma das diferenças é mais importante do que a das semelhanças, pois, além disso, inclui a consolidação espetacular do Brasil em um único país gigantesco, com fronteiras com quase todos os outros países da América do Sul, exceto Equador e Chile; e isso em contraste com a fragmentação da América Espanhola em 19 pedaços.

Desnecessário dizer que essa dimensão continental tem em si mesma uma importância determinante, e sendo, sem dúvida, consequência de antecedentes distintos, carrega em si a semente de divergências cada vez mais acentuadas e até de confrontações. Ao tentar compreender a América Latina, não se pode ignorar o Brasil (assim como não se pode ignorar os EUA); mas, para a América Espanhola, o Brasil aparece como um vizinho potencial ou realmente perigoso, potencial ou realmente amistoso, mas, em todos os casos, *diferente,* outro.

A América Espanhola, por outro lado, apesar de sua imensidão geográfica e aparente heterogeneidade, é um conjunto identificável, com características comuns suficientes para que seja útil fazer generalizações a respeito dela, uma subdivisão "clara e distinta" do mundo em que vivemos.

Certamente, essa diferenciação da América Espanhola provém da marca que seus conquistadores, colonizadores e evangelizadores lhe deram. Trata-se de um dos prodígios mais assombrosos da história, mas que salta aos olhos, é irrefutável. Existem controvérsias acerca do número exato de "Viajantes das Índias", mas, de qualquer modo, foi apenas um punhado de homens, entre marinheiros, guerreiros e frades. E esses poucos homens, em menos de sessenta anos, antes de 1550, haviam explorado o território, vencido dois impérios, fundado quase todas as localidades urbanas que existem ainda hoje (e outras que depois desapareceram), espalhado a fé católica e a língua e a cultura de Castela de forma não só perdurável, mas também, para o bem ou para o mal, indelével.

Espanhola, então, e não "Latina", é a América cujos mitos e realidades me proponho a apresentar; contudo, o nome "América Latina", invenção de franceses ou anglo-saxões, impôs-se de tal maneira que renunciar a ele, ou insistir a cada passo em que ao usá-lo se exclui metodologicamente o Brasil, seria uma complicação fastidiosa e até pedante. Entenda, então, leitor, que, salvo advertência expressa em contrário, a América Latina deste livro é a América que fala espanhol.

DO FRACASSO À MITOLOGIA COMPENSATÓRIA

Entre 1492 e 2019, transcorreram-se mais de 500 anos, meio milênio de história.
    Se nos propusermos a qualificar esses cinco séculos de história latino-americana na forma mais sucinta, ignorando todas as anedotas, todas as controvérsias, todas as distrações, indo ao fundo da questão antes de esmiuçá-la, o mais certo, verdadeiro e geral que se poderá dizer a respeito da América Latina é que *até hoje foi um fracasso*.
    Essa afirmação pode parecer escandalosa, mas é uma verdade que nós, os latino-americanos, temos imersa na consciência, a qual, em geral, calamos por ser dolorosa, mas que vem à tona cada vez que temos momentos de sinceridade. Em outras palavras, somos nós mesmos, latino-americanos, que qualificamos nossa história como uma frustração. Em 1830, Bolívar, o maior herói da América Latina, escreveu:

> Governei por vinte anos e deles não obtive mais do que alguns poucos resultados certos: 1. a América (Latina) é ingovernável; 2. aquele que serve a uma revolução, ara o mar; 3. a única coisa que se pode fazer na América (Latina) é emigrar; 4. este país (a Grã-Colômbia; depois fragmentada entre Colômbia, Venezuela e Equador) cairá infalivelmente em mãos da multidão desenfreada e, depois, passará para as mãos de tiranetes, quase imperceptíveis de todas as cores e raças; 5. devorados por todos os crimes e extintos pela ferocidade, os europeus não se dignarão a nos conquistar; 6. se fosse possível que uma parte do mundo voltasse ao caos primitivo, esse seria o último período da América (Latina).

Em sua forma extrema, nesses seis pontos, Bolívar condensa o pessimismo latino-americano; o máximo juízo adverso dos latino-americanos a respeito de nossa própria sociedade. Mas vale a pena ressaltar que pelo menos algumas das profecias desesperadas de Bolívar se cumpriram ao pé da letra, razão pela qual não podemos atribuí-las unicamente ao estado depressivo de um homem de idade, desapontado e amargurado; na realidade, são avaliações nas quais está presente toda a agudeza sociológica e toda a visão política do Libertador.

Desde 1830 até hoje, acumulam-se outros dados e outros pontos de referência, adicionais aos disponíveis para Bolívar quando formulou seu juízo sobre o futuro da América Latina:

1. O sucesso imenso dos EUA, no mesmo "Novo Mundo" e no mesmo tempo histórico;
2. A incapacidade da América Latina de integrar sua população em nacionalidades razoavelmente coerentes e coesas, onde esteja se não ausente, pelo menos mitigada, a marginalidade social e econômica;
3. A impotência da América Latina em relação à ação externa, bélica, econômica, política, cultural etc.; e sua correspondente vulnerabilidade em relação a ações ou influências estrangeiras em cada uma dessas áreas;
4. A notória falta de estabilidade das formas de governo latino-americanas, exceto as baseadas no caudilhismo e na repressão;
5. A ausência de contribuições latino-americanas notáveis em ciências, letras ou artes (por mais que se possa citar exceções, que não passam disso);
6. O crescimento demográfico desenfreado, maior que em qualquer outra região do planeta;
7. O fato de a América Latina não se sentir indispensável, ou nem sequer muito necessária, de modo que, em momentos de depressão (*ou* de sinceridade), chega a acreditar que se ela afundasse no mar sem deixar rastros o resto do mundo não seria mais do que marginalmente afetado.

Quase um século e meio depois de Bolívar, um dos principais intelectuais latino-americanos, Carlos Fuentes, foi capaz de escrever:

Existe (para a América Latina) uma perspectiva muito mais grave: à medida que se aprofunda o fosso entre o desenvolvimento geométrico do mundo tecnocrático e o desenvolvimento aritmético de nossas sociedades subordinadas, a América Latina se converte em um mundo *prescindível* para o imperialismo. Tradicionalmente, temos sido países explorados. Em breve, nem isso seremos: não será necessário nos explorar, porque a tecnologia terá conseguido — e em grande medida já consegue — substituir industrialmente nossas ofertas de monocultura. Então seremos um vasto continente de mendigos? Teremos de estender a mão à espera de migalhas da caridade norte-americana, europeia e soviética? Seremos a Índia do hemisfério ocidental? Será nossa economia uma simples ficção mantida por filantropia?[1]

Assim como o de Bolívar, o pessimismo de Fuentes é insuportável para o amor-próprio latino-americano. O próprio Fuentes passa dessas reflexões terríveis ao postulado de uma ação revolucionária, uma ruptura indispensável para resgatar ou criar uma identidade latino-americana menos lamentável, um projeto modesto, mas próprio e viável, que nos permita ser dentro do mundo, se não indispensáveis ou importantes, pelo menos independentes.

De qualquer modo, desde Bolívar até Carlos Fuentes, todo latino-americano profundo e sincero reconheceu, ao menos por momentos, o fracasso — até agora — da América Latina.

As coletividades humanas, diante da constatação de que outras conseguem formular projetos invejáveis e os executar com sucesso, podem tentar a imitação ou a rejeição dos valores implícitos nos projetos e nos êxitos invejáveis. Também é possível (e esse é o caso da América Latina) tentar a imitação e, ao não se alcançar o sucesso esperado, refugiar-se na mitologia como explicação para o fracasso e invocação mágica de uma vingança futura.

NOTA

1. Carlos Fuentes: *La Nueva Novela Hispanoamericana*, México, Cuadernos de Joaquín Morriz, 1969.

CAPÍTULO 1

Do bom selvagem ao bom revolucionário

DAS ÍNDIAS AO PARAÍSO TERRENO

Os mitos fundamentais da América não são americanos, de forma alguma. São mitos criados pela imaginação europeia ou que vêm de mais longe ainda, da antiguidade judaico-helênica e asiática, e serão reformulados pelos europeus maravilhados com o fato de terem descoberto o "Novo Mundo".

Quando os latino-americanos despertam (no século XIX) para a consciência nacional, encontram pronta uma base mítica que lhes servirá para tentar reivindicar como próprio o passado pré-colombiano da América; e, mais recentemente, mesmo hoje, para tentar desculpar ou mascarar o fracasso relativo da América Latina, filha do Bom Selvagem, mulher do Bom Revolucionário, mãe predestinada do Homem Novo.

Depois que os povos do Mediterrâneo terminaram de conhecer toda a costa desse mar interior, e, além de Gibraltar, descobriram o oceano, tiveram a sensação de que algo devia existir do outro lado daquelas águas de aparência infinita. A referência platônica a Atlântida é famosa: "ilha maior que a Líbia e a Ásia juntas". A profecia de Sêneca também é famosa (em sua *Medeia*):

> Em anos futuros virão gerações para as quais o oceano afrouxará as rédeas da natureza e a terra se mostrará incomensurável. Tétis desvendará um novo mundo e Tule já não será a mais remota das regiões.

De que as Índias, ou seja, o Extremo Oriente, China, Japão, Malaca, Java, Sumatra estavam do outro lado do oceano, o século xv não poderia ter dúvida. Dois mil anos antes do descobrimento da América, os gregos já tinham constatado que a Terra era redonda, observando que os barcos que se afastavam da costa desapareciam além do horizonte, ao mesmo tempo em que a bordo deles a terra parecia que ia se afundando no mar; e que, nos eclipses da Lua, a sombra da Terra sobre seu satélite se mostrava redonda.

Então, tanto era possível ir ao Oriente na direção de onde nasce o Sol, como no sentido inverso. Só que a distância, estimava-se acertadamente, era muito maior no segundo caso, e supondo que só houvesse água entre a costa mais ocidental da Europa e a mais oriental da Ásia, a aventura de atravessar tão imenso oceano em pequenos barcos era, com razão, considerada insensata.

Colombo teve a obstinação estranha e predestinada de sustentar, contra a melhor explicação de sua época, que a Terra não só era redonda, algo que não se discutia seriamente, como também era muito menor do que na realidade é. Saiu em direção a uma morte certa, e encontrou a América.

O NOVO MUNDO, UTOPIA

O erro dos europeus em acreditar que tinham chegado à Ásia pelo Ocidente durou muito pouco. O próprio almirante Colombo, se não tivesse investido tanta fé nisso, poderia, por meio de suas mãos e de seus olhos, deduzir que sua façanha fora muito mais extraordinária do que a de chegar ao extremo oposto do Velho Mundo. Acreditando estar nas vizinhanças do Japão, entendeu como prodigiosos e sobrenaturais os sinais que, interpretados com uma imaginação menos medieval, o teriam feito deduzir que estava próximo de uma imensa terra firme:

> Ao chegar à foz do Orinoco, acreditou ter encontrado o Paraíso Terreno [...]. O ímpeto das águas doces, que quase destroçaram suas caravelas no Golfo da Baleia, com sua Boca da Serpente e sua Boca do Dragão, não lhe permitiu inferir a existência de vastas selvas e montanhas [...], mas a proximidade da fonte de água do Paraíso Terreno [...]. Os Teólogos afirmaram que Deus não tinha destruído o Paraíso e o situavam [...] em uma terra ou ilha feliz, sem doenças, sem velhice, sem morte, sem medo.[1]

Nessa transição entre a Idade Média e o Renascimento, homens de espírito medieval, como Colombo, podiam buscar, encontrar e, *de fato, ver diante de si* coisas *preditas* por autoridades em livros.

Contudo, o poder perene dos mitos ancestrais também se manifesta no pensamento dos contemporâneos que transpuseram a cota medieval e olhavam para o futuro a partir da vertente renascentista.

Foi no tema ou mito da ilha feliz, restabelecido pelo descobrimento, que Thomas Morus inspirou-se para escrever sua *Utopia*. A ficção de Morus funde o sonho de Platão, em *A República*, com o entusiasmo pelo descobrimento de um Novo Mundo não corrompido pela civilização. Ali, poderia existir, enfim, ou ser encontrada na plenitude da existência, a sociedade perfeita, desfrutando de paz, igualdade, abundância, liberdade e segurança. O título do livro indica claramente o ceticismo moderno do chanceler de Henrique VIII, mas o conteúdo manifesta a força de ilusões antigas e persistentes, sobretudo ao serem reveladas e reativadas pelo catalisador do Novo Mundo.

A FONTE DA JUVENTUDE, AS AMAZONAS, O ELDORADO

É significativo que desde muito cedo os conquistadores investissem esforços sobre-humanos e patéticos na busca da Fonte da Juventude. Trata-se de um velho mito, associado ao do Paraíso Terreno, por identificação da Árvore da Vida com a Fonte da Vida, com a imortalidade e a beatitude. Tópico também de implantação subconsciente, por identificação simbólica de fontes e mananciais com a própria vida, com "o eterno anseio humano de prazer, juventude e felicidade, como uma realização visionária do poder do homem contra a morte e o destino".[2] Como no caso mais conhecido do mito de Eldorado, os indígenas americanos, ao entenderem que os invasores brancos andavam ocupados na busca de uma fonte mágica, incentivaram essa ilusão para fazer com que os intrusos seguissem adiante, para mais longe.

Da mesma maneira, com os olhos também ofuscados pelo mito, os conquistadores procuraram as Amazonas e deixaram dois nomes de lugares como marca de seu empenho em achar nessas Índias Ocidentais o que as tradições medievais supunham estar situado nas Índias verdadeiras, no Extremo Oriente. Um dos livros de Amadis de Gaula fala de como uma ilha chamada

Califórnia se situa "à mão direita das Índias", próxima do Paraíso Terreno, povoada de mulheres negras, sem homens:

> [...] cujo estilo de vida era quase como o das amazonas [...], de corpos valentes, corações esforçados e ardentes e grandes forças [...]. As armas todas de ouro e também os enfeites dos animais [...], pois em toda a ilha não havia outro metal.

Os descobridores e os conquistadores, desde Colombo, tratavam de encontrar essas Amazonas que, aceito como fato consumado, viviam nas Índias, e cujo mito está ligado ao de um país onde o único metal existente era o ouro, e de forma abundante; o que, aliás, sublinha algo que está bem documentado: que o mito de Eldorado está, em sua essência, ligado a lendas ancestrais; e que nesse, como em tantos outros casos, o descobrimento da América não acrescentou nada à mitologia europeia que já não estivesse ali presente, nem fez nada além de revelar e potencializar sonhos antiquíssimos a respeito da Idade de Ouro e do Estado de Inocência antes da Queda; e desejos igualmente antigos de que, não obstante, o Paraíso não tivesse sido abolido, mas apenas colocado entre parênteses em algum lugar, no reino de Preste João, lendário imperador cristão de um remoto reino oriental; ou mais vagamente nas "Índias"; junto com a esperança de que ali ainda viviam homens livres do pecado original, cujo eventual contato redimiria aqueles que tivessem a sorte de estabelecê-lo, de maneira muito mais segura e imediata que a ressurreição remota e angustiante, por ser incerta, prometida por Cristo.

O BOM SELVAGEM

Procurando o preexistente em seu desejo, os descobridores criaram o mito mais poderoso dos tempos modernos: o Bom Selvagem, ou seja, a versão "americanizada" ou "americanista" do mito da inocência humana antes da queda; fábula destinada a ter imensa fortuna na história das ideias e, da mesma forma, consequências imensas.

Sob forma muito mais vívida e imediata do que seus antecedentes, o mito do Bom Selvagem responde às angústias características da civilização europeia, ocidental, cristã e historicista. Se o homem era bom e a civilização o corrompeu, se houve uma Idade de Ouro e estamos em uma Idade do Ferro ou do Bronze, não pode haver maravilha maior do que encontrar esse tempo primitivo coexistindo com o nosso tempo, e constatar que, de fato, homens não contaminados pela civilização permaneceram inocentes.

Colombo assim enxergou os nativos das ilhas do Mar do Caribe e assim os descreveu em suas cartas aos Reis Católicos:

> Certifico Vossas Altezas que não existe melhor terra, nem melhor gente: amam ao seu próximo como a si mesmos e falam a língua mais suave do mundo.

Um deles, depois que Colombo ofereceu-lhe sua espada, não sabia o que era aquilo, e a pegando pela lâmina, cortou-se. Então, o Descobridor deduziu que aqueles homens não conheciam as armas nem a guerra. Ante a facilidade com que se desprendiam dos objetos de ouro, Colombo achou que também ignoravam a cobiça.[3]

E como os homens, a terra. Pouco depois de 1500, um clérigo sevilhano, usando como guia os informes do Almirante, e até suas próprias palavras, assegura que a natureza do Novo Mundo corresponde à bondade de seus habitantes. As montanhas escarpadas, que ainda hoje se colocam, em alguns lugares, como obstáculos intransponíveis às comunicações, são corretamente descritas como elevadas, mas no sentido de "belas" (o que também são, com certeza), e lhes acrescentando o qualificativo fantasioso de "todas andáveis". As árvores também são tão altas "que parecem chegar ao céu", e como nunca perdem suas folhas, o sevilhano deduz que o clima do Caribe deve ser sempre como o mês de maio na Europa. "Na ilha (Hispaniola) há pinheiros, várzeas e campinas onde há minas de metais de ouro." E tudo isso em uma região tão inóspita quanto agora, ou mais, na época, de modo que aqueles que, em vez de imaginá-la em Sevilha, tinham chegado a conhecê-la diretamente e sofrido com o calor, com o mato cortante e com os insetos agressivos, inventaram para Colombo o apelido de "Almirante dos Mosquitos".

A CIVILIZAÇÃO CORRUPTORA

No entanto, a Europa queria crer no Bom Selvagem habitante de um "Novo Mundo". Em meados do século XVI, o mito já tinha se consolidado e começado a contaminar os europeus de modo muito mais maligno do que a sífilis, sobre a qual se afirma que também foi transferida da América para o Velho Continente. Montaigne o aproveita de modo insuperável e lhe concede toda a sua credulidade, todo o seu entusiasmo, toda a sua futura autoridade:

"Esses povos[4] são selvagens tal qual os frutos que assim chamamos por germinar e se desenvolver espontaneamente, (nos quais) as propriedades e virtudes naturais se guardam, vigorosas e vivas, estas que são as verdadeiras e úteis [...]. As leis naturais dirigem sua existência [...] (e) parece-me que aquilo que por experiência vemos nessas nações (americanas) supera não só as pinturas com que a poesia embelezou a Idade de Ouro da humanidade, mas também que todas as invenções que os homens puderam imaginar para fingir uma vida feliz, junto com as condições próprias da filosofia, não conseguiram descrever uma ingenuidade tão pura e simples, comparável à que vemos nesses países, nem puderam acreditar que uma sociedade pudesse se sustentar por meio de artifício tão escasso e, como se disséssemos, sem solda humana. É um povo (eu diria a Platão)[5] em que não existe nenhuma espécie de intercâmbio, nenhum conhecimento da ciência dos números, nenhum nome de magistrado nem de outra sorte, que se aplique a qualquer superioridade política. Também não há ricos, nem pobres, nem contratos, nem sucessões, nem participações, nem mais relações de parentesco do que as comuns; as pessoas andam despidas, não têm agricultura nem metais, não bebem vinho nem cultivam cereais. As palavras que significam mentira, traição, dissimulação, avareza, inveja, detratação, perdão, são desconhecidas para eles [...]. Vivem em um lugar [...] tão saudável que [...] é muito raro encontrar (entre eles) um homem doente, catarrento, desdentado ou curvado pela velhice [...]. O idioma [...] é doce e agradável, e as palavras terminam de modo semelhante às da língua grega. (Por sua inocência, desconhecem) o custoso que será um dia, para sua tranquilidade e felicidade, o conhecimento da corrupção (europeia) e que seu comércio conosco engendrará sua ruína." (*Os ensaios: Dos canibais.*)

O que existe de novo, ou de mais terrível, que estas palavras de Montaigne, em Rousseau, duzentos anos mais tarde? Contudo, mais impressionante ainda é encontrar, no mesmo texto de Montaigne, a proposição de que a sociedade europeia mereça uma revolução sangrenta, que a devolveria ao seu estado primitivo de bondade natural, à Idade de Ouro; ou que, ao menos, compensasse a maioria desfavorecida pela desigualdade "antinatural" na qual a civilização havia mergulhado a Europa:

> Observaram (três índios americanos trazidos à corte de Carlos IX, em Rouen) que havia entre nós muitas pessoas cheias e saciadas de todo tipo de comodidades e riquezas; (e) que (outros, iguais a eles, suas 'metades') mendigavam às suas portas, magros de fome e miséria, e que também lhes pareceu (aos bons selvagens americanos) singular que os últimos pudessem suportar semelhante injustiça e não estrangulassem os primeiros ou não pusessem fogo em suas casas.

Por causa do mito do Bom Selvagem, o Ocidente sofre hoje de um absurdo complexo de culpa, intimamente convencido de ter corrompido, com sua civilização, os demais povos do planeta, agrupados genericamente sob o qualificativo de "Terceiro Mundo", os quais, sem a influência ocidental, teriam supostamente permanecido tão felizes como Adão e tão puros como o diamante.

No entanto, o que nos interessa é o caminho feito pelo mito na América, e em que lugar veio desembocar mais particularmente na América *Latina*.

O BOM REVOLUCIONÁRIO

Para entender a transformação de Bom Selvagem em Bom Revolucionário, observemos que existe não só relação, mas também *identidade* entre a condição do homem antes da queda e depois da salvação. O intermédio é um parêntese na beatitude *natural*. Os últimos dias serão como os primeiros; o fim da história será o retorno à Idade de Ouro.

Alguns cristãos primitivos tiveram a convicção de que, depois de seu segundo advento, Cristo estabeleceria no mundo um reino perfeito, com duração de mil anos. Desde então, o "milenarismo" tem sido uma febre recorrente da humanidade e, em um tempo de degradação e superficialização dos grandes mitos profundos e eternos, esse milenarismo se fez "revolucionarismo" secular. A queda teria sido o estabelecimento da propriedade privada. Antes de existir essa instituição "antinatural", os homens teriam sido todos iguais e felizes, e voltariam a sê-lo, automaticamente, quando a propriedade privada fosse abolida.

Invariavelmente, as seitas milenaristas (ou revolucionárias) conceberam a salvação como total, no sentido de que, por meio de uma transformação súbita, a vida na terra se transformará, será devolvida à perfeição que teve antes da queda (ou antes da propriedade privada).

Ao mesmo tempo, as explosões de fé milenarista (ou revolucionária) foram acompanhadas invariavelmente pela ascensão fulgurante de profetas e mártires, dotados de qualidades especiais: eloquência, coragem, magnetismo pessoal, *carisma*.

Sem dúvida, o milenarismo e o revolucionarismo estão em desacordo com o espírito racionalista que fez a grandeza do Ocidente; mas, por outro lado, são bastante tentadores para aqueles que se sentem preteridos, marginalizados, frustrados, fracassados, despojados de seu direito *natural* ao mesmo gozo dos bens da terra que os Bons Selvagens da América supostamente desfrutavam antes da chegada das fatídicas caravelas.

Isso explica o motivo pelo qual os EUA, a América triunfante, tenha feito uso muito moderado do mito do Bom Selvagem e tenha uma resistência saudável (maior do que a da Europa) ao mito do Bom Revolucionário. E também explica o motivo pelo qual a América Latina, a América fracassada, seja especialmente vulnerável a ambos os mitos.

O Bom Selvagem tem na psique dos norte-americanos um lugar tão reduzido como na história de seu país. Sem dúvida, "o último dos moicanos"* é nobre, mas é *outro*, e está prestes a desaparecer para sempre. Os colonizadores anglo-saxões vieram em busca de terra e liberdade, e não de ouro e escravos.

---

* *The Last of the Mohicans: A Narrative of 1757* (*O último dos moicanos*), de 1826, é um romance histórico de James Fenimore Cooper (1789-1851). Tem como pano de fundo o conflito entre franceses e britânicos pelo território norte-americano, com participação indígena de ambos os lados. Contribuiu em grande medida para a construção do mito do índio norte-americano, difundido até hoje na literatura e no cinema: um misto do bom selvagem com o selvagem brutal e violento, além de aludir para uma crença corrente na época de que os índios estavam desaparecendo. (N.E.)

Depois de expulsar do território do indígena ou exterminá-lo, não tiveram a necessidade nem de rechaçá-lo nem de integrá-lo social ou psicologicamente.

Em contraste, essa necessidade foi o fato central e segue sendo o câncer da América Latina, em que o conquistador espanhol criou uma sociedade na qual os índios reduzidos à escravidão constituíam parte orgânica e indispensável; os homens, por seu trabalho, e as mulheres, por seu sexo. Em consequência, nós, os latino-americanos, somos simultaneamente descendentes dos conquistadores e do povo conquistado, dos senhores e dos escravos, dos raptores e das mulheres violentadas. O mito do Bom Selvagem os concerne pessoalmente; é simultaneamente nosso orgulho e nossa vergonha.

No limite de nossa frustração e de nossa irracionalidade, chegaremos a não admitir outra filiação, e ainda que filhos ou netos de imigrantes europeus muito recentes, seremos *tupamaros* (de Túpac Amaru II, líder de uma revolta indígena no Vice-Reino do Peru, no século XVIII).

Dessa maneira, o Bom Selvagem se converte no Bom Revolucionário, "aventureiro romântico, Robin Hood vermelho, Dom Quixote do comunismo, novo Garibaldi, Saint-Just marxista, El Cid dos condenados da terra, sir Galahad dos miseráveis, Cristo laico, São Ernesto de la Higuera", *Che*.[6]

O REVERSO DOS MITOS

O Túpac Amaru histórico foi descendente em linha direta dos incas, imperadores do Peru pré-colombiano. Ao se rebelar em 1780, trocou seu nome espanholizado pelo de um Inca executado em 1569 por Francisco de Toledo, o vice-rei que, entre esse ano e 1582, consolidou definitivamente o domínio espanhol sobre o território peruano.

Derrotado e preso, Túpac Amaru II foi humilhado e morto cruelmente, passando assim à história como mártir e precursor da independência latino-americana.

Isso é típico dos equívocos e dos mitos da América Latina. Túpac Amaru II se rebelou em nome do rei espanhol Carlos III (1759-88) e contra os abusos dos *criollos* peruanos. Foram estes que o confrontaram, o derrotaram e o supliciaram, sobretudo para defender seus privilégios como descendentes dos conquistadores, e só por acaso também para apoiar os direitos de um distante rei afrancesado, que, desde 1765, começara a molestá-los e a inquietá-los com a extensão para a América de ideias *modernas* a respeito de uma melhor administração e supervisão imperiais, baseadas no sistema francês de representantes (intendentes) da Coroa.

Nesse ocaso do Império Espanhol da América, os *criollos* americanos, estirpe da estrutura de poder de todas as futuras repúblicas independentes, vivem emoções e sentimentos contraditórios. A rebeldia exitosa dos colonos ingleses da América do Norte os fascina. Aspiram a exercer todo o poder e a ter todas as honras, em vez de ter que admitir a tutela da Espanha, exercida por funcionários peninsulares. Porém, ao mesmo tempo, como senhores em uma sociedade escravocrata, sabem que estão rodeados de inimigos. Não só os índios aparentemente submissos, mas que, ocasionalmente, irrompem em rebelião, como no Peru, em 1780, ou como no México, em 1624 e 1692,[7] mas também os negros rudes e violentos e os pardos humilhados e ressentidos. No motim de 1692, os escravos negros, os pardos[8] e até os brancos pobres, chamados de *saramullos* no México, para diferenciá-los dos orgulhosos *criollos*, terminaram por juntar forças com os índios em uma explosão de raiva contra toda a autoridade e toda a riqueza.

Como se tudo isso não bastasse, a revolução do Haiti ofereceu aos *criollos* hispano-americanos, desde 1791, uma demonstração prática do que podia ser a guerra social nas sociedades escravocratas da América, uma vez dissolvidos os vínculos com a metrópole e quebrados os hábitos de autoridade e obediência.

Diante da massa obscura e inimiga de escravos, servos e castas livres inferiores, os *criollos* se sentem avidamente espanhóis, ou seja, súditos fiéis do Rei. Os *criollos* podem ter sido (e, provavelmente, foram) os verdugos de Túpac Amaru. Também é *criolla* a pena que redigiu o édito proclamado em Cusco depois de ter sido sufocada a sublevação:

> Por causa do rebelde, ordena-se que os nativos se desfaçam ou entreguem aos seus corregedores quantas vestimentas tiverem, assim como as pinturas ou retratos de seus incas, os quais se apagarão para sempre, pois não merecem a dignidade de estar pintados em tais locais.
>
> Por causa do rebelde, os mesmos corregedores zelarão para que não se representem, em nenhum povoado de suas respectivas províncias, comédias

ou outros espetáculos públicos que costumem usar os índios para memória de seus feitos antigos.

Por causa do rebelde, proíbem-se as trombetas ou clarins que usam os índios em suas apresentações, que chamam de *potutos* e que são caracóis marinhos de som estranho e lúgubre.

Por causa do rebelde, ordena-se que os nativos sigam os trajes que especificam as leis, vistam-se de acordo com nossos costumes e falem a língua castelhana, sob as penalidades mais rigorosas e justas contra os desobedientes.

Porém, os mesmos *criollos* que lançam (ou subscrevem) em 1781 essa proclamação de ocupantes, vão, a partir de 1810, declarar-se "índios honorários", herdeiros e vingadores do Bom Selvagem. O hino do Peru independente designa Lima (a mais espanhola, junto com a Cidade do México, das cidades hispano-americanas) herdeira do ódio e da vingança do Inca, seu legítimo senhor, e livre *novamente* depois de três séculos de opressão *estrangeira*. O hino da Argentina assegura que, com a guerra de emancipação, os incas se agitaram em seus túmulos pela emoção de ver "seus filhos" renovarem "o antigo esplendor da Pátria". No Equador, José Joaquín Olmedo, poeta laureado da Grã-Colômbia, imagina (em 1825) o inca Huaina Capac, montado em uma nuvem, alegre de que, após ter tido a infelicidade de ver do além-túmulo,

"*correr las tres centurias
De maldición, de sangre y servidumbre*"
["correr os três séculos de maldição, de sangue e escravidão"]

esteja agora despontando a hora feliz em que começa

"*la nueva edad al Inca prometida*"
["a nova era ao Inca prometida"].

No entanto, a situação dos índios não míticos, mortos e enterrados antes do descobrimento, ou vivos e de carne e osso, continuou, onde quer que fosse, sendo igual ou pior do que antes da ruptura com a Espanha. A administração colonial espanhola estava sob a responsabilidade de peninsulares sem interesses privados na América, nem vínculos de sangue ou prolongada familiaridade com a oligarquia *criolla*. Para esses funcionários, vice-reis, intendentes ou capitães-gerais, as castas americanas eram um fato político a ser manejado com o expediente de uma prudente mediação. Ademais, embora nesse governo não houvesse nenhuma preocupação de equidade social, tal como hoje a entendemos, e sendo óbvio que, na arbitragem entre as castas, os *criollos* levassem de longe a melhor parte, havia sim alguma preocupação de justiça e rastros da controvérsia (vivida pela Espanha cristã do século XVI a respeito da humanidade e dos direitos dos indígenas da América) que tinha dado lugar à promulgação das chamadas "Leis das Índias", em que figuravam numerosas disposições destinadas a proteger os índios.

Em contraste, os governos republicanos da América Espanhola acabariam sendo todos representativos exclusivamente de fazendeiros *criollos* implacáveis ou (no caso de países mesclados socialmente pela guerra) de fazendeiros *pardos* ainda mais implacáveis; oligarquias que não tinham outra preocupação nem outro objetivo do que o de manter intactas as estruturas sociais baseadas no latifúndio e na peonagem (servidão por dívida). As frequentes mudanças de governo, as chamadas "revoluções" latino-americanas, não viriam a ser senão perturbações superficiais em águas estagnadas.

Para cúmulo da injustiça, quando no fim do século XIX e começo do século XX, as classes dirigentes latino-americanas começam a formular explicações ou desculpas pelo fracasso de suas sociedades, em comparação com a sociedade norte-americana, vão culpar o índio, o negro e a mistura de raças; e essa explicação vai preceder, e então coexistir durante algum tempo, com a que hoje está na moda e que atribui o atraso e a frustração da América Latina exclusivamente ao imperialismo norte-americano.

NOTAS

1. Ángel Rosenblat, *La primera visión de América y otros estudios,* Caracas, Ministerio de Educación, 1965.
2. *Ibid.*
3. Por que os europeus não encontraram o Bom Selvagem na África? Obviamente porque os selvagens africanos eram conhecidos desde a Antiguidade; não eram exóticos. A Europa não encontrou bons selvagens na África porque não os estava procurando

lá. Assim, o negro aparece desde sempre para a consciência europeia como simples selvagem, sem adjetivação, no sentido exato e pejorativo da palavra.
4. Os índios americanos, a quem chamam de "canibais", sem se espantar com isso, mas desculpando-se com boas razões o consumo ocasional de carne humana e, de qualquer modo, achando menos condenável do que o hábito europeu de torturar os condenados à morte.
5. Aparentemente, para evidenciar o erro de supor necessários ou convenientes os artifícios políticos de *A República* e *As Leis*.
6. Michael Löwy, *La Pensée de Che Guevara*, Paris, Petite Collection Maspero, 1970.
7. Em 7 de junho de 1692, a população indígena da Cidade do México, faminta e exasperada pelo rumor de que uma mulher índia havia sido açoitada até a morte, atacou e incendiou o palácio vice-real, dando vivas ao rei da Espanha e pedindo a morte do vice-rei do México.
8. "Nas Índias Ocidentais distinguiam-se sete castas, a saber: 1º os espanhóis nascidos na Europa; 2º os espanhóis nascidos na América, chamados de *criollos*; 3º os mestiços, descendentes de branco e índio; 4º os mulatos, descendentes de branco e negro; 5º os *zambos*, descendentes de índio e negro; 6º os índios; e 7º os negros, com as subdivisões de: *zambos prietos*, descendentes de negro e *zamba*; *cuarterones*, de branco e mulata; *quinterones*, de branco e *cuarterona*; e *salto-atrás*, a mistura em que a cor é mais escura do que a da mãe. Na Venezuela, todas as pessoas que não eram de raça pura (quer dizer, que não eram brancos, índios ou negros, mas uma das misturas indicadas) eram chamadas habitualmente de *pardas*; casta que no fim da colônia constituía metade da população total." José Gil Fortoul, *Historia Constitucional de Venezuela*.

CAPÍTULO 2

A América Latina e os Estados Unidos

QUANDO OS DADOS PARECIAM NÃO ESTAR LANÇADOS

Ainda em 1700, o Império Espanhol da América mostrava-se aos contemporâneos incomparavelmente mais rico (o que era) e mais poderoso e promissor do que as colônias inglesas da América do Norte.[1] Nesse ano, exatamente, a guerra parecia iminente entre a Inglaterra, por um lado, e a Espanha e a França, por outro. Quanto a essa rivalidade entre as três principais potências europeias do Renascimento, a vantagem de tê-la condensada e resolvida em nossos livros de história é nos viabilizar interpretá-la como um desenvolvimento inexorável do poder anglo-saxão, desde a derrota da Invencível Armada até a Segunda Guerra Mundial, passando por Trafalgar e a Guerra Hispano-Americana de 1898.

Contudo, esse futuro não estava escrito em 1700, quando qualquer habitante dos precários vilarejos que então eram Boston ou Nova York poderia ter pensado que o século que estava começando veria talvez uma ampliação das já bastante extensas possessões francesas e espanholas na América do Norte, à custa do limitado território colonizado pelos ingleses a partir de 1607 entre o Canadá, a Flórida, os Apalaches e o Oceano Atlântico.

Por outro lado, a imaginação mais desenfreada não poderia ter previsto que essas colônias inglesas precárias seriam, em pouco tempo, um país independente, poderoso e expansionista, destinado a comprar a Luisiana, da França, a Flórida, da Espanha e o Alasca, da Rússia; a desalojar os herdeiros do

Império Espanhol de extensos territórios; e a abrir caminho até o Pacífico, onde arrebataria o Oregon, da Inglaterra.

A própria confederação nascida em 1776 não parecia nada formidável. Qualquer homem de Estado sensato europeu deve ter visto com ceticismo o futuro de uma experiência política tão extravagante, tão pouco apropriada, segundo o senso comum prevalecente, para assegurar um governo estável e eficaz, manter a paz e ainda a coesão interna, e muito menos conduzir uma eventual guerra exterior.

De fato, muito depois, quando ocorreu a guerra contra o México, pensou-se na Europa que os EUA iam ter uma decepção e que provavelmente a aventura lhes custaria muito caro. Os mexicanos conservariam algo das qualidades marciais que, no século XVI, tornaram a infantaria espanhola o terror da Europa; os escravos negros dos estados sulistas e os índios da fronteira aproveitariam a conjuntura para se sublevar; os ingleses não desperdiçariam a oportunidade de estabelecer, com firmeza, a soberania britânica na costa do Pacífico ao norte da Califórnia.

Entre 1860 e 1865, os EUA sofreram uma guerra civil terrível e sangrenta, mais destrutiva e total do que qualquer outro conflito armado que o mundo tivera conhecimento até então.

O Norte vencedor saiu dessa guerra com um impressionante aparato bélico, mas o desmantelou com tanta rapidez e desenvoltura que, em 1879, a marinha de guerra norte-americana era inferior à do Chile, país que nesse ano demonstrou sua potência naval "europeia" ao ganhar com facilidade a chamada Guerra do Pacífico contra o Peru e a Bolívia.*

Nesse período, os EUA eram um país produtor principalmente de matérias-primas, minérios e produtos agropecuários, e praticamente não participava do comércio internacional, exceto como exportador desses produtos e importador de manufaturados e capital; as mesmas condições que se assegura hoje que são causa suficiente do atraso da América Latina.

Contudo, em 1898, os norte-americanos, com seus barcos novíssimos e construídos rapidamente, destruíram a armada espanhola em Cuba e nas Filipinas. Entre 1904 e 1914, terminaram a construção do Canal do Panamá,

---

* Conflito ocorrido entre 1879 e 1883, que resultou na anexação pelo Chile de territórios do Peru e da Bolívia, fazendo com que esta perdesse definitivamente sua saída para o mar. (N.E.)

abandonada como impossível por Ferdinand de Lesseps. Em 1917, por meio de sua intervenção, determinaram a derrota das Potências Centrais na Primeira Guerra Mundial.

Até 1923, nenhum prêmio Nobel de Física ou Medicina havia sido concedido aos EUA; mas, desde então, norte-americanos ou europeus residentes nos EUA ganharam um de cada três prêmios Nobel de Física, um de cada cinco de Química, um de cada quatro de Medicina. O que, unido à potência industrial e financeira norte-americana, resultou, entre outras coisas, em que os norte-americanos tivessem construído a primeira bomba atômica e o primeiro reator nuclear, e colocado o primeiro homem na Lua.

Porém, o mais notável (e, sem dúvida, o mais importante em relação às perspectivas de nossa época) é que a produtividade agropecuária norte-americana seja de tal modo espetacular, que, com apenas seis por cento da população ativa empregada no campo, os EUA conseguem ser amplamente autossuficientes e, além do mais, grandes exportadores de alimentos.

Não é meu propósito tentar explicar os êxitos norte-americanos, tampouco fazer uma lista exaustiva deles. Contudo, quero sublinhar algo que não é imediatamente evidente para aqueles que observam esses êxitos a partir de uma perspectiva europeia, africana ou asiática: seu caráter de escândalo humilhante para a *outra América*, que não pode se dar, nem dar ao resto do mundo, uma explicação aceitável para seu fracasso relativo (que, pela comparação, parece mais do que é na realidade) em comparação aos colonizadores da América do Norte.

UMA REVOLUÇÃO CONSERVADORA

Os antecedentes desse destino tão prodigioso não passaram inteiramente despercebidos no século XVIII, ainda que se possa suspeitar de que, no começo, houve entre os europeus e hispano-americanos ilustrados, um pré-julgamento favorável à "pátria da revolução liberal e republicana", comparável, *mutatis mutandi*, ao pré-julgamento favorável de que desfrutou em seu primeiro quarto de século a URSS, "pátria da revolução socialista". Observadores e analistas progressistas desejaram ver triunfar a nascente república norte-americana e, sem dúvida, seus adversários conservadores desejaram vê-la sucumbir ou, pelo menos, retroceder a formas de governo menos radicais, menos revolucionárias.

Contudo, equivocaram-se aqueles que supunham que os EUA projetavam desestabilizar o mundo. É verdade que no escudo norte-americano figura a divisa virgiliana *Novus Ordo Seculorum*, "começa um novo ciclo de séculos", volta a idade de ouro; mas, desde o começo, o milenarismo norte-americano foi sensato, racional, pragmático, prático, moderado em tudo, exceto na ambição. Ou seja, por assim dizer, a nova república nasceu *conservadora*.

Do mito do Novo Mundo, os norte-americanos pegaram o otimismo, a confiança em si mesmos como destinados a construir uma sociedade melhor do que a europeia, onde deveria existir a igualdade social e de oportunidades, e onde vigorariam os direitos humanos considerados *naturais* pelo liberalismo, tais como a vida, a liberdade e a possibilidade de cada um procurar a felicidade. Os norte-americanos acalentariam a esperança, a qual se comprometeram a transformar em certeza, de que a América fosse propícia a esse projeto, não por predestinação mítica ou providencial, mas por estar livre da crosta de hábitos e privilégios que mantinha a sociedade europeia presa a estruturas opressivas e rígidas em termos políticos, sociais e econômicos.

Ao pôr a nova nação em movimento, o critério que prevaleceria em seu governo — contra o radicalismo excêntrico de um Samuel Adams, e contra as influências jacobinas* posteriores, derivadas da Revolução Francesa — é o de que os EUA se proporiam a *manter, desenvolver* e *melhorar* a sociedade que existia até então nesses territórios e não subvertê-la. Alguns dirigentes da Revolução Americana chegaram a temer que o povo se inflamasse com a retórica revolucionária, a ponto de pôr em perigo as instituições básicas. Contudo, esses temores se mostraram infundados. Depois de agosto de 1792, o extremismo de Paris teve muito mais eco em alguns círculos dirigentes do que na massa dos norte-americanos, que já então mostravam notável compreensão (sem dúvida, originada na prática política inglesa) do valor dos procedimentos políticos surgidos da experiência** e do arranjo espontâneo das forças sociais em presença do costume e da tradição e consagrados por ambos; ao mesmo tempo em que uma equivalente desconfiança e resistência diante dos projetos políticos ideais propostos em nome da Deusa Razão e

---

* Grupo revolucionário surgido em Paris em 1789. Tendo assumido contornos radicais, defendia o uso da violência contra os opositores da Revolução. (N.E.)
** A *common law*. (N.E.)

fundamentados na suposição de que o homem é bom por natureza e a sociedade é que o corrompe.

Além disso, na sociedade norte-americana prevalece desde o começo a convicção de que o império da lei é, *em si mesmo*, uma conquista tão fundamental contra a tendência à arbitrariedade, latente em todos os governos, que mais vale suportar uma lei deficiente, e até mesmo má, até poder modificá-la mediante um procedimento regular, do que admitir (e muito menos solicitar) sua emenda ou abolição por um ato de força, seja autocrático, seja revolucionário.

Aqueles que supõem exagerado atribuir semelhantes sentimentos coletivos aos norte-americanos do último quarto do século XVIII, não se inteiraram, ou resistem a crer, contra todas as evidências, que nessas colônias inglesas da América do Norte, o pensamento de Locke chegou a ser tão sutilmente difundido, tão influente, tão imediato, tão "folclórico" como chegou a ser o pensamento de Marx e Lenin no assim chamado Terceiro Mundo, na segunda metade do século XX. E foi Locke quem disse que onde termina a lei começa a tirania.

O SEGUNDO DESCOBRIMENTO DA AMÉRICA DO NORTE (MIRANDA NOS EUA)

O primeiro latino-americano a visitar e conhecer diretamente essa sociedade simultaneamente experimental e conservadora, rural e ainda rústica, mas, até nisso em conformidade com os ideais do século, foi um homem notável por sua cultura, por suas ideias, por suas metas, por seus dotes de observador ávido e perspicaz e por seu hábito de manter um diário detalhado de tudo o que fazia e observava.

Francisco de Miranda nasceu em Caracas em 1750. Serviu como oficial do exército espanhol na África do Norte e depois nas Antilhas, no tempo da guerra entre Espanha e Inglaterra. Por causa dessa última circunstância, esteve com as tropas espanholas que ajudaram em algumas ações na guerra de independência norte-americana; e também tendo participado da Revolução Francesa[2] e, evidentemente, da Emancipação hispano-americana, é o único caso de protagonista ativo nas três grandes revoluções que ocorreram entre 1776 e 1824. Em 1783, a situação de Miranda no exército espanhol havia se tornado insustentável, presumivelmente por suas ideias a respeito da necessária e desejável independência da América Espanhola. Em 10 de junho daquele ano, zarpou clandestinamente de Havana, abandonando, sem regresso possível, exceto como rebelde, o território do Império Espanhol.[3] Oito dias depois, chegou aos EUA, onde viajou muito, desde a Carolina do Sul até a Nova Inglaterra, onde permaneceu um ano e meio, até dezembro de 1784.

O diário de Miranda desse período é um documento de interesse inestimável. Desde a Declaração da Independência, em 4 de julho de 1776, os EUA preocuparam o Império Espanhol da América,[4] incutindo na casta dos *criollos* as emoções e os sentimentos contraditórios que mencionamos. Nesse período, por uma casualidade felicíssima, Miranda, que era talvez o *criollo* mais apropriado para fazê-las, deixou-nos observações detalhadas e pertinentes a respeito de praticamente todos os aspectos da vida da jovem república.

Desde seu primeiro contato com os norte-americanos, achou-os "extremamente robustos e corpulentos", atribuindo esse fato, sem rodeios, à boa alimentação.[5]

Ao participar de seu primeiro *barbecue* (churrasco), Miranda observa:

> Os primeiros magistrados e pessoas do país comeram e beberam com (o) povo, dando-se as mãos e bebendo do mesmo copo. É impossível conceber uma assembleia mais genuinamente democrática e que sustente tudo o que os poetas e historiadores [...] nos contam de outras semelhantes entre os povos livres da Grécia.

Em Charleston, na Carolina do Sul, Miranda assistiu às audiências do Tribunal de Justiça, que são públicas, segundo o costume britânico:

> E não posso ponderar a satisfação e o entusiasmo que senti ao ver o admirável sistema da Constituição britânica ser praticado. Meu Deus, que contraste com o sistema legislativo da Espanha.

Da mesma forma, o governo do Estado da Carolina do Sul despertou sua admiração por ser "genuinamente democrático, como são todos os demais Estados Unidos", com os poderes executivo, legislativo e judiciário separados e soberanos.

Na Filadélfia, admirou-se ao desembarcar "sem nenhuma formalidade, nem registro", e, ao refletir a respeito do engenho e da destreza norte-americanos, evocou Benjamin Franklin, inventor "do novo sistema de chaminés em que, com um terço da lenha ou carvão que geralmente se gasta, consegue-se obter mais calor", do "sabão famoso para se barbear que é vendido com seu nome", do para-raios etc. Ao chegar à pousada, encontrou "a melhor que conheci [...] em asseio, abundância, ordem e decência". O mercado da cidade era "o melhor, o mais limpo e abundante que já vi". Apreciou a absoluta liberdade de culto que distinguiu a Pensilvânia desde a fundação da colônia por William Penn; e, em geral, achou os habitantes da Filadélfia "uma das populações mais agradáveis e organizadas do mundo".

AS VANTAGENS DE UM GOVERNO LIVRE

Com tranquilo bom senso, Miranda atribuiu as virtudes e a prosperidade que observara na sociedade norte-americana não a nenhum abuso de poder, ainda impossível e impensável, com relação a outras nações, mas simplesmente às "vantagens de um governo livre (de) qualquer despotismo", coisa que "pouquíssimos franceses" ou espanhóis familiarizados com os EUA eram "capazes de discernir", por não terem "penetrado no mistério maravilhoso da Constituição britânica".

Ao viajar da Filadélfia para Nova York, admirou-se com a paisagem e a prosperidade de Nova Jersey, com:

> A compleição e a robustez de seus habitantes [...] e o povoamento e a agricultura do país, pois quase não se vê um rincão ou vale onde não esteja instalada uma casa; [...] (e) posso assegurar que [...] jamais encontrei uma pessoa que se mostrasse desnuda, faminta, doente ou ociosa [...]. O território, do que se vê, está dividido [...] em pequenos lotes que chamam de *farms*, do que resulta que a terra está muito mais bem cultivada e o número de casas é muito maior (ainda que não tenham aparência suntuosa) do que em outros países.[6]

E isso que:

O terreno pode ser classificado mais como indiferente do que bom, e na orla marítima é bastante pobre e arenoso; porém, o fato de ser irrigado em todos os lugares, de estar nas mãos de um povo trabalhador e sobretudo sob a influência de um governo livre, prospera apesar de todos esses inconvenientes.

De Nova York, Miranda fez uma excursão até a fortaleza de West Point e, ao chegar lá, alojou-se em uma pousada:

> Sem que ninguém investigasse nem cuidasse de saber quem eram os forasteiros recém-chegados; uma das situações mais agradáveis que se desfruta em um país livre. Quantas formalidades não teriam sido necessárias na França, na Alemanha etc. antes que deixassem entrar (em uma instalação militar comparável a West Point)?

Ali, admirou a famosa corrente que os norte-americanos estenderam no rio Hudson durante a guerra da independência para obstruir a navegação e cujos elos eram

> [...] do tipo comum, mas de uma espessura tão considerável que não sei como podiam manter a corrente sobre (a) água [...] e para que a maré ao subir e descer não [...] a rompesse [...]. Não se pode negar que essa máquina é um esforço do talento, da destreza e do espírito audaz do povo que a produziu. Afirma-se que seu custo chega a 70 mil libras, e não duvido que se o rei da Espanha a tivesse pago, teria custado mais; mas para eles não acredito que custou a décima parte dessa quantia.

No caminho de volta a Nova York, tomou conhecimento de um caso curioso "digno de imortalidade", ocorrido durante a guerra, perto de King's Ferry, junto ao rio Hudson: "Um camponês proprietário do terreno em que ficava o acampamento francês (de Rochambeau) pediu para que lhe pagassem (o uso da) terra; (mas) os oficiais (franceses) ignoraram" essa pretensão incomum do vilão americano. Então, o *camponês republicano* decidiu procurar o xerife para que ele prendesse o devedor; e vê vossa mercê chegar esses dois pobres agricultores[7] sem uma simples arma na mão, mas com o paládio e a autoridade das leis, decididos com firmeza heroica a prender o general francês, Monsieur de Rochambeau, diante de todo o seu exército [...]. (E) o general foi realmente detido pelo xerife e pagou o que devia ao pobre agricultor (uns 10 ou 15 pesos era toda a quantia), encerrando o litígio". E Miranda comenta:

> Como é possível que, sob semelhantes auspícios, não floresçam os países mais áridos e desertos, e que os homens mais pusilânimes e insignificantes não sejam, em pouco tempo, honestos, justos, diligentes, sábios e corajosos?

E poderia ter acrescentado: em pouco tempo, *poderosos*.

O CARÁTER DE DUAS NAÇÕES

Depois, Miranda passou pela Nova Inglaterra, e, em Providence (Rhode Island), fez uma das observações mais ricas de sentido em todo o diário. Ele é levado a ver, como algo digno de admiração, o que era mesmo, uma mina dotada de:

> [...] uma máquina para drenar as águas por evaporação, que certo Joseph Brown instalou e comanda sozinho. O cilindro deve ter 60 centímetros de diâmetro e 3 metros de comprimento, é de ferro e foi fundido pelo próprio Brown. Por meio dessa máquina, drenam-se as águas da mina a 90 metros de profundidade, à razão de 380 litros por minuto. Perceba aqui o caráter de duas nações! Enquanto no México e em todos os nossos domínios da América (espanhola) ainda não se conhece máquina semelhante, nem nenhuma outra que mereça esse nome, para drenar nossas minas mais ricas (de ouro e prata), que, por esse motivo consideramos arruinadas, aqui se (fabricam) essas máquinas para remover o solo de que extraem o ferro [...].

Em Boston, ele teve uma vez mais a experiência de uma sociedade que permitia tudo o que não estivesse expressamente proibido e presumiu a existência da boa-fé de cada um, desde que não houvesse motivo de suspeitar o contrário. Chegou sua bagagem e a alfândega deixou passar os baús sem o menor inconveniente e sem abri-los, "apenas com a minha palavra de que não continham artigos de comércio".[8]

Perto de Salem, em Massachussetts, fez observações parecidas com aquelas que havia feito quando atravessou Nova Jersey:

> As terras parecem [...] e são realmente pobres. Em geral, os produtos são pasto, milho e centeio. No entanto, tal é a destreza e o espírito que a liberdade infunde nessas povoações, que, de uma pequena porção (de terra), tiram (os homens) o necessário para manter suas grandes famílias, pagar altos impostos e viver com conforto e prazer, mil vezes mais felizes que os proprietários (donos de escravos) das ricas minas e férteis terras do México, Peru, Buenos Aires, Caracas e todo o continente americano espanhol.

Essas simples verdades a respeito da origem da prosperidade e do poder dos EUA, antes de toda a relação com a América Latina, foram hoje substituídas por explicações retorcidas referentes a como o auge norte-americano estaria em relação direta com o atraso do resto do hemisfério, cuja exploração pelos ianques seria a causa principal, e até única, tanto da riqueza norte-americana como da pobreza latino-americana, do êxito deles e de nosso fracasso. E se alguém lê essa parte do diário de Miranda deve ser em segredo, porque ninguém o cita, ninguém o comenta. É incômodo, quando se vive de mitos, dar de cara com a verdade, dita de forma tão simples, tão clara, tão irrefutável. E ainda por cima, por um dos autênticos heróis e um dos maiores homens da América Espanhola.

O IMPERIALISMO IANQUE

Sem dúvida, na América Latina, o imperialismo norte-americano não é nenhum mito. Só que é uma consequência e não uma causa do poder norte-americano e de nossa debilidade. Até o roubo mais iníquo, por mais reprovável que seja, não evita buscar uma explicação racional para a força do ladrão e a debilidade da vítima.

Em fins de 1822, a independência da América Espanhola estava praticamente consumada. Ao mesmo tempo, a fraqueza, a vulnerabilidade e a inexistente preparação para a vida autônoma das novas repúblicas eram perfeitamente evidentes para os contemporâneos e preocupavam os norte-americanos.

Nos EUA, existira simpatia pela luta emancipadora tão obviamente inspirada em seu exemplo e, teoricamente, conduzida em nome dos mesmos princípios. Henry Clay expressou os sentimentos de seus concidadãos quando se emocionou com "o espetáculo glorioso de 18 milhões de seres humanos lutando para romper seus grilhões e ser livres". Porém, ao mesmo tempo, os estadistas em Washington viam com preocupação o eclipse do império espanhol, que chegara a ser ameaçador para eles, e o vácuo de poder que ocorreria.

No primeiro momento, a potência mais preocupante para os norte-americanos era a Inglaterra, e com justa razão. Os EUA tinham acabado de travar uma guerra contra os ingleses, os quais, em 24 de agosto de 1814, capturaram e incendiaram Washington. Canning, ministro inglês de Relações Exteriores de 1822 em diante, considerado até hoje amigo histórico pelos hispano-americanos, por seu vivo interesse na dissolução do Império Espanhol da América, e por ter sido a Inglaterra, sob sua condução, a primeira grande potência a reconhecer diplomaticamente as novas repúblicas (1825) revelou em privado o que pensava, no fundo, com essas palavras: "A América Espanhola é livre, e se nós não conduzirmos mal nossos negócios, será inglesa"[...]

O SEGUNDO DESCOBRIMENTO DA AMÉRICA DO SUL (A DOUTRINA MONROE)

Contudo, em 1823, a França invadiu a Espanha por conta da Santa Aliança, para anular a constituição liberal que Fernando VII fora obrigado a aceitar. Geralmente, supôs-se que o passo seguinte da França seria pôr o pé na América Espanhola sob o pretexto de restaurar ali a soberania do rei da Espanha. Isso fez coincidir os interesses estratégicos dos norte-americanos com os dos ingleses, e estes, ao sondar os primeiros (outubro de 1823) a respeito da possibilidade de acordo entre a grande potência marítima do mundo e a única potência do hemisfério ocidental para obstruir a marcha dos franceses, o presidente Monroe e o secretário de Estado John Quincey Adams (em consulta com os ex-presidentes Jefferson e Madison), se esquivaram de forma astuta da proposta, mas não deixaram de perceber a disposição inglesa de interpor a força naval britânica entre a França e as repúblicas hispano-americanas. O resultado foi a chamada "Doutrina Monroe", inserida como expressão unilateral de intenção na mensagem anual do presidente ao Congresso (2 de dezembro de 1823).

As palavras substanciais são as seguintes:

> De agora em diante, os continentes americanos, considerando a condição livre e independente que assumiram e que mantêm, não poderão ser considerados objetos de uma (re)colonização futura por nenhuma potência europeia [...]. O sistema político das potências coligadas (a Santa Aliança) é basicamente diferente do americano [...]. Consideraremos qualquer tentativa (da Santa Aliança) de estender seu sistema a qualquer parte do hemisfério (ocidental) como perigoso para nossa paz e nossa segurança [...]. (Ao mesmo tempo) não interferiremos nas colônias ou dependências existentes.

A reação dos hispano-americanos foi de júbilo. Santander, vice-presidente da Grã-Colômbia, expressou sentimentos praticamente unânimes quando afirmou em 1824:

> Semelhante política (a Doutrina Monroe), que dá alento ao gênero humano, pode valer à Colômbia um aliado poderoso se sua independência e liberdade forem ameaçadas pelas potências aliadas (a Santa Aliança).

Ao que se sabe, apenas Bolívar teve dúvidas, transmitidas enigmaticamente nas palavras: "Os Estados Unidos parecem destinados pela Providência a infestar a América de misérias em nome da liberdade [...]".

O PAN-AMERICANISMO

Na última década do século XIX, os norte-americanos conseguiram o controle efetivo de todo o seu território, inclusive o que foi conquistado do México em 1846, e se depararam com um excedente de energia e recursos que pedia para se propagar através de suas fronteiras.

No entanto, a América Latina não ficou desatenta aos progressos extraordinários da nação anglo-saxã, com a qual compartilhava o hemisfério, mas as classes dirigentes latino-americanas, salvo exceções, não tinham ainda uma prevenção clara contra os "ianques", mas o que se chamou de "nordomania"; uma admiração acrítica e excessiva por tudo o que era norte-americano, traduzida em uma imitação meramente formal da doutrina constitucional federalista norte-americana. Em 1889, os governos latino-americanos tinham acolhido a iniciativa norte-americana de formar uma "União Pan-americana", com sede em Washington, baseada doutrinariamente no monroísmo; isto é, na suposta comunidade de interesses entre todos os países americanos de sistema político republicano e no poder norte-americano como garantia de segurança dessa comunidade de repúblicas hemisféricas.

Admitia-se tacitamente, e mesmo abertamente, a superioridade e a hegemonia da "grande democracia do norte". Um dos maiores poetas latino-americanos, o nicaraguense Rubén Darío, compôs uma espécie de hino a esse pan-americanismo (muito diferente daquele imaginado por Bolívar) em sua "Salutación al Águila" ("Saudação à Águia"), de 1906:

> Bien vengas, mágica Águila de alas enormes y fuerte, a extender sobre el Sur tu gran sombra continental, a traer en tus garras, anilladas de rojos brillantes, una palma de gloria del color de la inmensa esperanza, y en tu pico la oliva de una vasta y fecunda paz.
>
> Ciertamente, has estado en las rudas conquistas del orbe. Ciertamente, has tenido que llevar los antiguos rayos. Si tus alas abiertas la visión de la paz perpetúan, en tu pico y tus uñas está la necesaria guerra.
>
> E pluribus unum!9 ¡Gloria, victoria, trabajo! Tráenos los secretos de las labores del Norte, y que los hijos nuestros dejen de ser retores latinos, y aprendan de los yanquis la constancia, el vigor, el carácter.
>
> Dinos, Águila ilustre, la manera de hacer multitudes.
>
> Águila, existe el Cóndor. Es tu hermano en las grandes alturas. Los Andes le conocen y saben que, cual tú, mira al Sol. May this grand Union have no end!, dice el poeta. Puedan ambos juntarse en plenitud, concordia y esfuerzo.
>
> ¡Salud, Águila! ¡Que la Latina América reciba tu mágica influencia [...]

[Seja bem-vinda, mágica Águia de asas enormes e forte, a estender sobre o Sul tua grande sombra continental, a trazer em tuas garras, com anéis de vermelho brilhante, uma palma de glória de cor da imensa esperança e, em teu bico, o ramo de oliveira de uma vasta e fecunda paz.

Com certeza, estiveste nas rudes conquistas do mundo. Com certeza, tiveste que levar os antigos raios. Se tuas asas abertas a visão de paz perpetuam, em teu bico e em tuas unhas está a necessária guerra.

E pluribus unum![9] Glória, vitória, trabalho! Traz-nos os segredos dos labores do Norte, e que os filhos nossos deixem de ser retóricos latinos e aprendam com os ianques a constância, o vigor, o caráter.

Diga-nos, Águia ilustre, a maneira de fazer multidões.

Águia, existe o Condor. É teu irmão nas grandes alturas. Os Andes o conhecem e sabem que, assim como tu, olha para o Sol. *Que essa grande União não tenha fim!*, diz o poeta. Possam ambos juntar-se em plenitude, concórdia e esforço.

Saúde, Águia! Que a América Latina receba tua mágica influência [...]]

A GUERRA HISPANO-AMERICANA E O CANAL DO PANAMÁ

A Guerra Hispano-Americana de 1898, travada entre os norte-americanos e os espanhóis, foi vencida pelos primeiros, e virou o fantasma da historiografia hispano-americana. Significou a independência de Cuba e uma mudança de regime em Porto Rico, da administração antiquada, indolente e corrupta dos espanhóis para a administração eficiente, rigorosa e progressista dos norte-americanos.

Porém, com a vitória nessa guerra, os EUA terminaram de adquirir a consciência de grande potência mundial, e tendo ganho, nessa mesma ocasião as Ilhas Filipinas, e com elas uma base asiática, tomaram a iniciativa de concluir o projeto de Ferdinand de Lesseps de abrir um canal entre o Atlântico e o Pacífico, no Panamá. De Lesseps teve que abandonar os trabalhos (iniciados em 1881), derrotado pela febre amarela e pela malária. Em 1903, Theodore Roosevelt decidiu terminar o Canal a qualquer preço.

Naquele momento, o Panamá não era uma república independente, mas uma província da Colômbia, da qual estava separada (e ainda está) por uma floresta tropical insalubre e impenetrável. Roosevelt começou a negociar com a Colômbia, mas o Congresso deste país rejeitou um acordo nos termos propostos pelos norte-americanos (basicamente idênticos aos que depois satisfizeram o Panamá). Apenas alguns dias depois, o Panamá declarou-se independente e navios de guerra norte-americanos se encarregaram de dissuadir todo o tipo de resistência colombiana ao fato consumado. De imediato, Washington reconheceu o novo governo e, duas semanas depois, este retribuiu a gentileza concedendo aos EUA a chamada "Zona do Canal", uma faixa com 10 milhas de largura (e não de 16 quilômetros; até nesse detalhe houve imposição), na qual os EUA não só teriam o controle, mas também *soberania perpétua*. Em contrapartida, o Panamá receberia 10 milhões de dólares no ato e um pagamento anual de 250 mil dólares.

Os detalhes sórdidos de todo o caso foram amplamente documentados, não sendo necessário repeti-los aqui. Como tampouco este é o lugar para relatar a façanha de primeiro sanear o Panamá, erradicando inteiramente a febre amarela e quase completamente a malária e, em seguida, concluir o canal para que o primeiro navio o atravessasse em 3 de agosto de 1914, quase no mesmo dia em que começou a Primeira Guerra Mundial, quando o mundo teria oportunidade de se congratular pelo poder norte-americano.

O canal tem representado um imenso benefício para a comunidade internacional. Em 1971, por exemplo, 14.617 navios o atravessaram, transportando 121.010.654 toneladas de carga. Contudo, não resta dúvida de que os norte-americanos foram, de longe, os principais beneficiários, razão pela qual um exame desse caso específico esclarece de modo considerável e apresenta detalhes muito úteis a respeito da relação imperialista, que é uma questão normalmente difícil de apreender com exatidão, tanto por ser basicamente imprecisa, como pela maneira compreensivelmente emotiva, apaixonada, mas, além disso, politicamente distorcida com que se costuma tratá-la, exagerando as, por si mesmas, grandes e excessivas vantagens da potência imperialista, e omitindo as vantagens (que também existem, ainda que constantemente inferiores ao que seria justo) para o país vassalo.

As taxas do Canal do Panamá, artificialmente baixas, constituíram, na prática, um subsídio, sobretudo ao comércio marítimo norte-americano, já que 70 por cento de todo o tráfego consiste de navios com origem ou destino em algum porto dos EUA. Apenas no ano de 1970, o benefício oculto para a economia norte-americana, de acordo com cálculos da CEPAL (Comissão Econômica para a

América Latina), alcançou centenas de milhões de dólares. Em adição a isso, inclui-se o valor que a marinha de guerra norte-americana economizou com o canal e que foi estimado em mais de 11 bilhões de dólares, entre 1914 e 1970.

Assim, existe toda uma série de outros benefícios intangíveis para os norte-americanos derivados do exercício da soberania plena sobre a Zona do Canal, e que vão desde a presença de instalações do Smithsonian Institute em uma ilha no centro do lago Gátun até a existência de um centro de estudos de táticas militares antiguerrilha, onde oficiais dos exércitos latino-americanos receberam treinamento.

Por outro lado, a República do Panamá tirou do canal benefícios que, apesar de insuficientes, não podem ser ignorados. Em primeiro lugar, e ainda que seja de mau gosto dizê-lo, o Panamá deve ao canal sua existência nacional, sem a qual (e sem o canal, se por exemplo os EUA o tivessem construído na Nicarágua, que era outra possibilidade) seria, como era antes de 1903, a mais remota, pobre, insalubre, descuidada e infeliz província da República da Colômbia. Se nós, os latino-americanos, fôssemos totalmente coerentes e consequentes em nossas acusações aos EUA por causa do Panamá, teríamos que começar a propor que o Panamá voltasse à soberania colombiana. E se essa ideia é impensável, e seria violentamente rejeitada pelos próprios panamenhos, algo eles devem a Theodore Roosevelt, afinal de contas.

Em segundo lugar, o benefício econômico para o Panamá não tem sido apenas o pagamento anual antes mencionado — que aumenta progressivamente, mas que atinge mesmo assim a ridícula soma de dois milhões de dólares por ano (que o Panamá vem recusando, com toda a razão, desde 1972 e exigindo um novo tratado, menos humilhante) —, mas, basicamente, o derivado da atividade gerada pela existência do canal e de suas instalações adicionais, inclusive as militares. Em 1971, o Panamá teve um superávit de 150 milhões de dólares em suas relações econômicas com a Zona do Canal. No entanto, em geral, praticamente tudo o que é o Panamá, o mau mas também o bom, tem sua origem na mudança drástica ocorrida no istmo em 1903, em um processo que os norte-americanos começaram e desenvolveram por suas próprias razões e em seu próprio benefício, mas que resultou em imensas melhorias e oportunidades para o Panamá.

Ao mesmo tempo, e mesmo sem levar em conta o caráter intolerável e indefensável do tratado de 1903, de acordo com o qual os EUA preservariam "pela eternidade" a soberania absoluta sobre a Zona do Canal, o que aconteceu no Panamá é uma exacerbação, por justaposição, dos contrastes de nível e estilo de vida que existe entre os EUA e a América Latina. Outros povos latino-americanos sabem que os EUA têm uma renda *per capita* anual de mais de 5 mil dólares. Os panamenhos *enxergam* isso; e se eles mesmos têm um nível de vida relativamente elevado (correspondente a uma renda *per capita* anual de cerca de 700 dólares, em vez de 150 a 200 dólares que teriam, quando muito, sem o canal), não podem considerar esse fato uma vantagem, já que a Zona do Canal lhes oferece, cotidianamente, o espetáculo de sua opulência insolente, até mesmo excessiva, em relação aos padrões norte-americanos, na medida em que não existem pobres na Zona do Canal (exceto os panamenhos que lá realizam tarefas subalternas), nem bairros pobres, como os existentes nos EUA, pois toda a Zona é uma espécie de magnífico jardim zoológico para algumas poucas variedades humanas menos interessantes do que aquelas que são encontradas na grande sociedade norte-americana.

O "COROLÁRIO ROOSEVELT"

Do ponto de vista não só do Panamá, mas da América Latina em geral, o mais sensível em toda essa questão é que ela significa o início do intervencionismo dos EUA no Caribe e a eficiente razão de ser de repetidas ingerências norte-americanas, militares e outras durante o meio século seguinte.

Foi em relação ao Canal do Panamá que Theodore Roosevelt afirmou duas coisas que continuam ofendendo os latino-americanos: *"I took Panama"* (Eu peguei o Panamá) e *"Speak softly and carry a big stick"* (Fale manso, mas carregue um grande porrete). A partir de então, o *porrete* de Teddy Roosevelt seria, para sempre, o símbolo do abuso do poder norte-americano na América Latina.

Além disso, Roosevelt não se limitou a essas duas frases mordazes. Em 1904, em sua mensagem ao Congresso, expôs o que seria conhecido justamente como o "Corolário Roosevelt" (à Doutrina Monroe):

> Uma má conduta crônica ou ausência de ordem (costume) causar a intervenção dos Estados civilizados (nesses lugares) [...]. No hemisfério ocidental, nossa adesão à Doutrina Monroe poderia nos obrigar, contra nossas

inclinações, em casos flagrantes de tal má conduta ou de impotência (dos governos), ao exercício de um poder policial internacional.

Está bem claro. A Doutrina Monroe destinava-se a impedir qualquer tentativa por parte de alguma potência europeia de estabelecer novas bases no hemisfério, tirando proveito da fraqueza das repúblicas hispano-americanas. Naquele momento, com o Canal em jogo, e com as repúblicas às margens do Caribe mergulhadas em uma situação de desordem crônica e de fraqueza muito pior do que se podia supor em 1823, incapazes de garantir razoavelmente as vidas e as propriedades dos residentes estrangeiros, e com dívidas externas atrasadas que podiam servir de pretexto a uma intervenção, os EUA se comprometeriam a não permitir mais no Caribe o desenvolvimento de uma situação análoga à que ocorrera na Venezuela em 1902, quando navios de guerra alemães, britânicos e italianos se posicionaram na costa deste país sob o pretexto de pressionar a cobrança das dívidas; ou, olhando mais para trás, a que ocorreu no México em 1862, quando a suspensão do pagamento da dívida externa por Juárez provocou a ocupação francesa e o estabelecimento de um Estado fantoche com o imperador Maximiliano como procônsul francês, sem que os EUA pudessem reagir por estar atravessando a grande crise da Guerra Civil. O Corolário Roosevelt foi aplicado pela primeira vez em 1905. Nações europeias, principalmente a Alemanha, ameaçaram intervir na República Dominicana para cobrar dívidas atrasadas. Washington se interpôs e designou um interventor para as alfândegas dominicanas, que distribuísse entre os credores estrangeiros 55 por cento da quantia arrecadada e garantisse o ingresso dos 45 por cento restantes ao tesouro dominicano.

OS FUZILEIROS NAVAIS NO CARIBE

Desde então, e até 1965, ocorreram não menos do que 20 intervenções dos fuzileiros navais norte-americanos em alguns países caribenhos. Frequentemente, depois delas, ditadores se estabeleceram incubados sob a proteção da ocupação norte-americana. Em 1916, a República Dominicana sofreu uma nova intervenção, que durou até 1924. Após a retirada dos fuzileiros navais,

Rafael Leónidas Trujillo chegou ao poder sem dificuldades, posição que ocupou por 30 anos. Ele era comandante da Guarda Nacional que os norte-americanos haviam criado e treinado de maneira eficaz.

Na Nicarágua, os fuzileiros navais permaneceram quase ininterruptamente de 1912 a 1933. O comandante da Guarda Nacional nicaraguense, auxiliar da intervenção norte-americana, chamava-se Anastasio Somoza. Ele governou o país ditatorialmente até 1956, quando foi assassinado. No entanto, havia estabelecido um sistema de controle tão eficaz, que seu filho se manteve no poder até 1979, quando foi derrubado pela Frente Sandinista de Libertação Nacional. E, em setembro de 1980, foi assassinado no Paraguai, onde tinha se refugiado.

Esses são os casos mais conhecidos e, por assim dizer, clássicos. No entanto, em geral, desde a decisão de concluir o Canal do Panamá até a revolução estratégica implícita nos mísseis balísticos intercontinentais (ICBMS, na sigla em inglês) e nos submarinos Polaris e seus equivalentes soviéticos (inovações que tornaram o Canal praticamente indefensável), os EUA aderiram fielmente à política de não tolerar no Caribe situações que pudessem ameaçar seu controle sobre as vias marítimas complementares do Canal. Essa é a explicação *principal* para o intervencionismo norte-americano no Caribe, mas geralmente não é mencionada e, de qualquer modo, não é popular na América Latina, onde se prefere afirmar que o principal motivo (se não o único) das intervenções dos fuzileiros navais era a proteção dos interesses econômicos aparentemente vitais para os EUA; por sua vez, suposta causa de diversos atrasos (o *subdesenvolvimento*) nas repúblicas vítimas das intervenções. Ninguém se preocupa em rememorar a história da República Dominicana, da Nicarágua etc., *antes* das intervenções.

Na melhor das hipóteses, censuram-se os norte-americanos por sua tolerância ou proteção irrestrita a tiranos repulsivos como Trujillo ou Somoza. No entanto, a lógica é transgredida quando se vai mais além e se insinua que esses personagens inspiravam simpatia a homens como Woodrow Wilson ou Franklin Roosevelt; ou quando se afirma que o sistema político e econômico norte-americano tem uma afinidade decisiva e profunda com governos brutais nas nações clientes da metrópole imperial. Essas interpretações são evidentemente exageradas, para não dizer contrárias à verdade. Para os EUA, o problema do Caribe era (até a revolução estratégica mencionada) uma questão de segurança nacional, assunto no qual os países, seja qual for seu sistema político e econômico, usam poucas cortesias; e, em todo caso, nenhuma potência histórica maior que a democracia norte-americana, por seus próprios mecanismos.[10]

Isso foi dito com toda a clareza por Henry Stimson, embaixador na Nicarágua em 1927 e, posteriormente, secretário de Estado e secretário de Guerra de Hoover e Franklin Roosevelt:

> Existem considerações geográficas que nos impõem um interesse muito especial sobre como certos países latino-americanos cumprem as responsabilidades inerentes à soberania e à independência. Refiro-me aos países cujo território fica adjacente e pode servir para controlar a grande rota marítima que vai de nossa costa do Atlântico à nossa costa do Pacífico através do Mar do Caribe e do Canal do Panamá. A situação nem sequer deriva da Doutrina Monroe, mas de certos princípios amplos de defesa própria, sempre determinantes na política dos países que, de algum modo, dependem do (controle do) mar [...]. (Daí) nosso interesse na estabilidade dos governos soberanos na região do Caribe e do Pacífico. Se esses governos soberanos não cumprem a responsabilidade inerente à sua independência; se são incapazes de garantir a vida dos estrangeiros residentes; se repudiam dívidas que de direito contraíram com credores de outros países; se permitem o confisco de propriedades legítimas de estrangeiros, então, sob os costumes comuns da vida internacional, potências estrangeiras podem intervir (com a desculpa de que o fazem) para a proteção lícita de seus direitos. Isso levaria a uma situação claramente prejudicial e perigosa para os interesses vitais dos EUA na rota marítima através do Canal do Panamá [...]. Se nós, os EUA, não estamos dispostos a permitir que os países europeus protejam seus direitos consuetudinários nessa zona, temos, até certo ponto, que sermos responsáveis por essa proteção. (Henry L. Stimson, *American Policy in Nicaragua*, New York, Scribner, 1927).[11]

Stimson acrescenta que essa política dos EUA no Caribe "é a mais delicada, (mas) é a que, em geral, mais se mantém". De fato, Fidel Castro, que deveu seu rebaixamento à condição de vassalo da URSS (em 1962) aos mísseis nucleares, também deve a eles sua sobrevivência; não porque os russos os teriam usado para defendê-lo, mas porque, devido à existência dos ICBMS, nem Cuba nem nenhum outro país "adjacente à grande rota marítima através do Mar do Caribe e do Canal do Panamá" são agora de interesse estratégico vital para os EUA; ou, em todo caso, o risco de guerra nuclear generalizada é menos aceitável do que o de tolerar, sob certas condições (sem dúvida, negociadas por Kennedy e Kruschev em outubro de 1962), a presença no Caribe de satélites de potências extra-hemisféricas.

A intervenção mais recente dos fuzileiros navais na região, em 1965, na República Dominicana, não foi motivada por considerações estratégicas, mas, sim, políticas; para não permitir uma "segunda Cuba".* Em perspectiva, foi, além disso, uma espécie de reflexo pavloviano, e, sem dúvida, na frase de Tayllerand, pior que um crime, um erro. A URSS não tinha interesse em outro país vassalo no Caribe, e mesmo supondo que o coronel Caamaño tivesse realmente desejado e podido implantar um regime "castrista" na República Dominicana, semelhante aventura teria trazido mais problemas a Fidel e aos russos do que aos norte-americanos.

O "BOM VIZINHO"

Quem imagina que os EUA descobriram os dilemas morais do exercício do poder internacional com a guerra do Vietnã, ignoram a história de ontem. Na década de 1920, *Get the Marines out of Nicaragua* (Tirem os fuzileiros navais da Nicarágua) foi um dos lemas da consciência liberal norte-americana. Em 1928, apenas um ano após a publicação do raciocínio de Stimson transcrito acima, o Departamento de Estado declarou que o Corolário Roosevelt era "injustificado à luz da Doutrina Monroe, tanto quanto possa ser justificado pela doutrina da segurança nacional e da defesa própria".

Em 1933, em seu discurso de posse, Franklin Roosevelt apresentou a "Política da boa vizinhança", segundo a qual os EUA se comprometiam a

---

* Essa ocupação norte-americana aconteceu no contexto da Guerra Civil na República Dominicana, em 1965, e durou pouco mais de um ano. Após supervisionar as eleições presidenciais de 1966, que elegeu Joaquín Balaguer, o último dos presidentes-fantoches de Trujillo, as forças norte-americanas se retiraram. (N.E.)

"respeitar os direitos de nossos vizinhos do hemisfério". Semelhante declaração, em semelhante contexto, indica com clareza que a opinião pública norte-americana estava enojada dos resultados concretos do "Corolário" e que se mantinham vigentes as convicções pertinentes dos fundadores da República norte-americana, expressas por Jefferson quando disse que os EUA:

> Não podem negar a outras nações aqueles direitos sobre os quais a nossa está fundamentada: que cada país possa se governar da forma que lhe agrade e mudar de forma de governo soberanamente, e que possa conduzir seus assuntos com outras nações pelo órgão que disponha, seja rei, convenção, assembleia, comitê, presidente ou qualquer outra coisa que determinar. Em cada caso, o essencial é a vontade de cada nação.

Wilson, no espírito que os europeus conheceram em Versalhes, havia sustentado uma versão puritana do Corolário Roosevelt, segundo a qual teria sido imoral reconhecer governos que tivessem chegado ao poder por vias não constitucionais. Porém, em 1931, Stimson, como secretário de Estado de Hoover (o mesmo Stimson que havia fundamentado o Corolário), repudiou semelhante pretensão (justificando, aliás, o reconhecimento de regimes como os de Trujillo e Somoza):

> O atual governo norte-americano rejeita explicitamente a política de Wilson e adota os princípios expressos por Jefferson. Nos casos concretos de Bolívia, Peru, Argentina, Brasil e Panamá, assim que nossos representantes diplomáticos reportaram que os novos governos conseguiram controlar a máquina administrativa do Estado, com o aparente consentimento dos povos, e que esses governos parecem dispostos e capazes de cumprir com suas obrigações internacionais, nós os reconhecemos no ato.

Mas quem expressa adequadamente "a vontade de cada nação"? Como questão filosófica, esse é um assunto a respeito do qual não foi nem será nunca possível que os homens cheguem a um acordo. A resposta mais simples (que é a implícita em Stimson, ainda que não no idealismo otimista de Jefferson) consiste em supor que qualquer governo que chegue ao poder, sustente-se e controle o Estado, representa, de alguma maneira, "a vontade da nação", pelo menos no sentido de que, forçosamente, as nações se dão, se não os governos que desejam (o que deseja quem?), dão-se os que merecem, o que pareceria não gerar controvérsia. O problemático é que as nações não vivem em um vazio, mas sofrem ou desfrutam da rede de relações de força tecida entre os centros de poder do mundo, de modo que o desaparecimento de um governo ou sua entronização, a estabilidade ou o naufrágio de um tirano, de um demagogo, de um democrata podem se dever a causas muito menos óbvias do que a intervenção armada.

A "DESESTABILIZAÇÃO"

Especificamente na América Latina, e sobretudo (ainda que não exclusivamente) no Caribe, os EUA contaram e seguem contando com os próprios latino-americanos para utilizar formas não ostensivas de intervenção contra os regimes que contam com sua reprovação. Por motivos bastante óbvios, os defensores ardorosos e tradicionais da não intervenção norte-americana na América Latina são os governos estabelecidos, seja qual for seu signo. A respeito disso, há uma magnífica unanimidade *de governos*. Porém, em cada país latino-americano, sempre existiram adversários dos governos (ou traidores potenciais dentro dos próprios governos), dispostos quase literalmente a qualquer coisa para chegar ao poder, ou pelo menos derrubar o governo estabelecido, e prontos, pelo mesmo motivo, a aceitar e mesmo a solicitar ativamente a intervenção, ajuda ou, pelo menos, a neutralidade positiva da potência *protetora* do hemisfério.

Nada menos que o lendário Santa Anna, herói e presidente quase permanente do México no primeiro quarto do século da existência independente deste país, não vacilou, em 1846, em atravessar, com a tolerância interessada do exército norte-americano, que sitiava a Cidade de México, as linhas de batalha, para aproveitar a desgraça de seu país e contribuir para derrubar o governo mexicano que se negava a aceitar as condições de capitulação propostas pelo comandante norte-americano Winfield Scott.

Nesse caso, a presença de tropas norte-americanas no país dá ao caso características especialmente dramáticas e chocantes. Contudo, há muitíssimos outros exemplos documentados de comportamentos basicamente semelhantes. E, de modo mais geral, não resta nenhuma dúvida de que o procedimento que veio a se chamar agora eufemisticamente de "desestabilização", a desaprovação de Washington, simplesmente manifesta, mas também eventualmente ativa, com atuações das embaixadas norte-americanas, das missões militares e da CIA ou de suas antecessoras (serviços secretos menos conhecidos, mas certamente "operativos"), foi sofrido de maneira eficiente na América Latina por personagens tão diversos como Allende, Perón, Trujillo, Goulart, Batista, Arbenz, Cipriano Castro (ditador da Venezuela entre 1899 e 1908); e foi, pelo mesmo motivo, *aproveitado* por um leque de sucessores igualmente variado, que inclui, respectivamente, Pinochet, os governos argentinos entre 1956 e 1972, Juan Bosch (posteriormente, ele mesmo *desestabilizado*), Joaquín Balaguer (primeiro personagem civil da ditadura de Trujillo, reabilitado pela inépcia de Bosch, e por sua própria habilidade política; três vezes eleito presidente da República Dominicana desde 1966), a "Revolução" militar brasileira de 1964, Fidel Castro, o coronel Castillo Armas (fantoche que a CIA ajudou a instalar na Guatemala em 1954, no lugar do presidente Arbenz, suspeito de pró-comunismo) e Juan Vicente Gómez (vice-presidente de Cipriano Castro, ditador da Venezuela de 1908 a 1935).

AMBIGUIDADES DO PRINCÍPIO DA NÃO INTERVENÇÃO

A absurda heterogeneidade desses exemplos sublinha o dilema norte-americano (e latino-americano). Em uma crise, até a neutralidade escrupulosa de Washington converte-se forçosamente em fator de força ou fraqueza de um governo latino-americano. Os democratas do hemisfério aplaudiram o desaparecimento de Trujillo e nunca se preocuparam seriamente com a quase certa participação da CIA em seu assassinato. Tampouco os norte-americanos receberam o crédito (mas muito menos censura) por haver cortado as amarras com o desacreditado Batista. Por outro lado, é de bom tom nos enternecermos pelo não menos desacreditado Goulart e nos pormos francamente trágicos em relação ao "pobre" Allende, que, contra a oposição de uma clara maioria de chilenos, tinha bem adiantado um projeto para liquidar a democracia no Chile.

Ainda que consigamos arduamente tentar entender essas contradições, livrando-nos da sujeição anímica que vivemos em relação às hipóteses marxistas sobre o funcionamento e até onde deve ir e vai de fato a história, o problema persiste, porque as contradições e os dilemas permanecem irredutíveis a um nível muito profundo. Em 1948, escaldados pelas consequências do Corolário Roosevelt, os países latino-americanos conseguiram que os EUA subscrevessem solenemente, no contexto da Carta da Organização dos Estados Americanos (aprovada naquele ano em Bogotá), o princípio da não intervenção, declarando *inviolável* o território de cada Estado soberano, e proscrevendo sua ocupação ou outras medidas de força por outro Estado, direta ou indiretamente, por algum motivo. No entanto, durante a crise dominicana de 1965, dois terços dos países latino-americanos se puseram de acordo com os EUA de que o princípio da não intervenção deveria ser interpretado de modo flexível quando algum país hemisférico estivesse ameaçado por uma "agressão interna" (isto é, se estivesse correndo o perigo de cair sob o controle comunista).

É fácil, mas também superficial, considerar essa votação (na Organização dos Estados Americanos) como resultado das pressões norte-americanas. O mesmo ocorre em relação à doutrina das "fronteiras ideológicas", proposta na mesma época pelo Brasil (para justificar uma eventual intervenção brasileira no Uruguai ou na Bolívia, em caso de perigo de colapso a favor de tendências castro-comunistas dos governos — por outro lado, bem distintos — desses dois países). Contudo, a verdade é que nenhuma estrutura de poder, em nenhuma parte do mundo, desdenharia a ajuda de uma potência amiga no caso de se ver em dificuldades graves e à beira de um colapso irreversível. Os comunistas húngaros e checoslovacos sabem algo a respeito disso.

IMPERIALISMO E SUBDESENVOLVIMENTO

De acordo com as ideias prevalecentes em nosso tempo, originárias do cristianismo, do liberalismo e do marxismo, todos nós, na América Latina, estamos formalmente de acordo com a aspiração de estabelecer uma sociedade mais livre, mais justa, mais igualitária. Ao mesmo tempo, nos desesperamos ao constatar que permanecem não resolvidos em nossos países os problemas políticos perenes de viabilidade, estabilidade e institucionalidade dos sistemas de governo. Por fim, a América Latina partilha a ambição universal contemporânea de alcançar um grau satisfatório de desenvolvimento econômico.

Em cada uma dessas áreas, nós, os latino-americanos, nos sentimos frustrados e insatisfeitos; e, em cada caso, temos uma tendência irresistível de culpar os Estados Unidos por nossos fracassos.

No momento atual latino-americano, ninguém se arrisca a ser contestado se afirmar que o imperialismo norte-americano impediu as transformações econômicas e políticas necessárias nos outros países do hemisfério; e isto para empobrecê-los, sugando-lhes as riquezas que serviram ao apogeu econômico dos Estados Unidos, e que, sem essa transferência, teria assegurado nossa felicidade e prosperidade etc. Eles são ricos porque nós somos pobres, e vice-versa. Sem o desenvolvimento norte-americano, não haveria o subdesenvolvimento latino-americano. Sem o subdesenvolvimento latino-americano, não haveria desenvolvimento norte-americano etc.

No entanto, a mesma unanimidade na abordagem "anti-imperialista" a torna suspeita. São palavras "revolucionárias", mas já não são encontradas apenas em *slogans* dos guerrilheiros, em panfletos clandestinos ou pintadas de noite nas paredes, mas também aparecem nos discursos dos militares que governam o Peru,* do presidente autocrático do México, do presidente oligárquico da Colômbia, do presidente social-democrata da Venezuela, do ditador de Cuba, da presidente herdeira de Perón, do caudilho do Panamá etc. Essas palavras se tornaram a "verdade oficial". Portanto, há motivos para temer que, por meio disso, nós, os latino-americanos, estamos entrando, ou já entramos, em um novo ciclo de tergiversações com relação às causas verdadeiras de nossas frustrações. Um novo ciclo que, como os anteriores, tem sua raiz profunda em nossa impossibilidade de admitir como justificada, pelas virtudes deles e por nossos defeitos, a diferença entre o sucesso dos norte-americanos e o nosso fracasso.

Se agíssemos com método científico, poderíamos perguntar se os EUA, com sua existência e suas ações (e ao fazer um balanço não truncado, mas completo; com seu débito, mas sem omitir seu crédito), também não contribuíram de maneira positiva para o destino global da América Latina, e se não pudemos nem soubemos aproveitar e tirar todo o partido possível dos efeitos benéficos da influência norte-americana, que são muito grandes, por falhas

---

* A ditadura militar peruana chegou ao fim em 1980. (N.E.)

inerentes à sociedade latino-americana, e que precedem em muito toda a relação entre nós e os Estados Unidos.

Dos Estados Unidos, recebemos as doutrinas e as aspirações políticas e sociais das quais temos tanto orgulho. Alguém já se maravilhou pelo fato de que, apesar de tantos reveses, a América Latina permaneceu fiel aos ideais e às formas da revolução liberal, a tal ponto de que as piores tiranias se viram obrigadas a manter vigentes constituições-modelo, ao menos em teoria, e que os contornos da democracia persistem em se manter à tona depois de todos os naufrágios. A explicação é que admitimos tacitamente o modelo político e social norte-americano como a realização da *utopia americana*. Um exemplo: a Constituição argentina de 1853, orgulho e monumento político desse país, reproduz a tal ponto a Constituição norte-americana que os juízes argentinos podiam adotar à jurisprudência norte-americana na hora de interpretá-la. Quanto à nossa reprovação relativa aos aspectos negativos da sociedade norte-americana, como a discriminação racial, o consumismo excessivo, o poder preocupante do "complexo militar-industrial", de onde nós a aprendemos senão das críticas que os norte-americanos fazem a si mesmos? E não é de uma tristeza evidente que, ao repeti-las com ar de justos, estamos evitando fazer as críticas que nós merecemos?

Mais recentemente, foi principalmente dos norte-americanos que recebemos a ambição e os estímulos para a modernização e o desenvolvimento.

E quem pode duvidar que, se não existisse essa potência democrática, guardiã do hemisfério (em seu próprio interesse, mas esse é outro problema), a América Latina não teria sido vítima, no século XIX, do colonialismo europeu que a Ásia e a África conheceram e, posteriormente, em nossa própria época, dos imperialismos piores que o século XX conheceu?

No entanto, nada disso se leva em consideração no momento de formular as hipóteses da moda sobre as causas do atraso latino-americano (e do progresso norte-americano), afirmando-se, sem matizes e sem contradição, que a influência política, econômica e cultural norte-americana provocaram o nosso subdesenvolvimento.

Pelo menos, caberia a observação de que, até a Primeira Guerra Mundial, os principais agentes econômicos e culturais estrangeiros na América Latina, importadores de seus produtos e exportadores de manufaturados, tecnologia e cultura foram, primeiro, os espanhóis e, em seguida, no século XIX, os ingleses e os franceses. Contudo, o progresso e a superioridade dos europeus incomodam pouquíssimo os latino-americanos. Sem dúvida, ignoramos a Espanha e não nos sentimos rivais da Inglaterra, França, Alemanha etc. Ao contrário, uma vertente do pensamento compensatório latino-americano se deleita por sermos os *herdeiros* e *continuadores* da civilização greco-latina na América. Por outro lado, sentimos como uma ofensa o progresso e a superioridade nacional dos norte-americanos, que mitigamos se podemos nos persuadir de que os EUA triunfaram às nossas custas.

Uma versão um pouco mais perspicaz e aperfeiçoada da mesma hipótese sustenta que o subdesenvolvimento latino-americano foi gerado pelo imperialismo de 1492 em diante, e que espanhóis, ingleses, franceses e norte-americanos foram se revezando no papel de protagonistas principais de um mesmo processo *subdesenvolvimentista*. No entanto, essa afirmação "bom-selvagista" ignora com desfaçatez a situação uniformemente lamentável das regiões hoje classificadas como Terceiro Mundo antes de sua inserção no ordenamento europeu cristão ocidental.

RELENDO MARX

O filósofo, sociólogo e economista, a quem os mesmos que se esquivam dessa questão um tanto incômoda reconhecem como mestre e guia, tinha certamente ideias muito precisas a esse respeito. Marx não escreveu muita coisa sobre a América Latina, que simplesmente não lhe interessava; mas, por outro lado, deixou textos referentes a outras regiões do chamado Terceiro Mundo que tratam exatamente do caso. Por exemplo, Marx afirma (em 1853) que a presença e a dominação britânicas na *Índia* (certamente, não o mais atrasado dos territórios alheios ao ordenamento europeu) interferiram de forma decisiva na sociedade hindu tradicional, desarticulando o sistema patriarcal e a organização em aldeias, assim como o regime artesanal, gerando problemas, desafios, tensões e desequilíbrios desconhecidos até então por essa antiga civilização. No entanto, isso devia ser interpretado como uma "queda" de um estado de graça e beatitude que sem tal fato teria continuado impoluto? De maneira nenhuma. Essas comunidades aldeãs idílicas, observa Marx, não eram tão inofensivas como se poderia supor, mas:

> Desde tempos imemoriais, foram as células e o fundamento do despotismo oriental que restringiam o ser humano ao círculo mais estreito, tornando-o instrumento inerme da superstição, escravizando-o sob o peso dos costumes tradicionais, privando-o de toda a grandeza e de toda a energia histórica. Não devemos esquecer [...] a barbárie [...], a perpetração cotidiana e normal das crueldades mais indescritíveis [...]. Não devemos esquecer que essa existência vegetativa, sem dignidade, sem dinamismo, tinha, como contrapartida e compensação, uma aceitação do assassinato ritual como forma de devoção religiosa [...]. Não devemos esquecer que essas pequenas comunidades estavam apodrecidas pelas distinções de casta e pela escravidão, que subjugavam os homens às circunstâncias externas, em vez de elevá-lo e torná-lo soberano das circunstâncias, que faziam considerar um estado social transitório e contingente como um destino natural e invariável [...]. Os árabes, os tártaros e os mongóis tinham conquistado sucessivamente a Índia, mas haviam se adaptado a esses costumes, na medida em que a lei da história é a de que os conquistadores bárbaros são conquistados pela civilização superior à dos vencidos. Os ingleses foram os primeiros conquistadores superiores da Índia e, portanto, invulneráveis à civilização hindu.[12]

Em seguida, Marx enumera as diversas maneiras pelas quais uma civilização *superior*, a ocidental, não poderia deixar de produzir todo tipo de transformações desejáveis e progressistas na Índia, de provocar todo tipo de avanços em uma região do mundo cuja situação anterior ao contato com o Ocidente tinha sido claramente deplorável e obviamente muito inferior ao que se tornaria ao ser "anexada ao mundo ocidental".

Entre os benefícios iminentes ou já provocados naquele momento pelo impacto ocidental na Índia, Marx destaca: a unidade política; o recrutamento e o treinamento de um exército nativo; a imprensa e a liberdade de expressão "introduzidas pela primeira vez na história da sociedade asiática"; a possibilidade de os cidadãos comuns terem a plena propriedade da terra (cuja antítese, o monopólio da terra pelos príncipes, é qualificada por Marx como o pior flagelo da sociedade asiática); a educação no estilo e com os métodos ocidentais, cuja consequência já visível em 1853 era o surgimento "de uma nova classe nativa apta para o governo e imbuída de ciência europeia"; o telégrafo; a navegação a vapor:

Que favoreceu a Índia com uma comunicação rápida e regular com a Europa, que ligou os portos hindus com todos os demais do oceano meridional-oriental, e que resgatou o país do isolamento, que era uma das causas de sua estagnação;

A irrigação; e, por fim, um sistema ferroviário que seria a base de um desenvolvimento industrial moderno, na medida em que:

> É impossível manter uma rede ferroviária que cruze em todas as direções um país imenso, sem introduzir ao mesmo tempo todos os processos industriais necessários para suprir as diversas necessidades da locomoção ferroviária, das quais não deixarão de derivar-se atividades industriais de manufatura distintas das vinculadas diretamente às estradas de ferro.

Contudo, se por analogia transferirmos o raciocínio de Marx não só para a América pré-colombiana, pátria do Bom Selvagem (que é onde realmente se enquadra), mas também para a América Espanhola de, digamos, 1830 (antes de toda a influência econômica norte-americana), encontraremos uma série de repúblicas oligárquicas, paupérrimas, estagnadas, desorientadas e martirizadas por tiranos e guerras civis. Nem a Marx, nem a ninguém teria ocorrido pôr em dúvida que o progresso desses países (embora significativo se comparado à situação que os espanhóis encontraram; caso contrário, como teriam gerado um Bolívar, um Miranda, um Andrés Bello, um Sucre, um San Martin?) não seria freado, mas acelerado por qualquer incremento em suas relações econômicas e culturais com a Europa e os EUA, *como realmente ocorreu.*

A versão segundo a qual os países da América Latina devem seu atraso social e econômico e sua instabilidade política (seu *subdesenvolvimento*) à dependência do imperialismo (sobretudo norte-americano) é contestada pelos fatos. Por exemplo, a taxa de crescimento econômico da América Latina era, naquele momento, e foi durante muito tempo, *superior* à taxa de crescimento no século XIX dos países capitalistas avançados atuais, que foi de aproximadamente 2 por cento ao ano; enquanto que, entre 1935 e 1953, a América Latina cresceu a uma taxa anual de 4,2 por cento e, entre 1945 e 1955, a uma taxa de 4,9 por cento ao ano.[13] Com as novas receitas do petróleo da Venezuela, do Equador e do México, essas taxas de crescimento econômico latino-americano deram um novo salto. E o fato de que esse crescimento seja sentido como insuficiente, em comparação ao das economias industriais avançadas, ou por má distribuição de renda, ou por administração deficiente dos recursos disponíveis, ou por esses países não saberem enfrentar a explosão demográfica que marginaliza diversos setores de sua população e vence o crescimento do produto econômico, não nos autoriza a culpar as relações políticas, econômicas e culturais com os Estados Unidos e outros países industrializados pelo mau aproveitamento de nossas oportunidades.

O CASO DE PORTO RICO

De fato, durante o século XIX e até 1914, Argentina, Chile e Uruguai foram os países latino-americanos com mais contatos comerciais e de outra natureza com a Europa, e estão obviamente entre os países latino-americanos mais adiantados. Assim como o México, cujo desenvolvimento relativamente satisfatório está obviamente vinculado à sua proximidade e complementaridade com a economia norte-americana.

Além disso, há obviamente o caso de Porto Rico, que supera todos os demais na medida em que não só sua economia está intimamente vinculada à dos EUA, mas que, desde 1898, tem sido administrado pelos norte-americanos, primeiro diretamente e, depois, com certo grau de autonomia, que exclui, no entanto, áreas delicadas como defesa e relações exteriores.

Sem recursos naturais providenciais (como o petróleo, o cobre, o estanho, a bauxita etc.), Porto Rico alcançou um desenvolvimento extraordinário e totalmente divergente dos outros países da região que estavam em situação comparável ou melhor em 1898. A renda *per capita* anual era maior do que 1,7 mil dólares. Em comparação, estima-se — sem muita certeza devido à não confiabilidade das estatísticas — que a renda do Haiti não chegava a 100 dólares, enquanto as de El Salvador, Guatemala, Honduras e República Dominicana não alcançavam os 400 dólares.

Apesar desses números, não por acaso, é em Porto Rico que se encontram as atitudes possíveis dos latino-americanos em sua forma extrema, em relação aos EUA, e, em particular, a maior amargura e o maior ressentimento anti-ianque. O "revolucionário" em Porto Rico é sonhar em ver a ilha convertida em outra Cuba. O distinto é ser hispanófilo a todo custo e reivindicar os valores da cultura hispânica e da língua espanhola contra os bárbaros ianques.* Vendo um desses intelectuais porto-riquenhos, refinado conhecedor da poesia espanhola, ocupado frutífera e tranquilamente — sob a paz imposta pelos norte-americanos — de questões relativas à sua cultura e ao seu temperamento, nacionalista radical e alguém que mostra total desprezo pelos norte-americanos, eu não podia senão pensar que homens como esse foram e continuam sendo aniquilados física e espiritualmente dentro das sociedades habituais do Caribe; ou, na melhor das hipóteses, foram exilados forçada ou voluntariamente pelos tiranos da região, de Trujillo a Fidel.

No entanto, é evidente que Porto Rico não está confortável com sua situação. Sofre do mal-estar latino-americano com especial agudeza. O que sugere um esboço de resposta global à pergunta de se os EUA interferiram ou ajudaram o desenvolvimento da América Latina. Poderia se afirmar que essa pergunta admite duas respostas contraditórias e igualmente certas. Se se trata dos ideais e das metas políticas e sociais da América Latina, dos estímulos à sua modernização etc., só a irracionalidade ou o empenho em promover (contra todas as evidências) explicações que debilitem a influência norte-americana no mundo, em benefício de outros poderes, pode nos induzir a negar que os EUA exerceram uma imensa influência positiva na América Latina, sejam quais tenham sido, por outro lado, seus abusos de poder, suas torpezas e suas extorsões.

Contudo, há algo talvez mais essencial e profundo, que é a possibilidade de uma sociedade viver reconciliada consigo mesma e com sua situação relativa no mundo, não como algo perfeito, mas como um processo aceitável, com seus altos e baixos; e, sem dúvida, a capacidade dessa sociedade de enfrentar a realidade, para compreendê-la e poder influir nela de maneira eficaz.

---

* Apesar disso, em referendo realizado em Porto Rico em 2012, sobre o status político do arquipélago, mais de 60% da população manifestou desejo de transformar Porto Rico no 51º estado norte-americano. A independência recebeu apenas 5% dos votos válidos. (N.E.)

Nesse sentido, a comparação contínua com "a outra América", que nós, os latino-americanos, não podemos evitar, a menos que se negue em bloco tudo o que está implícito na convivência com os EUA, tira-nos do sério e deixa-nos especialmente inclinados a enganarmo-nos e a sermos enganados. Mentimos a nós mesmos e aceitamos facilmente qualquer mentira alheia que nos alivie de nossa humilhação.

AMOR NÃO CORRESPONDIDO

A coincidência do prestígio democrático do "bom vizinho" Franklin Roosevelt com as circunstâncias peculiares que prevaleceram internacionalmente a partir do auge do nazismo mitigaram durante duas décadas o antinorte-americanismo latino-americano. Ou, mais precisamente, essa coincidência alimentou o componente *amor*, na complicada relação de amor e ódio que nós, os latino-americanos, temos pelos EUA.

A partir de dezembro de 1941, até os partidos comunistas (nunca importantes numericamente na América Latina, mas influentes como *escolas* de dirigentes políticos, que depois fariam carreira fora deles, e como polo de atração para intelectuais e artistas) suspenderam toda a crítica aos norte-americanos, nobres aliados da União Soviética na luta da humanidade contra o Eixo nazifascista.

Porém, esse momento de (relativo) amor não foi correspondido. Os governos norte-americanos posteriores a 1945, obcecados pela Guerra Fria, despreocuparam-se pela América Latina, exceto para enquadrá-la em um tratado militar que tornou o hemisfério uma peça do dispositivo mundial antissoviético.[14]

Até 1950, o influente George Kennan sustentou que os EUA deveriam, em suas análises estratégicas e em sua política exterior, concentrar atenção naquelas regiões do mundo que poderiam, em caso de guerra, violar o território norte-americano. Ao fazer o inventário delas, só encontrou cinco: a URSS, a Europa Ocidental, a Grã-Bretanha, o Japão e a China.

Naquele momento, os norte-americanos já não sentiam a euforia relativa à vitória na guerra e estavam irritados e bastante angustiados com o fato de que, mesmo com a morte de Hitler, os problemas, as responsabilidades e os riscos para os EUA não tivessem chegado ao fim. Contudo, não supunham, nem por um instante, que alguns desses problemas pudessem se infiltrar na "folclórica" América Latina, a qual, entre 1940 e 1950, existiu para a imaginação norte-americana principalmente nas figuras de Carmen Miranda e Xavier Cugat[15] e em um filme "pan-americanista" de Walt Disney, *Você já foi à Bahia?*, em que o Pato Donald representava os EUA e um papagaio e um galo com sombreiro mexicano, a América Latina. Nos sete anos, entre 1945 e 1952, os EUA investiram 45 bilhões de dólares no Plano Marshall e em outras ajudas à Europa Ocidental, e 7,3 bilhões em ajuda à Grécia e à Turquia. Por outro lado, destinaram apenas 6,8 bilhões para toda a América Latina; apenas mais do que para a Formosa (Taiwan) de Chiang Kai-shek.

No entanto, a partir de 1952, a paranoia levou John Foster Dulles a suspeitar, com certa razão, que Stalin pudesse encontrar na América Latina o cerne vulnerável do hemisfério ocidental. Em 1954, na Décima Conferência Interamericana, realizada em Caracas, com a presença de todos os chanceleres dos países-membros da Organização dos Estados Americanos, Dulles propôs de forma arrogante e realmente *imperial* uma resolução, segundo a qual:

> Se o movimento comunista internacional chegasse a dominar as instituições políticas de qualquer Estado americano, isso constituiria uma ameaça contra a soberania e a independência política de todos nós, pondo em perigo a paz na América, o que exigiria a ação pertinente em conformidade com os tratados vigentes.

A questão não era abstrata, já que, naquele exato momento, os norte-americanos estavam convencidos de que Jacobo Arbenz, presidente da Guatemala, apresentava forte tendência de propiciar ou tolerar nesse país a atuação de ativistas comunistas em níveis de decisão governamental.[16]

Aos latino-americanos, o projeto de resolução de Dulles pareceu um retrocesso em relação ao princípio de não intervenção, conquistado inequivocamente apenas seis anos antes, em 1948, na Nona Conferência Interamericana, realizada em Bogotá, quando foi incorporada de forma explícita e solene à Carta da OEA.[17] Em consequência, só aceitaram a resolução substituindo as palavras "o que exigiria a ação etc." por "o que exigiria uma reunião de consulta, para considerar a adoção das medidas anteriores de acordo com os tratados existentes".

Após a resolução ser aprovada dessa forma, Dulles não ocultou seu desagrado e abandonou a Conferência, deixando um funcionário de segundo escalão em seu lugar.

Naquele mesmo ano, com a ajuda da CIA e com base em Honduras, país com o qual os EUA firmaram expressamente um tratado para facilitar a operação, o coronel Castillo Armas "desestabilizou" Arbenz, que, de forma significativa, escolheu a Checoslováquia como sede de seu exílio.

Naquele momento, meados da década de 1950, toda uma falange de ditaduras militares "assegurava" a estabilidade e o anticomunismo do Caribe e de outras regiões da América Latina.

Contudo, em 1958, a viagem do vice-presidente Nixon por diversos países latino-americanos revelou um abismo. Em todos os lugares, Nixon foi recebido com pedras e insultos. Na Venezuela (recém-liberada de uma ditadura militar de dez anos), Nixon quase perdeu a vida quando seu carro ficou bloqueado entre manifestantes, que, por pouco, não o viraram e o incendiaram. Anteriormente, no aeroporto, o vice-presidente norte-americano e sua mulher tinham sido cobertos de cusparadas dos pés à cabeça.

E, em 1º de janeiro de 1959, Fidel Castro entrava triunfante em Havana.

A CATARSE FIDELISTA

A reprovação pelo que Fidel fez, na prática, com seus poderes ditatoriais (e que está suficientemente documentado por observadores não incondicionais pró-soviéticos, mas sim mais inclinados à simpatia e à indulgência pela Revolução Cubana) não poderá nunca remover do coração dos latino-americanos a emoção de terem visto desafiado — de Cuba! — o poder imperial norte-americano.

Entre 1898 e 1958, Cuba foi, apenas menos do que Porto Rico, um anexo norte-americano. Dessa maneira, havia alcançado um progresso e uma prosperidade notáveis e, em 1958, possuía um Produto Nacional Bruto *per capita* apenas inferior na América Latina ao da Argentina, da Venezuela e de Porto Rico. A indústria açucareira era a principal (e excessivamente importante) fonte de riqueza; somente Argentina, México e Brasil tinham uma produção industrial *total* mais valiosa. Em Cuba, existia uma classe média grande, diligente, liberal e próspera. Um de cada cinco trabalhadores era um operário especializado. O índice de analfabetismo estava entre os mais baixos da América Latina e a ilha ocupava a terceira posição em número absoluto de médicos, a primeira em número absoluto de televisores e de espectadores de cinema.

Apesar de tudo isso, mais do que nenhum outro país latino-americano, Cuba sofria em seu orgulho, em sua dignidade nacional. É verdade que, ao contrário de Porto Rico, Cuba possuía soberania política plena, de maneira que os cubanos podiam aspirar aos principais cargos em sua própria sociedade. No entanto, em cada cubano (como em cada latino-americano) ardia a humilhação de ser e não ser *americano*, gentílico que, por antonomásia, está reservado aos do norte, que se chamam assim, somente, e a quem chamamos assim, somente, sendo que temos que especificar que nós somos *latino-americanos*.

E, no caso de Cuba, além de todos os outros fatores de incidência humilhante geral para todo o hemisfério, os "americanos" estavam fisicamente presentes mais do que em nenhuma outra parte do mundo fora do próprio território dos EUA.

Na classe dirigente cubana, a habitual esquizofrenia latino-americana em relação aos EUA chegava ao seu paroxismo. Era uma classe forjada e formada dentro do sistema de valores norte-americano, bilíngue, que enviava seus filhos (como os pais tinham sido enviados) a escolas nos Estados Unidos. Ao mesmo tempo, eram raivosamente anti-ianques. Nesse momento, a maioria está no exílio e quase todos se radicaram... nos EUA.

Fidel era um deles, mas de caráter muito especial, um dos mais notáveis homens de poder que essa época produziu,[18] disposto a tudo para conquistar e manter o controle do Estado; e não só a arriscar a vida (algo que muitos latino-americanos fizeram), mas também esmagar a vida de muitos outros homens; mas, além disso, capaz de conceber e executar um golpe de audácia que nenhum outro governante latino-americano havia sequer sonhado tentar, com a imaginação e a amplitude de visão estratégica requeridas: jogar a URSS contra os EUA e, dessa maneira, poder enfrentar os EUA, romper com os EUA e realizar assim a ambição secreta que reside no coração de cada latino-americano: desafiar os EUA, romper com os EUA, como vingança não só pelos ultrajes e pelas humilhações particulares e concretas sofridas pelos latino-americanos, coletiva ou individualmente, nas mãos dos ianques, mas também sobretudo pela humilhação e pelas infâmias *generalizadas* que significam o êxito norte-americano e o fracasso latino-americano.

Por isso, Fidel foi, em seu momento, um herói sem precedentes na América Latina, distinto e mais emocionante que o próprio Bolívar; e por isso continua tendo um prestígio muito maior do que a essa altura se poderia supor (e, sem dúvida, maior do que merece).

Quando venceu na Playa Girón, cada latino-americano estava ao seu lado, lutando contra os norte-americanos, vencendo-os junto com Fidel.

O problema é que, na realidade, Fidel não venceu os norte-americanos na Playa Girón. Quem ele venceu (e vencemos) foi um punhado de outros latino-americanos enganados, mal-armados e abandonados pelos norte-americanos. Um equívoco a mais entre os muitos em que se debate a América Latina.

A ALIANÇA PARA O PROGRESSO

Em janeiro de 1961, John Kennedy chegou à presidência dos EUA com o fato consumado da Revolução Cubana inflamando a América Latina. Fidel ainda não havia se declarado marxista-leninista e não faria isso até o final do ano. No entanto, já havia recebido Mikoyan em Havana e a URSS havia se comprometido a apoiar economicamente os cubanos contra a hostilidade e as represálias norte-americanas.

Kennedy cometeu o erro de deixar que prosseguisse o malfadado plano idealizado pela CIA de propiciar uma "invasão" de exilados anticastristas, na expectativa ingênua de uma rebelião geral contrarrevolucionária em Cuba. Ao mesmo tempo, convencido pelo que estava ocorrendo em Cuba da urgência dos EUA de contribuir de forma sistemática para o progresso político, econômico e social da América Latina, lançou a ideia de uma "Aliança para o Progresso" do hemisfério (13 de março de 1961).

A Aliança quis ser um plano de coordenação de uma importante ajuda norte-americana, financeira e técnica, com esforços complementares dos países latino-americanos, para conseguir, em uma década, um crescimento de pelo menos 2,5 por cento ao ano na renda real por habitante e uma melhor distribuição de toda a renda; uma melhor utilização dos recursos naturais e humanos; reformas agrárias, aumento da produtividade agrícola, melhorias no transporte, armazenagem e comercialização dos produtos agropecuários; a eliminação ou redução drástica do analfabetismo e um mínimo de seis anos de educação primária para cada criança latino-americana; melhorias nos serviços de saúde pública e nos serviços conexos, como habitação, água potável e saneamento, com o objetivo de adicionar cinco anos à expectativa geral de vida e, em particular, de reduzir pela metade a mortalidade infantil etc.

O ônus financeiro deveria ser repartido entre a ajuda norte-americana e os próprios países latino-americanos, dos quais se esperava que fizessem reformas tributárias que exigissem mais daqueles que mais tinham.

Fidel, antes de sua ruptura definitiva com os EUA e quando ainda falava em termos das obrigações dos EUA em relação à América Latina, propôs que os norte-americanos contribuíssem para qualquer plano de desenvolvimento do hemisfério com não menos do que 30 bilhões de dólares em 10 anos. Kennedy ofereceu um terço desse valor. Além disso, a Aliança se veria prejudicada antes de nascer oficialmente por causa da aventura da Baía dos Porcos (abril de 1961), de modo que Che Guevara iria à conferência inicial da Aliança (em agosto, em Punta del Este, no Uruguai) para zombar dos norte-americanos e seus "vassalos", os outros governos latino-americanos, e para dizer ao secretário de Estado Dean Rusk que tal Aliança não era outra coisa senão uma esmola jogada aos países da América Latina, uma fração do que o imperialismo lhes havia subtraído e, além disso, motivada pelo temor da virulência contagiosa da Revolução Cubana, o que não era de se duvidar.

Com a morte de Kennedy, em 22 de novembro de 1963, a Aliança, que já se encontrava atrasada em relação ao calendário programado, perdeu impulso, com Johnson, até parar completamente; e será definitivamente sepultada por Nixon, que rejeitou a ideia de ajuda multilateral norte-americana à América Latina com o *slogan* "Ajuda, não; comércio e investimentos privados", e com a consagração da prática de ajudas bilaterais a certos países considerados chave, como o Brasil.

Em 1969, um estudo norte-americano sobre os resultados da Aliança concluiu que "a experiência mostrou que não era possível a realização dos ambiciosos projetos fixados pela Carta de Punta del Leste para a década de 1960".

Generalizou-se a afirmação de que a Aliança para o Progresso foi um fracasso, mas sem investigar muito as causas dessa decepção e, por outro lado, descontando em excesso os sucessos da Aliança, que não são desprezíveis.

É verdade que a Aliança estabeleceu metas irreais, baseadas em certas suposições "cepalistas" ou pró-ONU a respeito das causas do subdesenvolvimento e dos remédios correspondentes; suposições criticadas por Gunnar Myrdal (em *Asian Drama: An Inquiry into the Poverty of Nations*, 1968)* ao enfatizar que os organismos econômicos das Nações Unidas se caracterizaram por identificar de forma simplista ou equivocada as causas da pobreza dos países do Terceiro Mundo, atribuindo-as sobretudo a fatores externos às sociedades subdesenvolvidas e fazendo abstração "recatada" das deficiências e incapacidades próprias e tradicionais dessas sociedades. Portanto, não é estranho que os resultados fossem decepcionantes, já que a Aliança partiu dos diagnósticos da CEPAL (muitos deles elaborados por economistas chilenos, que posteriormente contribuiriam na formulação das políticas econômicas do governo de Allende) e promoveu, como remédios, medidas que consideravam inexistentes ou que desprezavam os obstáculos oriundos dos costumes e das atitudes tradicionais das sociedades latino-americanas.

No entanto, ao mesmo tempo (e sempre com referência às premissas e medições "técnicas" e economicistas dos "especialistas econômicos internacionais"), desprezou-se um aspecto muito importante de todo o assunto, que foi justamente o êxito notável da Aliança (ou, se assim se quiser, da conjunção do impacto da Revolução Cubana e das formulações teóricas, metas e programas da Aliança) em modificar de forma significativa essas mesmas atitudes tradicionais, em sacudir a complacência e inércia dos dirigentes latino-americanos e em elevar as expectativas das populações. Hoje, na América Latina, existe uma rejeição generalizada à estagnação, que ganhou setores antes recalcitrantes, como a Igreja e os Exércitos. Admite-se universalmente o conceito de planejamento econômico. Aceita-se tacitamente que é importante sacudir essas sociedades, nada revolucionárias, como se dissera, mas desesperadamente estáveis, para não dizer estáticas. Em todos os níveis, vertical e horizontalmente, sabe-se que é preciso diminuir a excessiva dependência latino-americana com relação à economia norte-americana.[19]

Uma consequência política da Aliança, inesperada para os norte-americanos, foi que, pela primeira vez, a oposição à hegemonia imperial norte-americana se tornou generalizada e foi aparentemente compartilhada por

---

* "O drama asiático: uma investigação sobre a pobreza das nações", inédito no Brasil. (N.E.)

praticamente todos os setores latino-americanos. Outra consequência, inesperada para os democratas latino-americanos (social-democratas como o venezuelano Rómulo Betancourt ou democrata-liberais como o colombiano Alberto Lleras Camargo, que, pela primeira vez, com Kennedy e a Aliança, sentiram-se compreendidos e estimados pelos EUA), é que existem agora, em toda a América Latina, anticomunistas desenvolvimentistas e modernizadores (diferentes dos anticomunistas obtusos, conservadores e tradicionalistas; e diferentes também dos anticomunistas democratas), que rejeitam expressamente a premissa da Aliança, segundo a qual o crescimento econômico, as reformas sociais e a democracia política devem ser facetas complementares de qualquer programa de desenvolvimento e se reforçam mutuamente.

Mais preocupante é que, sem sombra de dúvida, a mesma convicção ganhou alguns meios dirigentes dos EUA e isso durante os mesmos anos da suposta vigência da Aliança. No balanço da década de 1960, a maior parte da ajuda norte-americana à América Latina foi direcionada para o governo militar brasileiro, desenvolvimentista e modernizador, mas claramente repressivo e antidemocrático.

A CIA SERVE PARA TUDO

O governo de Allende, com seu fracasso e trágico colapso,[20] contribuiu de maneira importante e certamente indelével para o repertório de inexatidões de que se alimenta a consciência latino-americana.

Em particular, a versão segundo a qual a Unidade Popular chilena deveu seu fracasso exclusivamente aos EUA por meio de maquinações da Agência Central de Inteligência (CIA, na sigla em inglês), acabou por consagrar o papel mítico dessa organização como agente eficaz e perverso de quase tudo que anda mal no hemisfério.

O novo é que agora os *governos* descobriram o expediente maravilhoso de atribuir à CIA todos os seus fracassos, o descumprimento de suas promessas e, o que é muito mais grave, a atividade de seus opositores.

Dessa maneira, a CIA está conseguindo desempenhar, no mascaramento dos abusos e das insuficiências dos governos latino-americanos, papel semelhante ao que antes representou o "comunismo internacional".

Assim como o movimento comunista vassalo da URSS, a CIA existe, sem dúvida; e, também sem dúvida, é responsável, como os partidos comunistas, por atos reprováveis e repugnantes em favor de uma potência estrangeira. Contudo, a partir dessa realidade, certos governantes latino-americanos dedicaram-se a explicar tudo o que vai mal e toda a manifestação de descontentamento, ainda que a mais legítima e transparentemente espontânea, como provocada e financiada pela CIA; e a identificar todo opositor com a mesma tenebrosa agência de espionagem, com o que esse opositor fica automaticamente desacreditado e se pode liquidá-lo politicamente (e até fisicamente) em nome dos sagrados interesses da pátria, sem chocar a consciência "progressista" internacional, enquanto que, em contraste, chocavam, sim, a essa consciência "progressista" atos de poder exatamente semelhantes, mas perpetrados em nome do anticomunismo.

Em março de 1975, o presidente mexicano Echeverría teve a má ideia de visitar a Universidade Autônoma da Capital, cujos estudantes não tinham esquecido que ele era ministro do Interior em 1968, quando centenas de estudantes dissidentes foram encurralados e massacrados pela polícia e pelo exército quando se manifestavam na Praça das Três Culturas; tampouco que grupos policiais irregulares chamados "halcones" (falcões) caçaram a tiros pelas ruas da Cidade do México os jovens que se manifestavam em memória das vítimas da Praça das Três Culturas, quando Echeverría já era presidente da república.

Dessa maneira, os universitários mexicanos receberam Echeverría nada amistosamente, até o atingiram na cabeça com uma pedrada, enquanto ele agitava o punho e lançava-lhes a mais grave acusação que naquele momento se podia fazer a alguém na América Latina: "Jovens manipulados pela CIA!". Provavelmente (e isso foi defendido de forma explícita e é uma "tese política" de alguns colaboradores intelectuais de Echeverría) também os mortos da Praça das Três Culturas e os "halcones" eram agentes pagos (ou pelo menos "alvos") pela CIA.

Um bom sinal do sucesso desse truque é que ninguém no exterior recorda o incidente da Praça das Três Culturas, apesar de que, na ocasião, correspondentes estrangeiros presentes em grande número pela proximidade do início dos Jogos Olímpicos foram testemunhas oculares do massacre e puderam constatar a morte de centenas de manifestantes, e não vinte ou trinta, conforme afirmou a versão oficial do governo. Um desses correspondentes estrangeiros, a célebre jornalista italiana Oriana Fallaci, ficou à beira da morte com o pulmão perfurado por um tiro, ainda que se achasse segura na varanda de um andar alto, longe da manifestação. No entanto, claro que os policiais e os soldados receberam ordens de disparar contra tudo que se movesse, para dar um exemplo. A CIA não estava envolvida nessa manifestação infame e caluniosa contra o virtuoso governo revolucionário mexicano?

Da mesma maneira, os manifestantes peruanos que, no início de 1975, incendiaram o Clube Militar de Lima e o prédio de um dos jornais confiscados no ano anterior pelo governo militar (e desde então submissos à chamada "revolução" peruana) eram instrumentos da CIA. E os trotskistas peruanos, que têm dúvidas a respeito do rumo definitivo da ditadura militar* e se percebem pessoalmente ameaçados de extinção, pois são rivais e inimigos de alguns outros grupos marxistas que estão colaborando com o governo? O que eles podem ser senão agentes da CIA? E os jornalistas ou os simples cidadãos peruanos que se opuseram ao confisco dos jornais ou que, posteriormente, manifestaram preocupação pelos resultados concretos da medida? Estão a solda da CIA, quem pode duvidar?

E como esse é um jogo que qualquer um pode jogar, inimigos colombianos de Gabriel García Márquez, provavelmente comunistas ortodoxos, decepcionados com o fato de García Márquez ter abandonado o Partido Comunista em favor de uma versão menos dogmática do marxismo, asseguraram que o autor de *Cem anos de solidão* é agente da CIA.**

Na América Latina, chegaremos a ver governos "socialistas" tirânicos que liquidam toda a dissidência, prendem, torturam e fuzilam seus opositores e os membros caídos em desgraça de seu próprio pessoal sob o pretexto de estarem erradicando atividades de espionagem ou conspiração com o estrangeiro, de acordo com o modelo dos julgamentos de Moscou, Praga e Budapeste? Mas, sim, nós já vimos. O governo revolucionário cubano fez isso e acusou homens como Oscar Lewis, K. S. Karol e René Dumont de serem agentes da CIA.

---

* A ditadura militar peruana do general Velasco Alvarado aconteceu entre 1968 e 1975; após esse período, iniciou-se a redemocratização do país. (N.E.)
** Gabriel García Márquez faleceu em 2014. (N.E.)

O "NOVO DIÁLOGO" E SUAS ALTERNATIVAS

Enquanto isso, os EUA, orientados por Henry Kissinger, estão passando por um momento de ostensivo desinteresse pela América Latina em geral. Às regiões sensíveis registradas por Kennan, em 1950, Kissinger teve de adicionar o Oriente Médio, não só porque o conflito árabe-israelense serviu para a URSS executar uma das metas perenes da política exterior russa e pôr os pés no Mediterrâneo e no Golfo Pérsico, mas também porque, no Oriente Médio, estão as maiores reservas conhecidas de petróleo, com tudo o que isso significa no atual contexto mundial.

Dessa maneira, Kissinger encontrou tempo para se reunir constantemente com o presidente do Egito, com o rei da Arábia Saudita, com o xá do Irã, com os dirigentes israelenses e até com o presidente da Síria. No entanto, durante todo o tempo em que foi secretário de Estado, fez apenas uma única visita à América Latina.[21]

Nessa visita, foi ao México, com escala no Panamá, em fevereiro de 1974, para reunir-se com os ministros das Relações Exteriores dos países-membros da Organização dos Estados Americanos e propor-lhes um "Novo Diálogo". Sem a arrogância depreciativa de John Foster Dulles, mas com certa sinceridade brutal, Kissinger indicou aos colegas de hemisfério a ambiguidade habitual nos pronunciamentos latino-americanos em torno das relações com os EUA. Às vezes, sugeriu Kissinger, a América Latina dá a impressão de considerar seus interesses fundamentais como opostos aos dos EUA e vice-versa: considerar opostos os interesses e as metas dos EUA em relação aos interesses e as metas da América Latina. Desse modo, valeria a pena tentar definir áreas de interesse comum?[22] Os EUA, assegurou Kissinger, acreditam sim que essas áreas de interesse e cooperação desejável existem e estão dispostos a explorá-las. Os latino-americanos sentem igual inclinação?

Poderia se interpretar que, no presente período histórico, quando as armas nucleares revolucionaram as previsões e o pensamento estratégico (ver seção "Os fuzileiros navais no Caribe", neste capítulo), os EUA poderiam vir a considerar a América Latina não como uma região vizinha de afinidades especiais, que merece e requer uma atenção global, tampouco à luz do vínculo emotivo que Henry Clay definiu (ver seção "O caráter de duas nações", neste capítulo) e cujo eco ressoa ainda nos discursos de John Kennedy e na retórica da Aliança, mas como um grupo de países mais ou menos interessantes com os quais os EUA poderiam estabelecer relações bilaterais *seletivas*, de acordo com a maior ou menor importância estratégica de cada país latino-americano e de acordo também com a maior ou menor disposição de cada país latino-americano em manter relações econômicas e políticas amistosas com os EUA.

Mais de um ano depois, em março de 1975, em um discurso em Houston, Kissinger afirmou que existe, "mais do que nunca", uma interdependência hemisférica, mas acrescentou: por outro lado, "a América Latina desenvolveu importantes relações de comércio com outras nações industriais *e veio a compartilhar determinados pontos de vista políticos com o Terceiro Mundo*".

Esses pontos de vista políticos que a América Latina chegou a compartilhar com o Terceiro Mundo são, basicamente, a tese de que os países capitalistas avançados devem sua prosperidade — e os países do Terceiro Mundo, sua pobreza — ao colonialismo e à dependência (o *imperialismo*), e que é preciso, na melhor das hipóteses, a negociação amistosa de um reordenamento econômico mundial, em favor do Terceiro Mundo, e à custa dos altos níveis de vida do Ocidente, mediante o pagamento de preços maiores pelas matérias-primas terceiro-mundistas e a abertura irrestrita dos mercados internos dos países capitalistas avançados aos manufaturados e semimanufaturados procedentes do Terceiro Mundo.

Na mesma perspectiva, outra possibilidade, proposta como *necessária* e *inevitável* por certo setor terceiro-mundista (e, evidentemente, pelo "campo socialista"), seria uma ruptura revolucionária, uma amputação abrupta das relações políticas, econômicas e culturais que configuram a assim chamada *dependência* das nações terceiro-mundistas e, possivelmente, a incorporação dessas nações ao bloco de influência soviética, como aconteceu com Cuba.

Em Houston, referindo-se à primeira hipótese (a negociação), Kissinger estimulou o reconhecimento de que:

> O diálogo entre os países desenvolvidos e os menos desenvolvidos requer soluções que seriam difíceis de encontrar em qualquer parte se não as encontramos no hemisfério ocidental [...]. Os EUA sentem preocupação pela crescente tendência de alguns países latino-americanos de participar de táticas de confrontação entre os mundos desenvolvido e em desenvolvimento [...]. A tentação de atribuir os fracassos às intrigas e iniquidades dos estrangeiros

é tão antiga quanto os próprios países. Constantemente, a América Latina é tentada a definir sua independência e unidade por meio da oposição aos EUA [...]. Não esperamos que todos (os latino-americanos) estejam de acordo com nossas opiniões, mas tampouco podemos aceitar uma nova versão de paternalismo, de acordo com a qual aqueles que têm obrigações carecem de direitos e aqueles que reivindicam direitos não aceitam obrigações. A alternativa para os EUA não está entre a dominação e a indiferença. A alternativa para a América Latina não está entre a submissão e o confronto [...]. Após décadas oscilando entre atitudes de euforia e desilusão, entre acusações de hegemonia e abandono, chegou o momento de trabalharmos juntos, serenamente e sem confrontação, nos compromissos de nossa civilização comum.

Entre as vozes latino-americanas deste momento,* a mais clara e a mais característica das que aceitam a hipótese de que a América Latina tenha interesses comuns e vínculos especiais com os EUA, que valham a pena proteger e cultivar, é a do presidente da Venezuela, Carlos Andrés Pérez, que, ao mesmo tempo, apoiou-se com coragem no poder financeiro e de negociação que dá à Venezuela sua condição de país produtor de petróleo e membro da OPEP para converter-se no líder do hemisfério desses pontos de vista políticos terceiro-mundistas aos quais Kissinger se referiu.

Segundo Carlos Andrés Pérez:

> A experiência histórica nos diz que a confrontação não resolveu os problemas do mundo em nenhum caso. Hoje, estamos presenciando a demolição da ordem imposta pelos vencedores da Segunda Guerra Mundial, que mal conseguiu chegar aos trinta anos, sendo que mais da metade deles viram a progressiva precipitação das contradições implícitas nessa ordem imposta pelos fortes aos fracos. Os países da América Latina e os países do Terceiro Mundo, em geral, não devem buscar triunfos efêmeros, mas conquistas de solidariedade global para o bem de toda a humanidade. Por isso, o petróleo não é, nem será (para a Venezuela) uma arma, mas um instrumento. Acredito que a OPEP é o posto avançado do Terceiro Mundo e que o petróleo vai obrigar países industrializados e os países em vias de desenvolvimento ao

---

* A primeira edição deste livro foi publicada originalmente em 1976. (N.E.)

diálogo. Não cultivamos o ódio estratégico contra os Estados Unidos.²³ Nós os reconhecemos como uma realidade geopolítica [...]. Interessa-nos a relação com os norte-americanos e que eles compreendam sua grande responsabilidade frente ao mundo e, especialmente, frente à América Latina.²⁴

Aparentemente, deveria haver possibilidade de entendimento entre as posições e os pontos de vista assim definidos por Kissinger e Carlos Andrés Pérez. No entanto, há motivos para sermos pessimistas. Carlos Andrés Pérez é muito mais racional e corajoso que a média dos dirigentes latino-americanos, o que não é muito surpreendente, já que a riqueza do petróleo modificou de tal maneira a Venezuela desde a década de 1920, que é mais provável o surgimento e o sucesso de líderes que não sejam demagogos irresponsáveis nesse país do que em alguns outros da América Latina. E, de qualquer forma, o problema não se situa ao nível dos mais altos dirigentes, mas ao nível profundo da necessidade subconsciente de as sociedades latino-americanas encontrarem compensação e satisfação psicológica para os sentimentos de inferioridade e humilhação produzidos na América Latina por causa do êxito desmesurado dos EUA.

Tal como assegurou Kissinger, a alternativa para os EUA não está entre a dominação e a indiferença; mas essa alternativa poderia se resolver para os EUA não pela terceira via de um diálogo multilateral frutífero com a América Latina, mas pela *quarta* via, já apontada, do rebaixamento da América Latina, no panorama geral da política exterior norte-americana, à categoria de mais uma região terceiro-mundista, onde os norte-americanos podem escolher seus aliados bilateralmente, como na África ou na Ásia.

Nessa perspectiva, o Brasil e o México possuiriam a primeira opção, já a possuem, para se converter nos aliados preferenciais dos norte-americanos no hemisfério ocidental. Em grande medida, as palavras oficiais ditas nos anos mais recentes sobre a vigência do pan-americanismo serviram de cortina de fumaça para dissimular o fato semiconsumado, que deveria preocupar muito os outros países latino-americanos, mas diante do qual não parecemos ter, até agora, outra resposta senão ignorá-lo ou desprezá-lo.

E isso, ainda que essa mesma perspectiva perigosa e preocupante devesse nos fazer admitir que realmente as opções latino-americanas não são somente a submissão aos EUA ou a ruptura revolucionária, de acordo com o modelo cubano. Brasil e México, cada um a seu modo, demonstram que o caminho mais desejável seria uma nova e mais proveitosa cooperação com os EUA (além disso, único contrapeso possível para a América Espanhola, diante do crescente poder brasileiro).

No entanto, essa opção mais desejável esbarra em graves obstáculos da psique hispano-americana, a tal ponto que talvez seja utópico esperar que todos, ou mesmo a maioria desses países, possam sublimar sua frustração com palavras, como o México, e se esquivar do dilema dramático definido pelos polos *submissão-ruptura*. E, sem dúvida, a respeito daqueles incapazes de fugir desse dilema, só se concebe que irão aspirar à ruptura, seja qual for, o que lhes possibilitaria se redefinir de uma forma não apropriada, mas pelo menos não mentirosa.

O nacionalismo xenófobo foi um dos estímulos decisivos, talvez o *mais* decisivo, na passagem para um novo equilíbrio político de sociedades que não conseguiram evitar a persistente humilhação dos nacionais pelos estrangeiros (e que inclusive a haviam *institucionalizado*, de fato). Esse novo equilíbrio ou ordem política não costuma ser nada admirável conforme os cânones da ética liberal, sendo, inclusive, claramente repulsivo; porém, com sorte, pelo menos reformula os problemas básicos dessas sociedades em um contexto *preferível*, no sentido preciso de que havendo massacrado ou expulso os monstros maléficos de seus mitos e pesadelos, encontram-se, de repente, a sós consigo mesmas, forçadas finalmente a confrontar uma pobre e crua realidade.

Pode ser que alguns outros países latino-americanos, com exceção de Cuba, encontrem por essa via, afinal de contas, a solução de sua relação infeliz com os Estados Unidos.

NOTAS

1. A Cidade do México, Lima e dez ou vinte outras aglomerações urbanas hispano-americanas já eram cidades respeitáveis antes que os ingleses tentassem seu primeiro estabelecimento na América do Norte. O México teve imprensa em 1548. As Universidades do México e de Lima foram fundadas em 1551. Em 1576, existiam na América Espanhola 9 tribunais de justiça, 30 governanças, 24 cargos de oficiais contadores, 3 casas da moeda, 24 bispados, 4 arcebispados e 360 monastérios; e todas essas instituições, assim como as residências de vice-reis, e de outros grandes senhores, situavam-se em imponentes edifícios que existem ainda hoje. Em contraste, Boston só foi fundada em

1630; ainda no final do século XVIII, era, da mesma forma que Nova York ou Filadélfia, inferior às cidades vice-reais da América Espanhola. Naquela época, a população dos EUA continuava sendo majoritariamente rural.

2. Combateu em Valmy, alcançou a patente de general dos exércitos revolucionários, seu nome figura no Arco do Triunfo, foi girondino e salvou-se de Fouquier Tinville por pouco.
3. Voltaria a pisar na Venezuela em 1806, à frente de uma expedição revolucionária.
4. Em 1811, o Congresso da Venezuela quis declarar a independência no mesmo dia em que, 35 anos antes, os norte-americanos a declararam. No entanto, por empecilhos de procedimento, só pôde declará-la no dia seguinte, 5 de julho.
5. Atualmente, não é popular admitir o óbvio: a nutrição deficiente foi uma característica generalizada das sociedades ainda hoje atrasadas *desde antes* de esse atraso se manifestar pelo contraste com o avanço extraordinário de outras sociedades. O Bom Selvagem sofre de deficiência proteica. Em uma época menos confusa e menos melindrosa que a nossa, poder-se-ia assinalar tranquilamente que, em sua origem, os povos europeus e semitas se diferenciaram de todos os outros povos pela possibilidade (e, portanto, pela prática) de domesticar e criar grandes rebanhos de gado e que "a resultante dieta abundante de carne e leite, e, em particular, o efeito saudável dessa dieta em cada nova geração, poderia talvez explicar o desenvolvimento superior desses dois grupos humanos". Friedrich Engels, *A origem da família, da propriedade privada e do Estado*, 1884.
6. Por exemplo, as escravocratas Cuba e Carolina do Sul.
7. O reclamante e o xerife.
8. Na Venezuela, e possivelmente em muitos outros países que constituíram o Império Espanhol da América, as *alcabalas* ainda hoje existem nas rodovias mais modernas. Em outras palavras, trata-se da sobrevivência de um imposto e obstáculo medieval à circulação de pessoas e mercadorias. Um motorista que trafegue na velocidade permitida de 80 quilômetros por hora se depara, de repente, a intervalos não muito distantes, com uma advertência de que deve reduzir a velocidade a 5 quilômetros por hora, ou parar, para se submeter à revista desconfiada e hostil de um soldado armado com uma metralhadora portátil. Essa instituição da *alcabala* existia, alojada em edificações permanentes à beira da estrada, antes dos movimentos guerrilheiros da década de 1960 e sobreviveu a eles, pois não foi causada por eles. A *alcabala* vem da colônia espanhola e de uma época anterior: a Idade Média. E isso acontece na Venezuela, sob um governo democrático e disposto a respeitar os direitos dos cidadãos, mas evidentemente impotente — ou mais provavelmente insensível — ante esse e outros resíduos fósseis do feudalismo, do absolutismo e do mercantilismo.
9. Lema dos Estados Unidos.

10. Veja como ultimamente o sistema político norte-americano permitiu que fossem revelados de modo incomum desde os "Papéis do Pentágono" (sobre a Guerra do Vietnã) até as operações ultrassecretas da CIA. Que outra potência na história procedeu dessa maneira?
11. Na Segunda Guerra Mundial, a justificativa dessas considerações ficou amplamente demonstrada quando, *sem bases no Caribe*, os submarinos nazistas, entre janeiro e maio de 1942, afundaram cerca de 400 embarcações aliadas, sobretudo norte-americanas, entre Nova York e a costa norte da América do Sul. Mais da metade das embarcações torpedeadas no Caribe e no Golfo do México eram petroleiras. Somente a incrível capacidade da indústria naval norte-americana salvou a causa aliada de estrangulamento por interrupção do fornecimento de petróleo.
12. Karl Marx, *The British Rule in India* e *The Future Results of British Rule in India*.
13. Dados da Comissão Econômica para a América Latina das Nações Unidas (CEPAL).
14. O Tratado Interamericano de Assistência Recíproca (TIAR), firmado no Rio, em 1947, por todos os países-membros da Organização dos Estados Americanos (OEA).
15. Carmen Miranda: cantora brasileira fantasiada com "traje típico" e turbante com frutas tropicais, que atuou em alguns filmes de Hollywood. Xavier Cugat: músico catalão que fez fortuna (também em Hollywood) adaptando a música latino-americana ao gosto norte-americano.
16. Entre eles, o dr. Ernesto Guevara, que, como se sabe, não desanimou pelo que ocorreu em seguida na Guatemala.
17. Capítulo III. Artigo 15: Nenhum Estado ou grupo de Estados (americanos) tem direito de intervir, direta ou indiretamente, *e seja qual for o motivo*, nos assuntos internos ou externos de qualquer outro. O princípio anterior exclui não só a força armada, mas também qualquer outra forma de ingerência ou de tendência atentatória à personalidade do Estado ou aos elementos políticos, econômicos e culturais que o constituem. Artigo 16: Nenhum Estado poderá aplicar ou estimular medidas coercitivas de caráter econômico ou político para forçar a vontade de outro Estado e obter deste vantagens de qualquer natureza. Artigo 17: O território de um Estado é inviolável; não pode ser objeto de ocupação militar, nem de outras medidas de força tomadas por outro Estado, direta ou indiretamente, *qualquer que seja o motivo*, ainda que de maneira temporária [...].
18. A admiração que Fidel desperta em muitos intelectuais latino-americanos, europeus e norte-americanos procede, em parte não desprezível, da fascinação que os intelectuais sentem pelos homens de poder. O mesmo fenômeno se deu com Stalin e com Mao.
19. Até a Primeira Guerra Mundial, os investimentos norte-americanos na América Latina eram menores do que os ingleses e foram realizados principalmente no México, sob o regime de Porfirio Díaz. E, sem dúvida, existia o imenso investimento, mais

estratégico do que mercantil, do Canal do Panamá. Desde então, os investimentos procedentes dos Estados Unidos crescem de modo acelerado. Na década de 1960, superaram os 10 bilhões de dólares, que é uma cifra insignificante para a economia norte-americana, mas imensa para as economias latino-americanas. Tanto assim, que no fim daquela década — a mesma da Aliança para o Progresso —, empresas que são agora conhecidas como "multinacionais", mas, na realidade, estão baseadas nos Estados Unidos, chegam a gerar um terço de todas as exportações da América Latina e a produzir um quinto das receitas fiscais e um décimo produto bruto da região (inclusive no Brasil). Em alguns casos, essas empresas geram *quase todas as exportações*, o que deixa os países nessa situação especialmente vulnerável e correspondentemente sensível a pressões.

20. Que serão examinados em detalhes nos capítulos "As formas de poder político na América Latina".
21. Kissinger fez uma segunda visita à América Latina em fevereiro de 1976.
22. Kissinger não usou exatamente essas palavras. Em público, a mais brutal franqueza de um diplomata não pode chegar a tal extremo.
23. Isto é, a ideia de que tudo o que debilite os EUA e fortaleça a URSS ou a China seja, automaticamente, desejável para a humanidade.
24. Coletiva de imprensa concedida na Cidade do México em 22 de março de 1975.

CAPÍTULO 3

Heróis e traidores

A MENTIRA CONSTITUCIONAL

Em grande medida, o desenvolvimento das ideias que nós, latino-americanos, forjamos a nosso respeito e a respeito do mundo responde à aspiração de nos proclamarmos, por um lado, vítimas da Espanha na conquista e na colônia e alheios a tudo que é espanhol nas repúblicas independentes surgidas a partir de 1810, e, por outro, repúblicas *essencialmente* (e não só *juridicamente*) iguais, quando não *superiores*, aos Estados Unidos.

Ambas as pretensões são extravagantes e conduzem forçosamente a interpretações divorciadas da realidade e a condutas destinadas à ineficácia — quando não à frustração —, à amargura e ao fracasso. E, sem dúvida, não correspondem às teorias sobre as quais se quis fundamentar essas condutas ou explicá-las.

A apoteose, ou cúmulo dessa atitude, consiste em tentar fundamentar nossa superioridade em relação aos norte-americanos justamente em nossa capacidade de mentir e, sobretudo, de enganar a nós mesmos.

Por exemplo, com referência específica aos mexicanos, mas de forma generalizável, Octavio Paz (no livro admirável que é *O labirinto da solidão*) não vacila em afirmar que:

> Mentimos por prazer [...]. A mentira possui uma importância decisiva em nossa vida cotidiana, na política, no amor, na amizade. Por meio dela, não pretendemos enganar os demais, mas a nós mesmos. Daí sua fertilidade e o

que diferencia nossas mentiras das grosseiras invenções de outros povos […]. (Mentimos) por fantasia, por desespero ou para superar (nossa) vida infame; (os norte-americanos) não mentem, mas substituem a verdade verdadeira, que é sempre desagradável, por uma verdade social.

Porém, em outra parte do mesmo livro, Paz acerta em cheio quando assinala que desde o alvorecer da independência (e, evidentemente, por uma tendência que já estava implícita nas sociedades coloniais hispano-americanas):

> A mentira política se estabeleceu em nossos povos quase constitucionalmente. O dano moral foi incalculável e alcança zonas muito profundas de nosso ser. Movemo-nos na mentira com naturalidade […]. Disso decorre que a luta contra a mentira oficial e constitucional seja o primeiro passo de todas as tentativas sérias de reforma.

O fundamental é que a mentira não é só política; mas, como afirma Octavio Paz, é *constitucional*, de modo que, a rigor, quase nada do que temos feito ou dito possui *espírito científico*. Em nossas formulações mais inteligentes, em nossos atos mais graves, costuma haver, deve haver, *tem que haver* algum grau de distorção, alguma acomodação à exigência social generalizada de que as coisas não sejam enfrentadas tal como são, mas de uma maneira pela qual a América Latina não se saía tão mal em relação ao resto do mundo e, sobretudo, em relação aos Estados Unidos.

Em seu limite, essa constante cultural nos levará a exaltar como heróis aqueles que mais contribuíram para a fraude, e a desprezar, e até estigmatizar como traidores, aqueles que trataram de nos dizer a verdade.

O DIAGNÓSTICO DE TOCQUEVILLE

Na origem, o movimento independentista de 1810 teve uma ambiguidade que só muito mais tarde chegou a ser parcialmente reconhecida. As ambições dos *criollos* ricos (ou simplesmente cultos) viram-se de repente estimuladas pelos acontecimentos da Europa, onde Napoleão havia derrotado a dinastia Bourbon espanhola e posto seu irmão José no trono de Madri.

Ao mesmo tempo, a maioria dos *criollos* era conservadora e prudente e temia a guerra social. Apenas alguns poucos estavam sinceramente inflamados pelas ideias republicanas norte-americanas e até pelas ideias jacobinas francesas. No entanto, todos, sem distinção, estavam movidos pela aspiração que hoje chamaríamos de *nacionalista* de ocupar os postos de comando na sociedade hispano-americana, no lugar dos funcionários peninsulares.

Contudo, também estavam presentes (e eram muito mais numerosos) brancos pobres e uma massa de índios, negros e *pardos* que não anteviam, nem uns nem outros, nenhuma vantagem na independência, e para os quais a fidelidade ao rei e as exortações da Igreja eram motivações eficientes.

Entre um e outro grupo, o que começou como tentativa de substituir o alto escalão do governo pacificamente, por meio de golpes de Estado em nome do rei e sob o pretexto de manter os direitos do soberano legítimo contra o usurpador bonapartista, degenerou-se em uma feroz guerra civil. Durante essa guerra, a facção nacionalista ou *patriota* (como foi chamada) passou a endossar sem nuances, até mesmo a exagerando, para fins de propaganda interna e externa, a chamada *Leyenda Negra* [Legenda Negra] a respeito da conquista, colonização e evangelização católica da América Espanhola.

Na origem, essa versão foi apresentada pelo frei Bartolomeu de las Casas em sua obra *Brevísima Relación de la Destrucción de las Indias* (1552).* Las Casas escreveu apaixonadamente, como testemunha e participante (arrependido) da crueldade e cobiça dos conquistadores e colonizadores espanhóis. Então, os descendentes e herdeiros dos privilégios daqueles mesmos conquistadores e colonizadores, na paixão da guerra, chegaram a se convencer de que eram descendentes dos índios assassinados e escravizados (cujos verdadeiros herdeiros continuavam escravos e continuariam sendo), e que a guerra era de libertação contra um invasor e ocupante estrangeiro; que o destino tinha convertido a geração de 1810 em vingadora de Cuauhtémoc e Atahualpa.**

Desse modo, o que havia começado como uma brincadeira de aficionados pela política culminou com uma explosão de ódio contra tudo o que fosse

---

* "Brevíssima relação da destruição das Índias", inédita no Brasil. (N.E.)
** Cuauhtémoc (1502-1525) foi o último imperador asteca; Atahualpa (1502-1533) foi o último imperador inca. (N.E.)

espanhol, uma raiva violenta de filhos submissos havia muito tempo, um sacrifício ritual do pai histórico espanhol.

Pouquíssimos espanhóis peninsulares participaram dos combates, mas se passaram cem anos até que alguém ousasse dizer o que todo mundo sabia desde o princípio: basicamente, aqueles conflitos foram guerras civis entre hispano-americanos.[1]

Em alguns lugares, os *criollos* ricos perderam o controle da situação, de modo que a guerra e as convulsões sociais na sequência (às vezes durante grande parte do século XIX) foram muito sangrentas e destrutivas. No entanto, pelo mesmo motivo, as sociedades posteriores foram mais abertas, mais capazes de tolerar e até de promover a mobilidade social, mais *americanas*, no bom sentido da palavra.

Em outras regiões, a guerra liquidou a soberania imperial espanhola sem convulsionar muito a sociedade, motivo pelo qual as oligarquias *criollas* conseguiram simplesmente substituir os procônsules peninsulares[2] e, em pouco tempo, administraram com êxito um poder tradicional e hereditário; em alguns casos, até os nossos dias. Em 1974, pareceu normal ao *establishment* político colombiano que os três candidatos à Presidência da República fossem *todos* filhos de ex-presidentes.

Em todos os casos, as novas repúblicas nasceram traumatizadas, divididas, fracas, irracionais, instáveis, convulsionadas e confusas, em contraste com o vigor, a lucidez, a unidade e a saúde política dos EUA, os quais levavam meio século de vantagem em sua experiência de vida independente.

Já em 1833, Alexis de Tocqueville, perspicaz observador social e político, tirou sem dificuldades as conclusões pertinentes sobre a justaposição, no hemisfério ocidental, de dois entes tão distintos:

> A natureza os colocou juntos, (o que dá aos norte-americanos) grandes facilidades para estabelecer com (os latino-americanos) relações permanentes e se apoderar de seu mercado. Os comerciantes dos EUA só poderiam perder essas vantagens se fossem muito inferiores aos comerciantes da Europa, mas, na realidade, são superiores em muitos aspectos (*A democracia na América*, 1835).

Tocqueville acrescenta que os norte-americanos:

"Já exercem uma grande influência moral sobre os (outros) povos do Novo Mundo. Deles vêm a luz. Todas as nações que se situam no mesmo continente já estão acostumadas a considerar (os norte-americanos) como os rebentos mais ilustrados, mais poderosos e mais ricos da grande família americana (e) vão tirar dos EUA suas doutrinas políticas e suas leis [...]. Cada povo que nasce ou se engrandece no Novo Mundo, nasce e se desenvolve de certo modo em proveito dos norte-americanos [...].

É impossível resumir mais claramente a situação que existia e que se desenvolveria depois até suas últimas consequências: influência ideológica determinante, futuro domínio político e econômico, proveito para os norte-americanos de tudo o que sucedesse dali em diante no hemisfério.

O DIAGNÓSTICO DE BOLÍVAR

Em 1824, Bolívar convocou um congresso das novas repúblicas hispano-americanas, o qual qualificou de "anfictiônico", em evocação significativa à confederação de cidades-estados da antiga Grécia. O Libertador persistia na ideia da necessidade de coalizão das diferentes regiões da América Espanhola, para formar juntas uma imensa nação ou, pelo menos, uma confederação de grandes Estados que fizesse contrapeso eficaz aos Estados Unidos, em vez de a América Espanhola ficar inerme frente aos norte-americanos, como Tocqueville pôde constatar pouco anos depois.

Mas o fato é que Bolívar não tinha muitas ilusões sobre a possibilidade real de unidade hispano-americana, pelo menos naquele momento. E não só porque a Colômbia, a grande nação que ele tratou pessoalmente de forjar com a Venezuela, a Nova Granada e o Equador desfaziam-se sob seus pés, com os caudilhos de cada região esperando sua morte ou sua renúncia para desmembrá-la, mas porque Bolívar, não sofrendo de complexo de inferioridade ou da necessidade de compensar atos mesquinhos com palavras heroicas, pôde desde muito cedo pensar com clareza e dizer a verdade com simplicidade. Em sua *Carta da Jamaica* (1815), afirma que, na América Espanhola independente:

Não será fácil de consolidar uma grande monarquia; uma grande república, impossível. É uma ideia grandiosa pretender formar de todo o Novo Mundo uma única nação, com um único vínculo que ligue as partes entre si e com o todo. Já que tem a mesma origem, a mesma língua, os mesmos costumes e a mesma religião, deveria, em consequência, ter um único governo que confederasse os distintos Estados que devem se formar; *porém, não é possível, porque climas remotos, situações diversas, interesses opostos, personagens dessemelhantes dividem a América (espanhola).*

Quanto à possibilidade de adaptar proveitosamente o sistema norte-americano de governo, Bolívar demonstra igualmente uma lucidez nua e crua: "É uma desgraça que não possamos alcançar a felicidade da (Grã) Colômbia com as leis e os costumes dos (norte) americanos. Você sabe que isso é impossível; o mesmo que a Espanha se parecer com a Inglaterra, e ainda mais".[3] Também:

> Penso que o melhor seria (para a América Espanhola) adotar o Corão (como código político) do que o governo dos Estados Unidos, ainda que seja o melhor do mundo. Aqui não há nada mais a acrescentar, senão olhar para esses pobres países de Buenos Aires, Chile, México e Guatemala (e) recordar os nossos primeiros anos.[4] Esses exemplos sozinhos nos dizem mais do que as bibliotecas [...].[5]

Em relação às forças reais que podiam influir no destino imediato da América Espanhola, Bolívar só considerava a Inglaterra como recurso e possível potência protetora das repúblicas hispano-americanas frente às eventuais tentativas de reconquista pela Espanha encorajada e ajudada pela Santa Aliança, mas também frente aos Estados Unidos. Em março de 1825, escreverá para Santander, vice-presidente da Grã-Colômbia: "Salvaremos (a América Espanhola) se nos pusermos de acordo com a Inglaterra em *assuntos políticos e militares*. Essa simples cláusula deve dizer mais a você do que dois volumes". E ao próprio Santander, em uma carta de junho do mesmo ano:

> Mil vezes (estive a ponto) de escrever-lhe a respeito de um assunto difícil, e é: nossa (América) não pode subsistir se não for protegida pela Inglaterra; dessa maneira, não sei se (não) seria bastante conveniente (que) a

convidássemos para uma aliança defensiva e ofensiva. Essa aliança só tem um inconveniente, e é o dos compromissos em que a política inglesa não pode se intrometer; mas esse inconveniente é eventual e talvez remoto. Eu lhe proponho essa reflexão: a existência é o primeiro bem; e o segundo é o modo de existir: se nos ligarmos à Inglaterra, existiremos, e se não nos ligarmos, perderemos com certeza. Portanto, é preferível o primeiro caso. Enquanto isso, vamos crescer, vamos nos fortalecer e vamos ser realmente nações para podermos ter compromissos nocivos com nossa aliada. Então, nossa própria fortaleza e as relações que possamos estabelecer com as outras nações *europeias*[6] nos colocarão fora de alcance de nossos tutores e aliados.[7] Assim, meu querido general, se aprovar, consulte o Congresso ou o Conselho de Governo que tem em seu ministério para os casos difíceis. Se esses senhores aprovarem meu pensamento, será importante testar o ânimo do governo britânico a respeito desse particular e consultar a assembleia do Istmo.[8] De minha parte, *não penso em abandonar a ideia, ainda que ninguém a aprove.*[9] Com certeza, os senhores (norte) americanos serão seus maiores opositores, a título de independência e liberdade; mas o verdadeiro título é por egoísmo e porque nada temem em seu Estado doméstico. Recomendo-lhe muito esse assunto, não o abandone jamais *por mais que não lhe pareça bem.*[10] Pode ser que quando tudo estiver perdido queiramos adotá-lo [...].

No entanto, Bolívar foi ignorado. Nesta, como em outras coisas, *arou no mar*. Até Fidel Castro, nenhum outro estadista latino-americano voltaria a ter uma visão estratégica da política mundial, tal como é jogada entre as grandes potências, de modo frio e cruel. E o hemisfério ocidental ficaria abandonado à hegemonia norte-americana sob a Doutrina Monroe.

Um exemplo: em 1844, o México poderia ter determinado que o Texas, já irremediavelmente perdido pela soberania mexicana, se convertesse em um estado-tampão entre o México e os EUA, protegido e garantido pela França e Inglaterra, que tinham interesse nele, por seus motivos próprios, que casualmente coincidiam com o interesse estratégico vital mexicano. No entanto, naquele momento, se havia alguém no México que entendia do assunto, ficou bem guardado, porque se houvesse alguém que entendesse e dissesse (como Bolívar se dispôs a dizer a Santander, ao Conselho de Governo e até mesmo ao

Congresso *Anfictiônico* do Panamá, o *assunto difícil* da conveniência de pôr a América Espanhola sob a proteção da Grã-Bretanha), com toda a certeza teria sido ignorado e provavelmente vilipendiado.

De modo que o México preferiu a mentira de uma inexistente soberania sobre o Texas à preservação de uma república independente entre o México e os EUA, cuja existência teria mudado drasticamente o curso da história hemisférica e mundial.

A DESINTEGRAÇÃO DA AMÉRICA ESPANHOLA

Em vez de tentar integrar a América Espanhola em uma única grande confederação ou pelo menos em dois ou três grandes blocos regionais capazes de inspirar algum respeito, semelhantes à Grã-Colômbia de Bolívar, os diferentes chefes que a maré da guerra deixou ao refluir acabariam não tendo outra ambição que a de criar feudos pessoais. Nenhum deles iria considerar o poder norte-americano como problema, nem sequer sonhar que uma meta comum latino-americana devesse ser explorar caminhos para equilibrar o crescente poder dos Estados Unidos.

É claro que, se nem mesmo Bolívar conseguiu o objetivo bastante limitado de manter a unidade da Grã-Colômbia, nenhum sucessor seu, que compartilhasse suas ideias e sua visão estratégica, seria capaz. Mas, além disso, naquele momento, não era concebível que alguém que não tivesse o prestígio de Bolívar pudesse competir pelo poder com base em semelhantes ideias e semelhantes preocupações. Por um momento, a inteligência e a vontade do Libertador fizeram as chancelarias das grandes potências levarem em conta a Grã-Colômbia como fator ativo no destino do hemisfério ocidental. A Grã-Bretanha, os Estados Unidos e a Holanda levaram a sério o Congresso *Anfictiônico* do Panamá (instalado em 22 de junho de 1826) e enviaram observadores. Nesse congresso, os países hispano-americanos participantes (Grã-Colômbia, Peru, México e Federação Centro-Americana) concordaram em criar uma confederação *perpétua* para apoiar juntas sua soberania e independência contra toda a dominação estrangeira.

No entanto, esse acordo acabaria sendo letra morta, já que não correspondia à capacidade real das antigas colônias espanholas de executar um projeto ainda que remotamente semelhante ao que as antigas colônias inglesas da América realizaram com êxito, a partir de 1776.

Em vez disso, os primeiros *caudilhos* — chefes militares de segundo escalão, surgidos, a maioria deles, no calor da guerra, da massa anônima de *pardos* ou de *saramullos* (ainda que, em alguns casos, representantes sem grandeza da casta dos *criollos*, como o astuto neogranadino Santander) — iriam consumar o processo de desintegração, "apoderando-se dos reinos como se se tratasse de um butim medieval".[11] E cada um desses homens é um "herói nacional", tem suas estátuas e seu culto na nação correspondente, cujo infortúnio contribuiu — em cada caso — para criar.

DE ROSAS A PERÓN

A partir daí, a América Espanhola vai passar o resto do século XIX em lutas intestinas, guerras civis e golpes de estado motivados teoricamente por abstrações, entre as quais, destacam-se a falsa alternativa entre *Centralismo e Federação* e a dicotomia grandiloquente *Conservadores ou Liberais*; mas, desencadeados de fato por uma verdadeira luta pelos privilégios implícitos no controle do governo e do Tesouro Público, únicos substanciais em sociedades politicamente primitivas.

Em relação ao pano de fundo da primeira dessas questões, o principal propagandista do federalismo venezuelano, Antonio Leocadio Guzmán, expressou todo o necessário quando triunfante a Federação na Venezuela disse (não de maneira tão privada que a história não registrasse): "Se eles tivessem se intitulado federalistas, nós teríamos sido centralistas".

No entanto, ainda hoje temos historiadores e políticos que levam a sério o assunto e asseguram que um ou outro dos grupos em conflito sob essas bandeiras tinha algo significativo para oferecer: os *centralistas*, a integração nacional, a aspiração rumo ao Estado moderno etc.; os *federalistas*, a liberalização, a igualdade social etc. Apesar disso, uns e outros ignoram os fatos históricos essenciais; ou estão escrevendo *partidariamente*, como herdeiros (e os há) daquelas ambições contrapostas, ou estão tratando de suar a mitologia consagrada nos livros didáticos para a propaganda política de hoje.

Por exemplo, na Argentina, primeiro os nacionalistas tradicionalistas, depois os fascistas e os nacionalistas de esquerda, chegando hoje até os marxistas, resolveram, em pleno século XX, reivindicar como herói precursor o sanguinário tirano "federalista" Juan Manuel de Rosas (governou de 1835 a 1852), porque seu primitivismo "autóctone" parece-lhes sinceramente admirável ou utilizável em função das palavras de ordem *bom-selvagistas e bom-revolucionaristas* xenófobas de nosso tempo. Na prática, assim que capturou Buenos Aires, Rosas foi o mais centralizador dos governantes argentinos, na medida em que seu suposto federalismo, como o de todos os caciques regionais da América Latina, não era mais do que a justificativa retórica da aspiração egoísta de ser senhor de seu feudo e que, uma vez conseguido um poder superior ao dos outros senhores feudais, sua ambição seguinte só podia ser reduzir todos à submissão ou aniquilá-los.

No entanto, a verdade não interessa, ou passa para segundo plano, já que o que se busca ao exaltar Rosas é desacreditar seus adversários históricos, os homens que tentaram (com certo sucesso) fazer da Argentina uma coletividade liberal, governada pela razão e não pela paixão obscurantista engendrada pelo complexo de inferioridade; e, sem dúvida, encurralar e derrotar, no momento atual, os herdeiros dessa tradição civilizadora.

Um importante intelectual argentino, que, há apenas dois anos, desesperado com o caos político de seu país, chegou a pensar que o regresso de Perón seria preferível, escreve agora:

> A tirania de Rosas foi um dos períodos mais tristes e vergonhosos de nossa história. Após vinte anos de feroz despotismo, durante os quais tanto a vida como a propriedade de todos estiveram à mercê do autocrata e de seus sicários, o povo argentino começa a respirar. Volta-se a falar em voz alta, fundam-se escolas, aparecem jornais e livros, criam-se instituições de bem público, resgata-se a dignidade cidadã afogada em sangue ao longo daquelas décadas de política discricionária e, sobretudo, reabrem-se as portas do país para que o povo argentino volte a se comunicar com o mundo civilizado [...]. No entanto, a irracionalidade não morre totalmente nos homens. O outro eu das multidões, esse outro eu que, a qualquer momento, pode fazer o povo de Beethoven se transformar no povo de Hitler, tentou sempre (na Argentina) voltar a levantar a cabeça. Esse outro eu, o progresso

irritava, a civilização humilhava [...]. Fingindo amor à tradição, disfarçado de pacífico amante do folclore local, esse torvo *alter ego* não cessou de lutar para recobrar sua posição do passado e se vingar. Muitos colaboraram em uma iniciativa que acreditavam bem-intencionada e proveitosa, sem se dar conta de que contribuíam para o ressurgimento de trevas históricas. O peronismo nasceu com a ajuda da razão e como solução contra erros e injustiças flagrantes. No entanto, não tardou em ser devorado pela força negativa desse obscuro ressentimento. Com ânsia de irracionalidade, Perón (quis) renegar o projeto (civilizador) argentino, substituindo-o por um plano que fomentava o contrário. Nada de Europa, é claro. Para que Europa? Nós somos americanos e, de certo modo, índios. Restabeleçamos até onde seja possível a fisionomia das culturas anteriores ao advento e triunfo da cultura espanhola, greco-latina, europeia (rejeitemos) — como algo maléfico —, a memória daqueles que com suas ações e com seus escritos traçaram memoravelmente (esse grande projeto), que encheu a Argentina de ferrovias, de portos, de estradas, de fábricas; que transformou a Argentina em um dos celeiros do mundo e em uma das nações com maior rebanho bovino; que converteu a Argentina em algo assim como um novo Eldorado e em refúgio por excelência de carentes e perseguidos da Europa; tudo por obra de Rivadavia, Sarmiento, Mitre, Alberdi e outros grandes, hoje execrados, (enquanto que) personagens do calibre de Rosas e Facundo Quiroga são exaltados [...].

Por esse caminho, temos visto fatos como o protagonizado por um governador (provincial) peronista, que chegou a dizer: "Nessa província, não voltaremos a pronunciar o nome de traidores como Rivadavia, Sarmiento e Mitre. Depois disso, boa noite [...]".[12]

O sucesso de Perón em trazer de volta a Argentina ao obscurantismo "autóctone" é bem visível. Depois de arruinar o país política e economicamente em uma década de governo, passou seus dezessete anos de exílio ocupado diligentemente em impedir que a Argentina se recuperasse daquele primeiro ciclo peronista e conseguiu torná-la literalmente ingovernável, até para ele mesmo, apesar de ter recebido em seu regresso um poder quase monárquico. E para coroar sua "obra", Perón, ao se saber doente, impôs à Argentina a suprema indignidade de designar como herdeiros o par formado por sua esposa, ex-dançarina de cabaré,* e seu "secretário particular",** personagem duvidoso, ex-sargento da polícia, pretenso astrólogo, autor de um livro que consiste integralmente em suas supostas conversas com o arcanjo Gabriel.

VERDADE OU MENTIRA

Quanto às tradicionais brigas latino-americanas entre *conservadores* e *liberais*, seria exagerado afirmar que não tiveram conteúdo. No segundo campo, existiam homens sinceramente desejosos de modernizar a sociedade latino-americana no sentido sugerido pelo adjetivo *liberal*. De fato, onde triunfaram os liberais, fizeram-se reformas nada desprezíveis, tais como a separação entre Igreja e Estado, a desamortização dos bens eclesiásticos, o matrimônio e o registro de nascimentos pelas autoridades civis etc. No entanto, visto o destino das terras que foram da Igreja, e que passaram invariavelmente às mãos de cruéis caudilhos e subcaudilhos "liberais", podemos perguntar se não foram esses últimos o elemento fundamental, e se os ideólogos e legisladores não foram meramente o instrumento superestrutural, do que se conheceu como *liberalismo* no século XIX latino-americano.

Não surgiu, nem poderia surgir, nenhuma burguesia ilustrada dessas *reformas* liberais, puramente teóricas, letra morta de códigos importados, e, em nenhum caso, reflexo das verdadeiras relações de produção e das verdadeiras estruturas de poder.

Na realidade, chegou a acontecer que aqueles que se atribuíam a qualificação de *liberais* mereciam menos que os chamados *conservadores*. Na Venezuela, as palavras "liberalismo" e "federalismo" foram adotadas como bandeiras de agitação por aqueles que, de uma maneira ou de outra, ficaram marginalizados do poder depois que a Venezuela se separou da Grã-Colômbia. Os governantes desses anos, entre os anos menos piores e os governantes menos piores que essa república teve em sua história, foram definitivamente

---

* María Estela Martínez, conhecida como Isabelita Perón, a primeira mulher a ser presidente da Argentina, de 1974 a 1976. (N.E.)
** José López Rega, Ministro de Bem-Estar Social no governo de Perón e depois no de Isabelita Perón, no qual teve enorme influência. (N.E.)

afastados em uma sangrenta guerra civil entre 1859 e 1863, e ficaram estigmatizados desde então na história venezuelana como *godos*, adjetivo que, em diversos países latino-americanos, implica uma síntese de tudo o que é execrável.[13]

Com respeito a isso, o comentário a seguir de um historiador venezuelano contemporâneo é excêntrico e heterodoxo (como quase todas as verdades na América Latina):

> Os liberais (e 'federalistas'), donos durante mais de meio século da propaganda, impregnaram todo o material histórico (venezuelano) com a ideia de que os *conservadores* (foram uns monstros). E, evidentemente, os *liberais* se apresentaram como os emancipadores do povo contra aquela infame oligarquia, os únicos depositários e intérpretes da vontade popular e os destemidos inovadores que estavam criando a verdadeira democracia na Venezuela. (Mas) o fato é que a Federação (liberal), depois de alguns anos, converteu-se em mentira evidente e a vontade onipotente do governante de turno não só sufocava qualquer tentativa de autonomia regional, mas também toda manifestação de vitalidade coletiva em qualquer outra atividade pública. A liberdade de imprensa (antes existente) tinha desaparecido, e bastava que qualquer opositor ao governo fosse batizado como *godo* ou *reacionário* para que sua vida e seus bens ficassem à mercê do governante.
>
> O sufrágio tinha chegado a ser uma farsa, e até a própria Constituição da 1ª República era modificada ou revogada, sem intervenção do povo, quantas vezes conviesse aos propósitos do Executivo.
>
> A pena de morte por delitos políticos, cuja abolição nas leis se proclamava como grande conquista do liberalismo, (passou a ser aplicada) nas prisões de modo discricionário, sem julgamento prévio.
>
> E quanto à situação que o homem do povo suportava de fato e cotidianamente (sob a 'Federação Liberal'), bastaria recordar que, nas fazendas, pagava-se os diaristas com *fichas*, o que, de outra forma, tornava-os tão escravos quanto antes,[14] e que o serviço militar, o terrível *recrutamento*, só recaía sobre 'a gente qualquer', como costumava se dizer. O que, ao mesmo tempo, acarretava que os açoites, o cepo para tortura e todas as humilhações e sofrimentos que então suportava o soldado, fossem, para uma imensa maioria de venezuelanos desamparados, o azar e a angústia de cada dia.

Apesar dessas realidades, seguia-se (e se seguiu) alardeando as grandes conquistas da 'revolução liberal'; a Federação foi (e segue sendo) equiparada a Deus no lema que se usava em todas as comunicações oficiais;[15] e em relação ao povo que permanecia despolitizado, ignorante, faminto e atormentado por doenças, dizia-se que, por fim, havia obtido a igualdade.[16]

Mijares segue demonstrando que, na realidade, as escassas liberdades e a precária juridicidade dos primeiros anos da República venezuelana foram *abolidas* pelo chamado federalismo (junto com certo asseio que, até então, existiu na condução da coisa pública), para não reaparecer até os nossos dias, quando estão novamente assaltadas por novos bárbaros em nome de novas palavras de ordem pretensamente *revolucionárias*.

Quanto aos conflitos do século XIX entre conservadores *centralistas* ou *unitários*, por um lado, e liberais *federalistas*, por outro, a verdade é que não correspondiam à verdadeira e única dicotomia essencial e profunda das sociedades latino-americanas, que é aquele que opõe:

> Duas maneiras de ser — duas tendências —, de um lado, a demagogia; do outro, a sensatez; em alguns, o apetite insaciável de (poder e) brilho pessoal, de aplausos; [...] em outros, o apego ao livre exame e à reflexão. E não se poderia dizer sem injustiça que uma e outra tendência estejam representadas exclusivamente por essa ou aquela tendência política que estiveram ontem (e que estão hoje) em atividade. É uma alternativa que tem para toda (a América Latina) caráter de conflito espiritual íntimo: se preferimos a verdade ou a mentira [...].[17]

Infelizmente, a resposta não está realmente em dúvida. A verdade é desagradável demais e, por isso, a América Latina é muito vulnerável às interpretações históricas e aos projetos políticos construídos sobre a mentira ou que recorrem à verdade apenas pela metade. E, dessa maneira, chegamos a declarar execrável o melhor de nós mesmos (por exemplo, Sarmiento ou Jorge Luis Borges) e admirável o pior (por exemplo, Juan Manuel de Rosas ou Perón). Bolívar se salvou porque suas façanhas militares, que o tornaram uma divindade olímpica no Panteão da historiografia latino-americana, colocam-no acima de todo o tipo de discussões, de todas as controvérsias. Todos querem se apropriar de sua imagem, desfigurada e santificada por mil livros de hagiografia política e por um milhão de sermões seculares pregados desde qualquer tribuna existente na América Latina. No entanto, ele é pouco lido e é citado seletivamente.

NOTAS

1. O venezuelano Laureno Vallenilla Lanz disse isso pela primeira vez em uma conferência realizada em Caracas, em 1911, e publicada no ensaio "Fue una Guerra Civil", parte integrante do livro *Cesarismo Democrático* (1920).
2. Às vezes, sem querer, como no Peru, que teve de ser invadido por San Martin pelo sul e por Bolívar pelo norte para que os *criollos* peruanos se resignassem a ser independentes.
3. Carta de 3 de agosto de 1829 para Belford Hinton Wilson.
4. Antes de Bolívar receber plenos poderes como virtual Ditador da Colômbia.
5. Carta de 13 de setembro de 1829 para Daniel Florencio O'Leary.
6. Grifo meu.
7. Vale a pena nos determos para refletir que o argumento de Bolívar é um precedente, ponto por ponto, do que Fidel Castro faria de 1960 em diante, com os EUA no papel da Santa Aliança e a URSS, no da Inglaterra.
8. O Congresso *Anfictiônico* do Panamá já convocado pelo Libertador em dezembro.
9. Grifo meu.
10. Grifo meu.
11. Octavio Paz, *O labirinto da solidão*.
12. Francisco Luis Bernárdez, *Nuestra Argentina,* em *El Nacional,* Caracas, 14 de março de 1975.
13. Entre outras coisas, associava-se a palavra *godo* ao regime colonial espanhol e ao grupo pró-espanhol nas guerras de independência, de modo que como projétil político, o qualificativo tinha conotação de *reacionário* também nesse sentido.
14. Essas *fichas* serviam apenas para comprar, a preços extorsivos, na loja do fazendeiro, que as usava como meio de pagamento para seus peões.
15. Todas as comunicações oficiais venezuelanas levam até hoje o lema *Dios y Federación,* sendo datada a tantos anos da *Independencia* e a tantos da *Federación*.
16. Augusto Mijares, *Actualidad de un viejo antagonismo,* em *El Nacional,* Caracas, 24 de janeiro de 1975.
17. *Ibid.*

CAPÍTULO 4

Ariel e Caliban

CIVILIZAÇÃO E BARBÁRIE

Uma maneira menos censurável do que a exaltação da barbárie como nosso autêntico e autóctone latino-americanismo, mas igualmente deformante como maneira de vermo-nos e de autojustificarmo-nos, é supor e sustentar que temos qualidades espirituais místicas que nos põem acima do vulgar êxito materialista dos Estados Unidos. E isso apesar de que durante toda a nossa história independente, até a aparição tardia do marxismo entre nós, fomos devedores quase exclusivamente dos EUA por nossas ideias políticas e nossas leis; e se não pela prática, pelo menos pela retórica de democracia e liberdade.

Alguns se admiram que a América Latina, apesar de ter sido tão perversa nas práticas políticas, tenha sido tão virtuosa em suas Constituições e em suas codificações jurídicas, tão escrupulosamente democrática na teoria, mesmo sob as piores ditaduras. A explicação é muito simples: aspiramos a imitar a "grande democracia do norte"; nós a elevamos ao nível da influência moral e da *luz* de que falou Tocqueville. Nos últimos anos, um dos êxitos mais lamentáveis do marxismo foi começar a erodir, com sucesso, a ideia de democracia "formal" representativa na América Latina, assim como o apreço pelas metas, conquistas e princípios da revolução liberal, e também a abolir a vergonha e a má consciência pelos desvios em relação a esses ideais e essas metas.

No entanto, é contra os EUA que a América Latina vai acumulando ressentimento, mesmo antes de ter causas concretas para isso (que virão principalmente no século XX, com a exceção — importante, com certeza — da anexação dos territórios mexicanos ao norte do Rio Bravo e até o Pacífico).

Em parte, esse ressentimento é previsível. O poder dos EUA crescia a olhos vistos e provocava preocupação e prevenção muito justificadas e, além disso, inveja e complexos. Mas também aspirações saudáveis de imitação.

O argentino Domingo Faustino Sarmiento, cujo nome de traidor não se deve pronunciar em certa província da Argentina peronista, foi ministro em Washington em meados do século passado. Em seguida, ao regressar ao seu país para assumir a Presidência da República (para qual foi eleito, admiravelmente, em ausência), trouxe consigo todo um repertório de ideias progressistas pegas diretamente do que tinha visto e admirado nos EUA. Não seria exagero afirmar que Sarmiento considerava os EUA o modelo que seu próprio país deveria seguir para cumprir com êxito sua vocação americana, "novo mundista". Por isso, quis adaptar à Argentina políticas de educação popular, imigração, democracia política, desenvolvimento econômico e até conquista do "deserto" (eufemismo para os territórios ainda então ocupados por índios selvagens), inspiradas nos EUA.

O imenso prestígio de Sarmiento começou com sua oposição tenaz à tirania de Rosas, e se deveu, em grande parte, a ter produzido, como documento de combate contra a barbárie encarnada por Rosas, um livro que é uma das formulações mais clássicas e mais importantes dos dilemas latino-americanos.

Aparentemente, *Facundo* (1845) é a biografia de um dos caudilhos regionais executados por Rosas, representante típico da *barbárie* na América Latina, que, após as guerras de independência, havia derrotado a *civilização*. Com esse pretexto, Sarmiento propõe toda uma tese sociológica sobre as causas do atraso argentino e das possíveis maneiras de superá-lo.

De certo modo, a barbárie seria o *estado natural* das repúblicas hispano-americanas; o produto necessário da combinação das culturas indígenas encontradas pelos conquistadores, com a própria conquista e a colonização espanhola, e, finalmente, com as guerras civis, começando pela Guerra de Independência. Antes dessa guerra, certo grau de civilização incipiente tinha encontrado lugar nas cidades. Mas agora (1845) pouco restava daquilo. Antes de 1810, La Rioja fora:

Uma cidade de primeira classe [...]. Quando teve início a revolução de 1810, contava com grande número de capitalistas e personagens notáveis".

Agora tinha praticamente desaparecido; sua população não passava de 1,5 mil habitantes, dos quais apenas um ou outro alfabetizado. Em outra cidade, "há dez anos que só há um sacerdote, não existem escolas e nem uma pessoa que use fraque" (ou seja, que se vista à europeia). Em outra, de 40 mil habitantes, por ser um centro agrícola importante e por terem se refugiado nela um grande número de pessoas provenientes de regiões definitivamente desoladas, não havia um único advogado;

> Todos os tribunais são exercidos por homens que não têm o menor conhecimento de Direito e que são, além disso, estúpidos. Não há nenhum estabelecimento de educação pública [...]. Só existe um médico [...]. Não há três jovens que saibam inglês, nem quatro que falem francês. Há apenas um que cursou matemática. Só existe um jovem que possui instrução digna de um povo culto, o senhor Rawson [...]. Seu pai é norte-americano, e a isso se deve que receba educação.

E apenas 35 anos antes, nessas mesmas cidades:

> Existiam livros, ideias, espírito municipal, tribunais, direito, leis, educação, *todos os pontos de contato e de união que temos com os europeus*; havia uma base de organização, (ainda que) incompleta, atrasada, se assim se quiser.

Desse modo, Sarmiento, da mesma forma que Bolívar, é um dos raros latino-americanos que chamou as coisas pelo nome (e por isso os *nacionalistas* e os fascistas argentinos o consideram um traidor, e exaltam Rosas). Ele não idealiza o índio, nem o gaúcho, nem o folclore; não acha que existe no solo argentino um eflúvio místico que dá vigor aos homens e os torna magicamente virtuosos. Não considera que ser nacionalista seja afirmar que os defeitos de seu país são virtudes, e defeitos, as virtudes dos outros países. A superioridade cultural (em sentido mais amplo) dos povos europeus não hispânicos e dos EUA no século XIX lhe parece uma evidência simples e axiomática; assim como as carências do "bom selvagem" americano, quer fosse em seu estado natural (na Argentina, muito semelhante ao nomadismo indômito dos peles-vermelhas norte-americanos), quer fosse hibridizado e aculturados pelo impacto da colonização espanhola e pela mestiçagem.

No quadro geral hispano-americano, pouco satisfatório antes da Independência e agora desastroso, Sarmiento insiste que os únicos lugares de civilização e, portanto, os únicos polos a partir dos quais a civilização pode se irradiar, são as cidades. Ali estão as fábricas da indústria incipiente, os estabelecimentos comerciais e os de ensino, e as instituições de um governo organizado: "enfim, tudo o que caracteriza os povos cultos".

Em contraste, no *deserto* "que circunda as cidades, que as cerca, que as oprime, que as reduz a estreitos oásis de civilização", o que se encontra é uma vida primitiva, "absolutamente bárbara e estacionária", comparável à dos nômades da Ásia Central ou à dos beduínos. Lá "o progresso está sufocado, porque não pode haver progresso sem a posse permanente do solo, sem a cidade, que é a que desenvolve a capacidade industrial do homem e lhe permite estender suas aquisições".

Na hinterlândia hispano-americana:

> A sociedade desapareceu completamente e todo tipo de governo se (tornou) impossível; a municipalidade não existe, a polícia não pode atuar e a justiça civil não tem meios de alcançar os delinquentes.

Com isso, Sarmiento chega ao cerne de seu terrível diagnóstico:

> Ignoro se o mundo moderno apresenta (em outra parte) um gênero de associação tão monstruoso como (o que se observa na Argentina e em outras regiões da América Espanhola até 1845). É algo parecido com o feudalismo da Idade Média. Mas aqui faltam o barão e o castelo. O poder não se herda, nem se pode conservar. Daí resulta que até as tribos selvagens são mais bem organizadas (que a nossa sociedade rural). O progresso moral, a cultura da inteligência, descuidada na tribo, aqui não é só descuidada, mas também impossível [...]. No geral, a civilização é irrealizável, a barbárie, normal [...]. (Até) a religião sofre as consequências dessa dissolução da sociedade; a paróquia é simbólica, o púlpito não tem plateia, o sacerdote foge da capela deserta ou se desespera na inação e na solidão; os vícios, a

simonia,* a barbárie [...] penetram em sua cela e (ele também) acaba se tornando caudilho de partido.

Nesse quadro, a única esperança é Buenos Aires, a principal cidade do país, a qual, apesar de tudo, permanece "tão poderosa em elementos da civilização europeia, que acabará por educar Rosas[1] e conter seus instintos sanguinários e bárbaros".

GOVERNAR É POVOAR

A cidade, além disso, é o ímã para a imigração europeia, indispensável se a América Espanhola queria diluir a carga de barbárie que arrastava do passado pré-colombiano, da sociedade colonial e das guerras. Na própria Buenos Aires, essa situação está ilustrada com crueza:

> Dá pena e vergonha comparar a colônia alemã ou escocesa do sul de Buenos Aires e a população (*criolla*) no mesmo subúrbio. Na primeira, as casinhas são pintadas e a frente delas está sempre arrumada, embelezada com flores e arbustos graciosos; o mobiliário é simples, mas completo; as panelas e os utensílios de cobre ou estanho estão sempre reluzentes; as camas possuem cortinas; e os moradores estão em movimento e ação contínuos. Algumas famílias, ordenhando vacas e fabricando manteiga e queijo, conseguiram acumular fortunas colossais [...].
> A povoação nacional é o reverso vergonhoso dessa moeda; crianças sujas e cobertas de farrapos vivem com uma matilha de cães; os homens ficam deitados no chão na mais completa inatividade; a falta de asseio e a pobreza estão em todas as partes; o mobiliário consiste em uma mesinha e alguns baús; as moradias são cabanas miseráveis; e o aspecto geral é de barbárie.

É em relação a realidades como essas que Alberdi — outro dos acusados de "traição" junto com Sarmiento, dentro da interpretação bom-selvagista e

---

* Simonia é a venda de elementos sagrados ou espirituais (sacramentos, indulgências, benefícios eclesiásticos, relíquias), considerada pecado pelos cristãos (N.E.)

bom-revolucionarista do passado, presente e futuro da América Latina — lançou seu famoso slogan: "Governar é povoar!", e que os governos argentinos da segunda metade do século XIX (uma vez derrubado o "autóctone", o "autêntico" Rosas) promoveram a imigração em tal escala que a Argentina chegou a ter em certo momento quase tantos habitantes europeus de nascimento como nativos.

Sem dúvida, uma situação anormal; mas, ao mesmo tempo, correspondente a todas as estranhezas irregulares da aventura histórica que foi a América, e muito menos insensata que a tentativa de pretender que o descobrimento, a colonização espanhola e a influência europeia e norte-americana eram fatos alheios e *contrários* à essência latino-americana, em vez de ser, como evidentemente são, componentes decisivos dessa essência.[2]

Hoje, está na moda renegar o projeto que Sarmiento, Rivadavia, Alberdi e Mitre conceberam para a Argentina. Porém, aqueles que execram esses homens e os consideram traidores, são eles mesmos um resultado daquele projeto, descendentes biológicos e culturais dos imigrantes que, de outro modo, não teriam vindo para a Argentina. E, na Argentina, não existe mais o quadro descrito por Sarmiento. Em 1857, foi inaugurada a primeira ferrovia argentina, com dez quilômetros de extensão. Em 1890, a Argentina possuía 9 mil quilômetros de ferrovias; 17 mil em 1900; e 33 mil em 1912. No fim do século XIX, aquele pampa cuja vida social, 50 anos antes, fora igual ou pior à dos nômades da Ásia Central, tinha sido *civilizado* e convertido em uma das regiões agropecuárias mais produtivas do mundo, mediante a combinação de capital e tecnologia ingleses e mão de obra imigrante italiana. Entre 1869 e 1914, a terra cultivada aumentou de 0,05 hectare por habitante para *quase três hectares por habitante* (e isso de modo simultâneo à duplicação da população, graças à imigração). Em comparação, em 1914, a França cultivava 0,6 hectare por habitante, e os EUA, menos de dois. Em 1875, a Argentina ainda importava cereais. *Apenas doze anos depois,* em 1887, exportou 237 mil toneladas e, até hoje, é exportadora de alimentos, ao mesmo tempo em que, em 1974, o consumo argentino de carne foi de mais de 70 quilos por habitante!

E, no entanto, jovens argentinos chamados Smith, O'Brien, MacLaren, Brandt, Cuccioli, Koustakis, Rosenfeld, Jansen ou Marinelli julgam intolerável a situação de seu país, "arruinado pelo imperialismo". Como peronistas de direita ou de esquerda, "montoneros"[3] ou membros do "Exército Revolucionário do

Povo" (também marxistas), declaram-se a si mesmos herdeiros e vingadores dos índios pré-colombianos e heróis precursores ao tirano Rosas.

CERTA "NOVA ESQUERDA" LATINO-AMERICANA

O caso especialmente cruel da atual situação argentina somente pode ser explicado se entendermos que a frustração e a irracionalidade de quem se sabe inferior "sem razão" aumentam conforme o hiato que o separa do objeto de seu complexo diminui, e não o contrário.

De certa maneira, a Argentina sofre mais do que nenhum outro país latino-americano por sua inferioridade em relação aos EUA, justamente por ter tido muito sucesso na política de Sarmiento e seus sucessores de imitação dos EUA. Tanto que, até 1900, a Argentina chegou a acreditar seriamente que era uma rival potencial dos EUA, um "Colosso do Sul", capaz de moldar uma influência e um poder imperiais no hemisfério iguais ou talvez superiores (pela vantagem do idioma comum) aos do "Colosso do Norte".

Aliás, isso explica que, na Argentina, tenha ocorrido de forma importante um fenômeno que seja estranho e raro no resto da América Latina: um ativismo antinorte-americano de direita, politicamente importante, que costuma ser característico de países que foram poderosos quando os EUA não existiam ou não contavam. Esse antinorte-americanismo de direita não se baseia em nenhuma repulsa ao cultivo e exercício do poder nacional, em nenhuma reprovação à hegemonia imperialista como meta; mas na frustração e na amargura de que, em nossa época, sejam os EUA e não (de acordo com a nacionalidade do antinorte-americano de direita) a França, a Inglaterra, a Alemanha, o Japão, a Itália, a Espanha etc. que tenham esse poder nacional e essa hegemonia. Sem dúvida, os direitistas e os tradicionalistas de todos os países do mundo também estão assustados com o efeito "corruptor e dissoluto" da sociedade norte-americana (produtora, consumidora, libertina, desenfreada na informação) sobre as sociedades tradicionais.[4] No entanto, não se concebe um De Gaulle em Luxemburgo ou em Monte Carlo. Nem um Perón no Equador ou na Guatemala.

Mas, sim, na Argentina, país que, por um momento, alimentou a ilusão de que tinha seu próprio "destino manifesto" no hemisfério ocidental.

Na realidade, em sua origem e em sua essência, o peronismo foi o suspiro que essa ilusão deu em sua agonia, e se alimentou de seus restos, buscando um novo alento na identificação e na eventual aliança com os fascismos europeus. A derrota militar e moral dos fascismos fechou essa via e, assim, a evolução posterior do peronismo é vividamente ilustrativa dos caminhos que, desde 1945, o antinorte-americanismo latino-americano percorreu, que desembocou agora em uma proposição paradoxal: antes, os esquerdistas autênticos — ou seja, os adversários dos governos autoritários, os defensores dos direitos humanos, os adversários do poder estabelecido e da injustiça institucionalizada — eram antinorte-americanos por julgar, com razão, que os EUA estavam mais interessados na estabilidade e na docilidade do que no progresso da América Latina. No entanto, nesse momento, *ser antinorte-americano é ser de esquerda,* ainda que esses supostos esquerdistas sejam ideólogos de filiação fascista ou governantes brutais e corruptos.

OUTRA VEZ O BOM SELVAGEM

Essa foi a verdadeira (e importante) revolução criada por Fidel Castro. Até a Revolução Cubana, apenas na Argentina foi possível que a América Latina pensasse a sério por algum tempo que o poder norte-americano pudesse ser desafiado. Dessa maneira, os direitistas dos demais países latino-americanos jamais tinham podido se manifestar (e muito menos fazer carreira política) como adversários dos EUA. Ser membro da estrutura de poder latino-americana, ou aspirar realisticamente a sê-lo, significa automaticamente ser *politicamente* pró-norte-americano ou, pelo menos, não ativamente antinorte-americano.

No entanto, no fundo de seus corações, os mais direitistas dos latino-americanos foram, tanto ou mais do que qualquer um, consumidos pela paixão universal de amor e ódio que todos nós, os latino-americanos, sentimos pelos EUA. Só que o fator *ódio* desse complexo não podia se manifestar em gestos políticos e teve que se refugiar na retórica (de que, quando por erro de cálculo, foi além da falta de conteúdo, conduziu às referidas "desestabilizações", como nos casos de Cipriano Castro, na Venezuela, ou de Jacobo Arbenz, na Guatemala), ou em gestos de opereta (como a adoção do uniforme prussiano para o exército, com capacete de ponta de lança e tudo mais)[5] pelo ditador consular venezuelano — mas "germanófilo" — Juan Vicente Gómez, ou no caminhar por vias literárias ou pseudofilosóficas.

Assim, na América Latina, houve ensaístas ultracatólicos e hispanizantes, cheios de imprecações contra "os hereges de olhos azuis"; soldados espirituais do papa e do Duque de Alba, para quem os latino-americanos compartilhavam a honra de Lepanto e Breda, e também a aventura desafortunada da Invencível Armada (e, claro, a humilhação da Guerra Hispano-Americana); sonhadores dos terços espanhóis, que ocuparam Antuérpia e saquearam Roma; carcereiros imaginários de Francisco I, em Madri, e verdugos do conde de Egmont, em Flandres. Mas, logicamente, também de Cuauhtémoc, no México, e de Atahualpa, no Peru, o que explica que essa postura, nunca muito popular, pela paixão antiespanhola gestada na Guerra da Emancipação, estivesse definitivamente desacreditada pela moda atual da conjunção *Bom Selvagem-Bom Revolucionário*.

Também existiu uma literatura escapista, que quis, rejeitando em conjunto as duas Américas, a do norte e a nossa, considerar o atraso latino-americano como uma realidade insignificante, desprezível e não merecedora de atenção, parte de uma barbárie americana generalizada. Dessa maneira, Rubén Darío pôde dizer, no prefácio de *Prosas Profanas*, de 1896:

"¿Hay en mi sangre alguna gota de sangre de África, o de indio? Pudiera ser, a despecho de mis manos de marqués; más he aquí que veréis en mis versos princesas, reyes, cosas imperiales, visiones de países lejanos o imposibles; ¡qué queréis! Yo detesto la vida y el tiempo en que me tocó nacer; y a un presidente de la República no podré saludarle en el idioma en que cantaría a ti, ¡oh Halagabal!, de cuya corte — oro, seda, mármol — me acuerdo en sueños. "Si hay poesía en nuestra América, ella está en las viejas cosas: en Palenque y Utatlán, en el indio legendario, y en el inca, sensual y fino, y en el gran Moctezuma de la silla de oro. Lo demás es tuyo, demócrata Walt Whitman [...]."

["Há em meu sangue alguma gota de sangue da África ou de índio? Poderia haver, apesar de minhas mãos de marquês; mas aqui, em meus versos, vocês verão princesas, reis, coisas imperiais, visões de países distantes ou impossíveis; o que vocês querem? Eu detesto a vida e o tempo em que nasci; e a um presidente da República não poderei saudar na língua que cantaria para você, oh! Heliogábalo, de cuja corte — ouro, seda, mármore — me lembro em sonhos. Se há poesia em nossa América, ela está nas velhas coisas: em Palenque e Utatlán, no índio lendário, no inca sensual e fino, e no grande Montezuma do trono de ouro. *O resto é seu, democrata Walt Whitman* (...)."]

Também existiu o que se denominou *telurismo*; ou seja, a afirmação de que haveria um *genius loci* (espírito do lugar) na terra, no solo, mais importante do que qualquer outro determinante da cultura ou ação humana. No caso da América Latina, esse espírito, reinante antes do descobrimento por Colombo, havia fugido amedrontado ou se inibido diante das atrocidades dos conquistadores e dos exorcismos de uma religião estrangeira e exótica. Porém, manifestou-se novamente na gesta emancipadora e voltou a se inibir diante da onda imigratória (estrangeira, como o eucalipto) da segunda metade do século XIX, e estaria pronta então — fim do século XIX e começo do século XX — para um novo renascimento, capaz de potencializar uma síntese que tornaria a América Latina o farol da humanidade.

O telurista mais legível é o argentino Ricardo Rojas (1882-1957), que se expressa nos seguintes termos (em *Eurindia*, 1924):

> Os espanhóis hispanizaram o nativo; mas as índias e os índios indianizaram o espanhol. Os conquistadores penetraram nos impérios indígenas, destruindo-os; no entanto, três séculos depois, os povos da América expulsaram o conquistador. A emancipação foi uma reivindicação nativista; quer dizer, indígena, contra o civilizador de procedência exótica.

Contra a verdade histórica, Rojas chega a afirmar que o movimento de independência se originou "nas cidades mais apegadas à terra da América", quando a explicação do pioneirismo e protagonismo de Caracas e Buenos Aires na rebelião contra o Império Espanhol reside em sua maior abertura relativa às ideias do século, procedentes dos Estados Unidos e da França. Sarmiento assinalou isso e todo historiador de espírito científico mediano confirmou.

Com lirismo, Rojas afirma que a revolução emancipadora "libertou o gênio dos campos, com seus índios, seus gaúchos, seus caudilhos". Sarmiento disse de outra maneira: para os índios, os negros, os mestiços e os mulatos (e mesmo para os brancos pobres), a liberdade, a responsabilidade do poder, "todas as questões que a revolução se propunha a resolver, eram estranhas ao seu estilo de vida, às suas necessidades". No entanto, no final das contas, todas as castas inferiores da sociedade hispano-americana se convenceram de que escapar da autoridade do rei seria agradável, *porque era escapar de todas as autoridades*. O resultado seria o descrito pelo próprio Sarmiento em *Facundo*: o retorno da barbárie em todas as zonas rurais da América Espanhola e o caudilhismo cruel como único remédio contra a anarquia.

A interpretação telurista de fatos que pareciam bem claros é singular. Os supostos "bárbaros" (como Rosas) tinham sido os autênticos representantes do "espírito do lugar", enquanto os "civilizadores" (como Sarmiento) eram agentes estranhos e afeiçoados a estrangeirices. Vem ao espírito o que foi dito por Francisco Luis Bernárdez (ver seção "De Rosas a Perón", no Capítulo 3) a respeito do torvo *alter ego* — e não *genius loci* — da sociedade argentina, "que não cessou de lutar para recobrar sua posição do passado e se vingar", e de como "muitos colaboraram em uma iniciativa que acreditavam bem intencionada e proveitosa, sem se dar conta de que contribuíam ao ressurgimento de trevas históricas". Rojas e outros como ele estavam *revisando* Sarmiento, quando não escrevendo *contra Sarmiento*; e com isso semearam ideias que seriam posteriormente colhidas por Perón e que seguem seu caminho.

Em sua época, as formulações de Ricardo Rojas foram bastante atraentes para o nacionalismo de direita argentino e latino-americano (e são precursoras do "esquerdismo" latino-americano de hoje) por dois motivos. Em primeiro lugar, escamoteavam o fracasso latino-americano, convertendo seus diversos estágios em degraus dialéticos destinados a conduzir a um triunfo total no último ato, a um verdadeiro *coup de théâtre*, já que a síntese final (a "argentinidade" e, por extensão um tanto abusiva, feita em outros países, a "latino-americanidade") seria superior a tudo o que fosse europeu e, com muito mais razão, a tudo o que fosse norte-americano. A Argentina teria um destino extraordinário, que seria:

> Reunir o índio, o gaúcho e o espanhol no americano, convertendo isso na consciência argentina; expandir o latino, o germânico e o eslavo até seus remotos horizontes arianos, semíticos e orientais, *fechando o arco da cultura humana*.

Em segundo lugar, a fábula do *genius loci* foi elaborada para responder à observação óbvia de que praticamente tudo o que conta e está vigente na cultura hispano-americana, começando pelo idioma, vem da Europa e dos Estados Unidos. Para Rojas, "a raça é um fenômeno espiritual, de significação coletiva, determinado por um território [...]. Os indivíduos, qualquer que seja sua origem, atuam em função de um grupo histórico" e, sem dúvida, em função de um marco geográfico, de um solo:

> O território não é apenas uma jurisdição política, mas uma mistura de forças cósmicas que atuam sobre (o homem) dando-lhe um caráter [...]. A raça é a consciência coletiva de um povo, homologada pela emoção territorial.

Dessa maneira, o filho dos imigrantes mais recentes seria da mesma "raça argentina" (ou latino-americana) que o índio puro ou o negro, descendentes todos dos incas de Túpac Amaru, *tupamaros*. E, assim, nossa obrigação também seria escavar a terra latino-americana em busca do "autóctone" e do "autêntico", que ali deve estar enterrado desde 1492. Todo o resto é "cosmopolitismo", "alienação", aceitação de valores e atitudes que moldam e prolongam a dominação imperialista e nos condenam à dependência cultural, base (e "explicação") da dependência econômica. Quando aprendemos uma língua europeia (por acaso o espanhol), caímos na servidão. Quando a desaprendermos, seremos *outra vez* livres.

A RAÇA CÓSMICA

No outro extremo da América Latina, no México, um escritor quase contemporâneo de Ricardo Rojas proferiu, mais ou menos na mesma época, uma profecia semelhante sobre o suposto destino extraordinário que seria, em última análise, nossa vingança contra todas as humilhações, todas as frustrações e todas as derrotas.

Para José Vasconcelos (1881-1957), o destino de toda a América Latina (e não só da Argentina, como Rojas sustenta com a superioridade arrogante e chauvinista que os argentinos se atribuem sobre o resto do hemisfério) seria servir de ponte entre o mundo industrial branco e o que hoje chamamos de

"Terceiro Mundo", papel para o qual a história, a geografia e a mestiçagem nos tinham predestinado. A meio caminho entre os países industrializados e os da Ásia e da África; ocidentais, mas "de cor", nós teríamos os fluidos necessários para servir de mediadores e até de guias na transição da espécie rumo a um futuro de humanismo e fraternidade.

A visão de Vasconcelos é bela pelo que tem de latino-americana e até mesmo de universal. Ele a apresenta como um lirismo talvez excessivo, mas com menos ressentimento do que quase qualquer outro intérprete anterior ou posterior do contraste entre o triunfo norte-americano e o fracasso latino-americano. Inclusive, Vasconcelos se atreve a esvaziar em um parágrafo o pretencioso globo "arielista":[6]

> Falou-se muito de uma Marta laboriosa que prospera no Norte e de uma Maria despreocupada que sonha no Sul, mas, infelizmente, o símbolo não é exato, porque os Estados Unidos não são apenas uma útil Marta, mas também uma sonhadora, uma criadora Maria, e não fomos capazes de fazer com que nossos sonhos sejam fecundos, não conseguimos organizá-los, não conseguimos infundir-lhes o impulso criador do espírito.[7]

Para Vasconcelos, toda a história moderna foi o desenvolvimento do conflito entre duas maneiras de ser: *latinidade* versus *saxonismo*; e ninguém pode duvidar de qual foi até agora o resultado desse antagonismo, cujos marcos são o desastre da Invencível Armada, a vitória de Nelson em Trafalgar, a de Dewey em Manila e a de Sampson em Santiago, de Cuba.[8]

Em nosso tempo, esse conflito se situa no Novo Mundo, na América; e o saxonismo jamais esteve mais forte do que da forma como é representado pelos norte-americanos.

Mas a América Latina não é só latina. Também é índia e negra. E até asiática. É uma mistura de raças. E por suas características de absoluta hibridização, apenas aqui se dão as condições para uma mutação histórica pela qual não só a América Latina alcançará níveis sem precedentes de realização humana, mas também seremos pioneiros da civilização universal, da civilização *cósmica*:

Na história, não há retornos [...]. Nenhuma raça volta; cada uma traça sua missão, cumpre-a e se vai [...]. Os dias dos brancos puros, os vencedores de hoje, estão contados [...]. Ao cumprir seu destino de mecanizar o mundo, estabeleceram, sem saber, as bases de um período novo, o período da fusão e da mistura de todos os povos.

Além de já ter cumprido sua missão e, portanto, conforme as premissas estabelecidas, não poder contribuir com nada adicional que seja importante, os anglo-saxões apresentam uma incapacidade peculiar para liderar o ciclo histórico que começa, já que não souberam resolver suas relações com as raças de cor, aniquilaram ou segregaram os índios nativos e mantêm os negros em uma situação de odiosa discriminação, "enquanto que nós as assimilamos (as raças de cor), e isso nos dá direitos novos e esperanças de uma missão sem precedentes na história".

Começa a se observar tal mandato da história nessa *abundância de amor* que permitiu aos espanhóis criar uma raça nova com o índio e com o negro,[9] prodigalizando a raça branca[10] e a cultura do Ocidente [...].

O inglês continuou só se reproduzindo com o branco [...]. Isso prova sua limitação e é o sinal de sua decadência, porque, com isso, (os saxões) não fizeram mais do que repetir o processo vitorioso de uma raça vencedora, (o mesmo que) fizeram ou tentaram todas as raças fortes e homogêneas; mas isso não soluciona o problema humano; para um objetivo tão insignificante, a América não ficou em reserva por 5 mil anos. O propósito desse continente novo e antigo é muito mais importante. Sua predestinação obedece ao desígnio de constituir o berço de uma quinta raça, na qual se fundirão todos os povos, para substituir as quatro que individualmente vêm forjando a história. No solo da América (Latina) terá fim a dispersão, aqui se consumará a unidade pelo triunfo do amor fecundo e pela superação de todas as estirpes [...] e essa fidelidade ao desígnio oculto é a garantia de nosso triunfo [...]. Somos o amanhã, enquanto que eles (os norte-americanos) são o ontem, o último grande império de uma única raça, o império final do poderio branco [...].

Nós, latino-americanos, não vamos repetir um dos ciclos de roda-gigante da história, um dos "testes parciais da natureza"; pelo contrário, nosso triunfo será o da "raça definitiva, da raça síntese, da *raça cósmica* [...] criada com o gênio e com o sangue de todos os povos e, dessa maneira, capaz de verdadeira fraternidade e de visão realmente universal".

Há algo comovente, mas que também carece de seriedade (e, assim, tipicamente latino-americano) nessa adaptação, dificilmente inconsciente em 1925, do esquema marxista de luta de classes e de fim da história, com a "latinidade" no lugar do feudalismo, os anglo-saxões no papel da burguesia e os latinos, no do proletariado, capazes de superar as limitações e os egoísmos das outras raças (classes) dominantes da história, justamente pela profundidade e totalidade de nossa humilhação. De fato, a sociedade latino-americana, como é bem conhecido, foi especialmente desumana e brutal, não tendo superado os padrões sociais de dominação e submissão impostos pelos conquistadores. É exagerado, para não dizer grotesco, que alguém pretenda ver, justamente na América Latina, indícios que façam supor que talvez não seja impossível uma maneira diferente e melhor de convivência dos homens. Tais indícios, se existem em alguma parte, situam-se nas sociedades avançadas: na Escandinávia, na Alemanha Ocidental, na Holanda, na Grã-Bretanha, na França, no Japão *e, sobretudo, nos Estados Unidos*. E é desses países que importamos praticamente todos os nossos ideais e as nossas instituições humanistas e humanitárias, inclusive o socialismo.

Nós, latino-americanos, sabemos disso perfeitamente (exceto na medida em que podemos nos autoenganar), e Vasconcelos sabia ainda mais que qualquer outra pessoa, porque era mais inteligente, mais culto e mais perspicaz do que quase qualquer outro latino-americano de sua época. No entanto, isso não só não o impediu, como também o estimulou a construir sua fábula da *raça cósmica*, uma dessas mentiras que, segundo afirma Octavio Paz, "refletem simultaneamente nossas carências e nossos desejos, o que não somos e o que desejamos ser", e que inventamos "por desespero".[11] Um desespero que surge claramente no meio do aparente otimismo messiânico de Vasconcelos:

> A missão do saxão foi cumprida mais rápido do que a nossa porque era mais imediata e já conhecida na história; para cumpri-la, só tinha que seguir o exemplo de outros povos vitoriosos. Meros continuadores da Europa, na

região do continente que ocuparam, os valores do branco chegaram ao ápice. Eis por que a história da América do Norte é como um *allegro* contínuo e vigoroso da marcha triunfal.

ARIEL E CALIBAN

O mais importante em formulações como as de Ricardo Rojas ou José Vasconcelos é que, em sua época, de modo improvável, foram levadas a sério e recebidas com entusiasmo em praticamente toda a América Latina e, ainda hoje, não esgotaram seu poder de sedução, já que, mais ou menos, põem em questão referências míticas de significação permanente.

Muito mais surpreendente, ou revelador, foi a repercussão continental de um livro tão superficial e tão pretensioso como *Ariel*, de José Enrique Rodó, obra que hoje cai de nossas mãos pelo tédio presente em suas páginas, mas que, praticamente no mesmo ano de sua primeira edição (1900), foi aclamada de um extremo ao outro do hemisfério como o manifesto contundente e irrefutável de uma América Latina que representava os valores do espírito ante o materialismo grosseiro dos salsicheiros de Chicago.

Evidentemente, em seu livro, o uruguaio Rodó (1871-1917) conseguiu apresentar as angústias e os ressentimentos, não da América Latina (cuja maioria dos habitantes em 1900 jamais tomou conhecimento de *Ariel*, nem de qualquer outro livro), mas das *classes dirigentes latino-americanas*, inclusive (ou talvez sobretudo) os intelectuais (que eram os que escreviam outros livros ou artigos para jornais e revistas, onde ficaram registrados o impacto imenso de *Ariel*), e também foi capaz de dar uma compensação sociológica adequada para as carências desse grupo de latino-americanos. Hoje, todos se mantêm de acordo sobre a importância de *Ariel* na história das ideias da América Latina, mas não passa disso. Se alguém realmente se der ao trabalho de relê-lo, provavelmente recolocará o livro sigilosamente em seu lugar, com certa vergonha, pelo que revela não a respeito dos norte-americanos (que é quase nada), mas sobre nós mesmos.

Rodó é da geração de Rubén Darío, o das mãos de marquês, a quem nossa pobre América Latina lhe afligia tanto que sonhava com a corte de

Heliogábalo — ouro, seda, mármore — como analgésico. O começo de *Ariel* parece um pouco isso. Só que aquilo que Rodó — que não é poeta, mas *philosophe* (assim mesmo, em francês) — deseja é o luxo da inteligência, representado por Atenas:

> Cidade de prodígios, (que) baseou sua concepção de vida no acordo de todas as faculdades humanas, na expansão livre e harmoniosa de todas as energias capazes de contribuir para a glória e poder dos homens [...]. Cada ateniense livre define ao redor de si, para incluir sua ação, um círculo perfeito, em que nenhum impulso desordenado quebrará a proporção graciosa das linhas. É atleta e escultura viva no ginásio de esportes, cidadão em Pnyx, polemista e pensador nos pórticos. Exercita sua vontade em todo o tipo de ação viril e seu pensamento em todas as preocupações fecundas.

Mas o que isso tem a ver com a América Latina? Ah!, é que a pequena minoria de latino-americanos de certa posição econômica, política e social (por exemplo, todos os universitários diplomados) — homens *livres* em uma sociedade onde o trabalho continuava sendo (como em Atenas) realizado por escravos — devia se dar conta de que tinha a seu alcance imitar:

> Os antigos (que praticavam o) *ócio* [...] pelo mais elevado aproveitamento de uma existência verdadeiramente racional, identificando-a com a liberdade de pensamento emancipado de todos os fardos ignóbeis.

Lendo *Ariel*, o poeta latino-americano, vice-cônsul em Paris (ou se não sabia francês, em Barcelona ou Madri), podia se sentir requintado e superior, em seu ócio (possibilitado pelo trabalho dos escravos colhendo café nas encostas da América Central ou extraindo estanho nas minas da Bolívia), a Edison e a Ford, mediocramente ocupados em inventar máquinas ruidosas e malcheirosas.

É necessário manter a todo o custo — Rodó prossegue:

> A integridade da condição humana. Nenhuma função específica[12] deve prevalecer jamais sobre essa finalidade suprema [...]. A falsidade do artificial torna *efêmera*[13] a glória das sociedades que sacrificaram o livre desenvolvimento

de sua sensibilidade e de seu pensamento, seja à atividade mercantil, como na Fenícia; seja à guerra, como Esparta.

Tradução: estão juntando todo o dinheiro do mundo em Wall Street e nos deram uma surra em Manila e em Santiago, de Cuba, mas nós somos Atenas e *eternos*, enquanto eles, Fenícia e Esparta combinadas, são *efêmeros*. A democracia? Sobre um sistema político tão grosseiro:

> Pesa a acusação de conduzir a humanidade a um Sacro Império de utilitarismo, mediocrizando-a [...]. Uma elevada preocupação pelos interesses ideais da espécie é oposta a todo o espírito da democracia, (a qual significa) a entronização de Caliban, (a derrota) de Ariel [...]. A democracia leva fatalmente à preferência pela mediocridade, e carece, mais do que qualquer outro regime, de barreiras eficazes para assegurar [...] a inviolabilidade da alta cultura; (a democracia extingue) gradualmente toda a ideia de superioridade que não se converta em uma aptidão maior e mais ousada para as lutas de interesse, que são então a forma mais ignóbil das brutalidades da força.

As classes dirigentes latino-americanas entenderam perfeitamente essa linguagem digna de "As preciosas ridículas" (peça de Molière); nelas residia Ariel, o espírito aéreo, enquanto nos mais aptos e mais ousados (mas só "para as lutas de interesse") democratas norte-americanos, existia Caliban, o símbolo da animalidade. Além disso, Rodó não fica em analogias mais ou menos oblíquas; finalmente, ele põe as cartas na mesa:

> A concepção utilitária, como ideia do destino humano, e a igualdade no medíocre, como norma da proporção social, compõem, intimamente relacionadas, a fórmula do que se costuma chamar [...] *americanismo*.

Infelizmente, o poder material dos EUA impressionou alguns latino-americanos e provocou neles um desamparo anímico frente a esses bárbaros, uma aspiração a imitá-los. Grave erro: os norte-americanos são eficientes, é verdade, mas só isso, e somente quando se dirigem a uma finalidade prática e imediata, de modo que sua civilização, o *americanismo*, "produz em seu conjunto uma singular impressão de insuficiência e vazio [...]". A partir daí,

Rodó desliza rumo ao tom de Brichot no salão de madame Verdurin (personagens de Proust):

> O norte-americano não conseguiu alcançar a nota escolhida do bom gosto. A arte verdadeira só pode existir nesse ambiente a título de rebelião individual [...]. A idealização do belo não apaixona (os norte-americanos). Tampouco a idealidade do verdadeiro. Menosprezam todo exercício de pensamento que despreza a finalidade imediata, por considerá-lo inútil e estéril [...].

Existem muitas escolas nos EUA? Sim, mas:

> O resultado foi a semicultura universal e uma profunda languidez da alta cultura. Em igual proporção que a ignorância radical, diminuem [...] a sabedoria superior e o gênio.

E do Rio Bravo até a Terra do Fogo, cada leitor de *Ariel* entendeu que, por outro lado, onde mais de 90 por cento da população era analfabeta, existiam as condições propícias para o florescimento de novas Atenas,[14] principalmente porque, ao contrário dos norte-americanos:

> Nós, americanos latinos, temos uma herança de raça, uma grande tradição étnica a manter, um vínculo sagrado que nos une a páginas imortais da história.[15]

No final das contas, não nos preocupemos demais com o poder insolente dos norte-americanos, demonstrado de modo tão contundente na Guerra Hispano-Americana:

> Seu próprio caráter nega-lhes a possibilidade de hegemonia. A Natureza não lhes concedeu o gênio da propaganda, nem a vocação apostólica. Carecem desse dom superior de amabilidade — em sentido elevado —, desse poder extraordinário de simpatia, com que as raças que foram dotadas de uma obrigação providencial [...] sabem fazer de sua cultura algo parecido à beleza de Helena [...] na qual todos acreditavam reconhecer uma característica própria [...].

A "Helena", de Rodó, e em geral de quase todos os intelectuais latino-americanos do século XIX e do início do século XX, era a Europa Latina e, em particular, a França. Curiosamente, quase não encontrou futuro a compreensão e admiração que homens como Miranda e Bolívar tiveram pela Inglaterra, como se a América Latina —, mesmo aceitando e buscando os investimentos e a tecnologia britânicos (assim como, posteriormente dos Estados Unidos) —, tivesse, na segunda metade do século XIX, desenvolvido uma resistência e uma rejeição afetivas também aos ingleses, por identificá-los como os vizinhos incômodos que começavam a ser os norte-americanos. Assim, reagimos a uma derrota militar como se a um livro ruim, cujo êxito, fulgurante no momento, explica-se obviamente por sua capacidade de restabelecer uma aparência de equilíbrio entre a força dos norte-americanos e a nossa fraqueza; e, em particular, por seu efeito tranquilizador em relação à má consciência dos *intelectuais* latino-americanos (classificação ambígua entre nós, pois inclui todos os "letrados", tais como os advogados, os políticos funcionários públicos — "secretários" — dos caudilhos, os redatores do panfleto menos importante, os poetas de um só soneto, os autores de um só artigo e, sem dúvida, os escritores e os jornalistas "bona fide", os professores universitários, os diplomatas etc., com todas as combinações possíveis dessas categorias), com respeito à sua principal causa de desconforto "existencial" (como se diria agora): sua situação privilegiada no seio de uma sociedade paupérrima e marcada por formas realmente "clássicas" de desigualdade social e de servidão.

Contudo, há muitos anos, Rodó e seu livro foram parar na lata de lixo da história, enviados para lá por aqueles que inventaram esse destino para coisas muito mais transcendentes do que *Ariel*. Para a América Latina, o marxismo agora preenche as mesmas funções que o manifesto de Rodó cumpriu no início do século XX, e o faz muito melhor, com referência a uma cosmovisão potente e totalizadora, encarnada não em uma mítica Atenas, nem em uma desconjuntada "latinidade", mas em um centro de poder que é um rival verdadeiro e atual dos EUA.

De fato, em anos recentes, a URSS foi revelando uma face de Caliban muito mais preocupante do que qualquer coisa sonhada por Rodó, ou o que, em seu pior pesadelo, tivesse atribuído aos EUA. Porém, é uma grande potência, e se opõe mundialmente aos EUA, que tanto nos oprimem. E, por outro lado, a atração exercida pelo marxismo não diminui, como está mais do que comprovado, mesmo com seus fracassos concretos. Para o crente dessa e de outras religiões, nem os maus sacerdotes nem uma igreja transformada em máquina brutal de repressão conseguem comprometer a promessa de redenção formulada pelos profetas.

NOTAS

1. Símbolo do tirano de origem rural, de todo o lado bárbaro da sociedade hispano--americana.
2. Damos a palavra a Jorge Luis Borges: "O que existe aqui (na Argentina) é um nacionalismo ridículo. Eu estava dando uma conferência (e) alguém me perguntou qual era minha árvore preferida. Respondi que era [...] o eucalipto. Gosto do cheiro. É uma árvore linda. E disse que a árvore tinha sido importada por Sarmiento da Austrália [...]. Então, uma pessoa da plateia [...] afirmou: 'Importada da Austrália! Que vergonha!' (Quer dizer) que uma árvore, não sendo nativa, é uma árvore censurável, má, o que é um disparate. Neste país, todo o mundo é de outro lugar [...]. Não estamos falando em quíchua, em moicano, em comanche, em maia, ou o que quer que fosse. Estamos falando em espanhol, de modo que o país inteiro foi importado [...]. Li panfletos malucos, que queriam demonstrar que os cavalos e as vacas não foram trazidos pelos espanhóis, que existiam cavalos e vacas aqui [...]. Em outra ocasião, alguém recordou que o senhor Daniel Dávalos foi quem importou as primeiras rosas da Inglaterra [...]. Evidentemente, isso foi recebido com certa melancolia [...]. Não gostaram do fato de que as rosas tivessem sido trazidas da Inglaterra. Um país absurdo, a Argentina [...]" (citado por Margarita d'Amico, em *El Nacional*, Caracas, 6 de abril de 1975).
3. Os *montoneros* são o equivalente argentino dos *tupamaros* uruguaios. Os *montoneros* eram os bandos armados irregulares que assolaram as zonas rurais da América Espanhola depois das guerras de independência e, em alguns casos, até o século XX. O dicionário da Real Academia Espanhola (sem dúvida, obra de traidores reacionários e pró-imperialistas) define *montonero* como "aquele que, não tendo valor para sustentar uma luta corpo a corpo, provoca-a quando está rodeado de seus partidários", o que seria uma maneira excelente de descrever aqueles que castraram as universidades latino-americanas — e algumas de outros países — promovendo "montoneras" contra os professores e os conferencistas visitantes cujas ideias não podiam refutar em um argumento "corpo a corpo".
4. Cf. *Ni Marx ni Jesús*, de Jean-François Revel.
5. Ver Capítulos 9 a 11: "As formas de poder político na América Latina".

6. De *Ariel*, livro do uruguaio José Enrique Rodó, em que se afirma a superioridade "espiritual" da América Latina sobre os Estados Unidos. Ver seção Ariel e Caliban, no Capítulo 4.
7. José Vasconcelos, *La raza cósmica*, 1925.
8. Essas últimas, as duas batalhas navais decisivas da Guerra Hispano-Americana de 1898.
9. Na realidade, na conquista e na colônia, o que houve não foi uma abundância de *amor*, mas um excesso inacreditável de *luxúria*, pela qual, não "com o índio e com o negro", mas com *a índia* e com *a negra*, um número bastante reduzido de espanhóis gerou uma imensa quantidade de bastardos mestiços e mulatos, iniciando a tradição de paternidade irresponsável, que é um dos problemas mais graves da América Latina.
10. Aqui, como a frase "nós as assimilamos" de poucas linhas antes, adverte-se que Vasconcelos se sente *branco espanhol* e não está livre de racismo, como em geral não estão, independentemente do que se fale, os latino-americanos de pele clara.
11. *O labirinto da solidão*.
12. Construir um barco, disparar um canhão? *Ariel*, não o esqueçamos, foi, entre outras coisas, a resposta latino-americana à vitória dos Estados Unidos na Guerra Hispano-Americana, dois anos antes.
13. Grifo meu.
14. De fato, Bogotá se chama a si mesma, sem dar risada, de "a Atenas da América".
15. O tópico de destino excepcional da América Latina, referente a um suposto reavivamento, em nossas mãos, da tocha da "latinidade", rival do "saxonismo", é comum na geração montada a cavalo do fim do século XIX e começo do XX. Outro exemplo, do peruano Francisco García Calderón (1883-1953).
16. Algum dia, nas Índias de Colombo, aparecerá um novo avatar do gênio latino que criou em Roma o Direito e a ambição imperial; na Espanha, o quixotismo heroico; em Florença, uma harmoniosa expansão das energias humanas; na França, a razão serena, a linguagem sutil e o garbo conquistador.

CAPÍTULO 5

A América Latina e o marxismo

O SAQUE DO TERCEIRO MUNDO

Em nossa época, não é exatamente o marxismo, mas a teoria leninista de *imperialismo e dependência* que veio enfim oferecer uma resposta coerente, persuasiva, grandiosa e, de modo verossímil, triunfalista para o complexo de inferioridade crônico que os latino-americanos sofrem em relação aos Estados Unidos.[1]

Nossa história, compartilhada com os norte-americanos no território do hemisfério ocidental e, em diversos aspectos, paralela à história desse país, condena-nos a comparações dolorosas e humilhantes de nossas frustrações, insuficiências e fracassos com os êxitos de "outra América". Ao despertar para a consciência, cada latino-americano se vê obrigado a explicar esse contraste, e vimos até agora, neste livro, algumas manifestações importantes e típicas na história das ideias latino-americanas, de tentativas de dissipar ou reverter a situação, de propor que a inferioridade da América Latina é só aparente e que, na realidade, esconde uma superioridade sutil e essencial, ou que a inferioridade foi e é real, mas que, ao longo do processo histórico, ainda por se desenvolver, vai se converter em superioridade predestinada.

Faltava, e assim só podia encontrar ampla receptividade, uma hipótese segundo a qual as diferenças de poder e riqueza entre os Estados Unidos e a América Latina não se devem de modo algum, ou pelo menos principalmente, a nenhuma virtude deles, ou a nenhum defeito nosso, mas que o progresso norte-americano e o atraso latino-americano são dois aspectos de um mesmo fenômeno, ligados de modo indissolúvel: o capitalismo mundial, que, para produzir *desenvolvimento* nas metrópoles, precisou produzir *subdesenvolvimento* nas colônias e nos países dependentes, os quais têm, assim, na realidade, todo o mérito pelo progresso dos países imperialistas, e estes a culpa pelo atraso do Terceiro Mundo.

O caso latino-americano seria uma manifestação, entre outras, de uma situação geral, na qual o progresso de alguns países em relação aos outros, e o atraso destes em relação aos primeiros, se explica *basicamente* pelo efeito de intercâmbios econômicos, políticos e culturais entre os grupos de países, os adiantados e os atrasados; vínculos que, em relação ao caso, se supõem exclusivamente vantajosos para as metrópoles do capitalismo e exclusivamente prejudiciais para suas periferias; de maneira que, se esses vínculos jamais tivessem sido estabelecidos, a Inglaterra (por exemplo) estaria tão atrasada quanto a Índia; ou a Índia tão adiantada quanto a Inglaterra; ou as duas conheceriam um grau comparável de desenvolvimento, inferior à atual situação da sociedade inglesa e superior à atual situação da sociedade hindu.

Não é nada surpreendente que Marx jamais tenha sustentado semelhante disparate. Somente em uma carta sua, de 9 de abril de 1870, é possível encontrar algumas referências, não a nenhum dos países classificados como Terceiro Mundo, mas à Irlanda e suas relações com a Inglaterra; referências que, no contexto, seriam claramente impróprias tomar como fundamento suficiente para a tese — *hoje absolutamente central na mitologia terceiro-mundista e latino-americana* — de acordo com a qual a prosperidade dos países ocidentais avançados (e do Japão) se deve basicamente à pilhagem a que submeteram o Terceiro Mundo; e que o atraso e a pobreza do Terceiro Mundo se explicam basicamente pela mesma causa.

Nesse momento, essa tese (cujas origens vamos ver um pouco mais adiante) produziu e continua produzindo uma verdadeira torrente de palavras. Encontra-se em todos os livros e em todos os artigos de todos os esquerdistas do Primeiro, Segundo e Terceiro Mundos. Encontra-se na literatura do desenvolvimento criticada por Gunnar Myrdal, em *Asian Drama*.[2] Encontra-se na retórica dos líderes políticos do Terceiro Mundo. E também se encontra difusa no ambiente dos países terceiro-mundistas (entre os quais percebemos agora por que a América Latina achou indispensável se incluir), sem que quase ninguém se atreva a discordar, mais ou menos pelas mesmas razões que um judeu tinha para não se identificar como tal na Alemanha, em 1932, se por acaso estivesse em um local público no momento em que uma rádio transmitisse um discurso de Hitler.

A DESIGUALDADE DAS NAÇÕES

Que Marx e Engels não tivessem nenhum carinho especial pelas sociedades pré-capitalistas, ou simplesmente atrasadas, existe ampla documentação em sua obra. Vimos o quanto Marx pensava que o impacto imperial britânico convinha à Índia, e por qual motivo.[3] Igualmente, ou mais eloquente, é o texto básico do marxismo. *O manifesto comunista*, cuja primeira parte é uma exaltação da revolução liberal e do capitalismo como a etapa histórica mais brilhante e progressista antes do futuro socialismo, entre outras coisas por ter estabelecido vínculos de *interdependência* entre as nações capitalistas (avançadas) e as regiões pré-capitalistas (atrasadas).

Assim era em 1848. Em um texto muito mais tardio, e se assim quiser, mais maduro, Engels propõe de forma explícita uma explicação materialista, histórica e dialética do progresso *naturalmente desigual* das diversas sociedades através dos diferentes estágios de cultura, desde a selvageria até a civilização industrial. Essa explicação é um dos pilares do livro *A origem da família, da propriedade privada e do Estado* (1884), uma das obras mais marxistas de Engels, já que só a morte impediu o próprio Marx de escrevê-la, e o que Engels fez foi terminar um projeto que Marx tinha, em grande medida, esboçado.

De acordo com essa obra *marxengeliana*, apenas no estado de selvageria primitiva "poderíamos considerar o curso da evolução (social) comparável para todos os povos, seja qual fosse sua implantação geográfica". Com o progresso ao estado de barbárie:

> Chegamos a um estágio em que se *começa a sentir a diferença nas vantagens naturais entre as grandes massas terrestres*.[4] O traço característico do período de barbárie é a criação controlada de animais domésticos e o cultivo sedentário da terra. E ocorre que o chamado Velho Continente tinha quase todos os animais aptos à domesticidade e todos os cereais cultiváveis, com a única exceção do milho, enquanto o hemisfério ocidental só tinha a lhama como

mamífero domesticável (natural apenas de uma reduzida região andina) e apenas o milho como cereal.

O efeito dessas e de outras condições *naturais* foi que, a partir de então, os dois hemisférios (e as distintas regiões neles) "começaram a se diferenciar e, em consequência, também os marcos e as linhas divisórias entre os diferentes estágios de desenvolvimento histórico".

Em referência específica à América, Engels observa que, no momento da Conquista espanhola, os povos menos atrasados do Novo Continente — os peruanos e os mexicanos — "estavam (ainda) no estado médio de barbárie [...]. Não conheciam o ferro e, por isso, não tinham conseguido deixar de usar armas e ferramentas de pedra". Quer dizer, os peruanos e mexicanos pré-colombianos ainda estavam em um estágio de desenvolvimento histórico inferior ao dos povos à beira do Mediterrâneo em dois mil anos ou mais.

Mas isso não é tudo. Engels afirma que, pelas razões mencionadas e por outras, em especial a melhor alimentação,[5] o grau *superior* do estágio de barbárie (e com muito mais razão, a *civilização*) "foi alcançado de modo independente apenas no hemisfério oriental".

Nesse grau superior do estágio de barbárie "alcançou-se mais progresso no processo de produção do que em todos os estágios humanos anteriores juntos [...]". Pela primeira vez, encontramos o arado de ferro puxado por bois, o que:

> Tornou possível, nas condições que então prevaleciam, um aumento praticamente ilimitado dos meios de subsistência [...]. O desmatamento das florestas e a conversão de sua superfície em terra cultivável ou em pastagens só foi possível para os homens providos de machados e escardilhos de ferro. Dessa maneira, pela primeira vez, uma população numerosa pôde habitar uma área reduzida. Antes disso, teria sido totalmente excepcional que meio milhão de pessoas pudesse se juntar sob uma só liderança. Provavelmente jamais tinha acontecido [...].

E não tendo acontecido e como nem as causas nem as consequências descritas por Engels na América estavam destinadas a acontecer, exceto pelo impacto da civilização europeia, tanto o mito do Bom Selvagem como a teoria leninista de imperialismo e dependência, com suas múltiplas derivações, recebem um duro golpe à luz do verdadeiro pensamento *marxengeliano* (o qual, nesse caso, verdade seja dita, não faz mais do que se referir ao mais elementar senso comum).

A CEGUEIRA DE MARX E ENGELS

Ao empregar essa argumentação, não faz muito tempo, diante de um auditório venezuelano surpreso e nada amistoso, alguém objetou que Marx e Engels não viveram para ver a ação e as consequências do imperialismo tal como hoje podemos ver e compreender.

Isso demonstra a impermeabilidade do dogmatismo aos fatos. Marx viveu até 1883 e Engels até 1895, quando as premissas sobre as quais se basearam Hobson[6] e Hielferding[7] para propor o essencial do reunido por Lenin em seu *O imperialismo, fase superior do capitalismo* (1917) já tinham se consolidado totalmente, depois de terem existido durante muito tempo, e que vieram girando e se aperfeiçoando até hoje; e, em autores como Pierre Jalée, Paul A. Baran, André Gunder Frank e centenas de outros, servem ao propósito falso e antimarxista de deturpar as causas do desenvolvimento desigual das nações.

A presença britânica na Índia remonta ao século XVI, firmou-se no XVII e se transformou em domínio absoluto antes mesmo de Marx ter nascido (em 1818). Os espanhóis alcançaram o controle de seu império na América antes de 1550 e das ilhas Filipinas antes de 1600 (Manila foi fundada em 1571). A França teve influência na Indochina desde o século XVI e converteu a península em colônia em 1858. A mesma França conquistou a Argélia em 1830, quando Engels fez dez anos. Em 1853, os norte-americanos obrigaram o Japão a iniciar um processo de integração ao sistema capitalista mundial. As resistências chinesas ao mesmo processo foram quebradas pelos ingleses na chamada "Guerra do Ópio", em 1842. O Ceilão (hoje Sri Lanka) tornou-se colônia britânica em 1796; a África Ocidental, em 1838. O Egito passou a ser protetorado britânico em 1882, um ano antes da morte de Marx e treze anos antes da morte de Engels. Os belgas colonizaram o Congo entre 1876 e 1885. A guerra e a anexação dos territórios mexicanos pelos Estados Unidos ocorreu entre 1846 e 1848 etc.

Por outro lado, digamos que, em 1848, quando Marx e Engels tinham 30 e 28 anos, respectivamente, e estavam escrevendo o *Manifesto comunista*, os países imperialistas (que, segundo a hipótese que vimos, supostamente deviam seu progresso ao atraso do Terceiro Mundo, e vice-versa) tinham *todos* alcançado níveis evidentes de vantagem em seu desenvolvimento econômico, político, social, científico e tecnológico em relação ao resto do mundo.

Ou seja, em 1848, o impacto imperialista do Ocidente capitalista já tinha se produzido com toda a clareza sobre o hoje chamado Terceiro Mundo e com indícios mais do que suficientes de todas as suas consequências, boas ou más, para ambas as partes. Além disso, existiam as diferenças entre as diferentes regiões do globo, talvez mais marcantes do que hoje. E, no entanto, ao "primeiro pensador do século" (Engels, *Discurso diante do túmulo de Karl Marx*) não ocorreu jamais afirmar que o desenvolvimento dos países imperialistas e o atraso dos territórios coloniais se devia, de forma lógica, às relações (por outro lado odiosas, quem duvida?) de dominação dos primeiros sobre os segundos, vínculos em que Marx enxergava a única promessa de progresso para as regiões que atualmente chamamos de "Terceiro Mundo".

E Engels, em 1893, em texto tão tardio como seu prefácio à reedição de *A situação da classe trabalhadora na Inglaterra*, insiste mais do que nunca a respeito da aparente importância da expansão colonial para atenuar a crise de *superprodução* das economias capitalistas avançadas; no entanto, nem sonha em colocar o carro na frente dos bois e sugerir, contra todas as evidências e lógicas, que o progresso e a riqueza acumulada por países como Inglaterra, França, Holanda e Bélgica (os países imperialistas por excelência) se deviam principalmente ao fato de possuírem colônias; e muito menos que as nações sem colônias e sem influência ultramarina de nenhum tipo, como Áustria-Hungria, Suíça, Suécia, Dinamarca etc. devessem alguma coisa a uma participação "em segundo grau" de não se sabe que misteriosas vantagens aparentemente derivadas da natureza intrinsecamente "imperialista" das primeiras.[8]

Se, tal como se observa hoje, a tese de que o imperialismo e a dependência determinaram a desigualdade das nações tivesse algum fundamento sólido, em vez de ser uma construção propagandística *ad hoc*, sustentada mais pela fé (e pela má-fé) do que pelos fatos, teríamos de perguntar como essas implicações passaram despercebidas para Marx e Engels e estão ausentes em seu descomunal esforço para entender e explicar toda a história anterior e a toda a história futura; implicações essas que atualmente se pretende desprender de um fenômeno histórico gigantesco que começou mais de dois séculos antes de eles virem ao mundo, e chegou ao seu apogeu debaixo de seu nariz, na segunda metade do século XIX.

O REVISIONISMO LENINISTA

A verdadeira razão pela qual Marx e Engels não deram maior importância aos mundos afro-asiático e latino-americano é que, durante a vida deles, seguia vigente a presunção marxista de um iminente colapso do sistema capitalista nos países avançados, e por isso não havia surgido para os exegetas marxistas a necessidade de achar explicação para o não cumprimento das promessas dos profetas. No entanto, mais ou menos no fim do século XIX, já não era mais possível evitar a evidência de que o aparato capitalista não estava se aproximando de nenhuma crise final na Inglaterra, França, Alemanha etc. Em vez do empobrecimento progressivo e desesperador dos trabalhadores, os salários reais não paravam de aumentar. Ao invés de sufocar o sistema econômico pela ausência de oportunidades de investimento para o capital acumulado, a engenhosidade dos financistas parecia inesgotável. E, no horizonte, os Estados Unidos mostravam-se prontos e dispostos a assumir o controle.

Antes que a Primeira Guerra Mundial revigorasse as esperanças de uma próxima crise final do sistema capitalista (mas, ao mesmo tempo, demonstrasse a inexistência de expectativa de uma solidariedade internacional da classe operária acima dos nacionalismos), os marxistas sentiram com grande angústia a necessidade de encontrar uma explicação satisfatória para a vitalidade renovada do capitalismo, e de formular, simultaneamente, uma versão revisada sobre o suposto desenvolvimento do futuro, que desse um novo alento à hipótese de que a dinâmica da história terminasse por conduzir de qualquer forma ao triunfo da revolução socialista em escala mundial.[9]

Nesse contexto, compreende-se o revisionismo de Hobson, Hilferding e Lenin, propondo que a chave da inesperada fortaleza do sistema capitalista nos países avançados encontrava-se na relação imperialista, junto com o declínio da combatividade do proletariado industrial desses países; e ao sugerir com toda a clareza, a partir dessa suposição, que o principal cenário de luta contra o sistema capitalista e pela revolução mundial deveria se desenvolver não nas metrópoles, como tinham suposto Marx e Engels, mas nos países coloniais e dependentes da periferia. Na prática, o proletariado de *homens* dos países capitalistas avançados havia se mostrado insuficientemente combativo, decepcionante, vulnerável a melhorias reformistas em seu nível de vida e em suas condições de trabalho. Tinha de ser substituído por um *proletariado de nações* como motor da revolução mundial.

Para Lenin, esse revisionismo era especialmente atraente, pois a Rússia, sua pátria, era um elemento periférico do sistema capitalista, e o voluntarismo leninista dificilmente cabia dentro das teorias segundo as quais a revolução só chegaria à Rússia se trazida por alemães ou ingleses.

As formulações pertinentes (de *O imperialismo, fase superior do capitalismo*, 1917) são as seguintes:

> O capitalismo criou alguns poucos Estados ricos e poderosos (menos de um décimo dos habitantes do planeta) que saqueiam o resto do mundo [...]. Com certeza, a partir desses gigantescos superbenefícios (além disso, obtidos dos benefícios que os capitalistas extraem dos trabalhadores de seus próprios países) torna-se possível subornar os dirigentes sindicais e todo o superstrato da aristocracia operária [...], um setor da classe operária que os capitalistas conseguem assim 'aburguesar' [...], torná-los agentes da burguesia no seio da classe operária [...]. Não avançaremos um milímetro rumo à solução dos problemas práticos do movimento comunista e da revolução (mundial) se não entendermos esse fenômeno e avaliarmos seu significado político e sociológico.
>
> A divisão do mundo em dois grupos — os países colonialistas de um lado e os países colonizados do outro — não é a única característica (do imperialismo). Existem também países *dependentes* — países que oficialmente desfrutam de independência política —, mas estão enredados no sistema (imperialista) de dependência econômica e diplomática.
>
> (O imperialismo) é uma forma de capitalismo parasita e podre (um sistema vulnerável, já que) suas circunstâncias determinam (nas colônias e nos países dependentes) condições sociopolíticas (favoráveis à revolução).

Também é peculiarmente interessante o seguinte parágrafo de Hilferding (na obra citada):

Nos países (coloniais e dependentes), o capitalismo agrava as contradições sociais e incita contra os intrusos a resistência dos povos que estão despertando para a consciência nacionalista. Essa resistência é fácil de ser convertida em medidas contra o capital estrangeiro, (de modo que) os países imperialistas, para manter seu domínio, (são) obrigados a exercer cada vez mais violência.

Contudo, existe uma correspondência óbvia, uma maravilhosa afinidade entre as teorias de Hobson e Hilferding, divulgadas por Lenin, e a necessidade de os países atrasados encontrarem explicações para seu atraso e sua fraqueza distintas de uma diferença inadmissível de aptidões entre eles e os países avançados e poderosos.[10] E para o Estado revolucionário soviético, essas teorias estavam destinadas a ser de grande interesse e de utilidade imediata, pois iam lhe permitir romper seu isolamento e compensar parcialmente sua desvantagem de poder frente aos países capitalistas avançados, com uma poderosa bandeira de agitação na retaguarda desses países, em suas colônias e em suas zonas de influência e Estados clientes.

AS TESES DA TERCEIRA INTERNACIONAL

Por isso, o Segundo Congresso da Internacional Comunista (a Terceira Internacional), reunido em Moscou em 1920, dedicou boa parte de suas deliberações a converter as teorias de Hobson-Hilferding-Lenin em diretrizes práticas para a ação revolucionária (ou simplesmente *solidária* com a Revolução Russa nas regiões do planeta que, em nossa época, vieram a ser denominadas Terceiro Mundo. Essas Teses do Segundo Congresso da Terceira Internacional são de interesse surpreendente para compreender a política e as ideias de nosso tempo).[11]

As Teses afirmam que as supostas relações de igualdade entre as nações titularmente soberanas ocultam a escravidão da grande maioria da população mundial nas mãos de uma minoria insignificante: a burguesia e a "aristocracia operária" dos países capitalistas avançados. Sem a destruição do capitalismo em escala mundial, será impossível abolir essa opressão e as desigualdades entre as distintas regiões do globo. Contudo, de agora em diante, a evolução política do mundo e a história vão girar em torno da luta dos países capitalistas avançados (imperialistas) contra o poder revolucionário soviético (a URSS ainda não existia formalmente), que, para sobreviver e vencer, deveria agrupar ao seu redor as vanguardas proletárias (ou seja, todos os partidos filiados ou por se afiliar à Internacional Comunista) e também todos os movimentos *nacionalistas* dos territórios coloniais e dos países dependentes, convencendo-os de que seus interesses e aspirações coincidem (e, de fato, são idênticos) tanto com a preservação e a promoção do poder soviético, como com o progresso e futuro triunfo da revolução mundial.

Portanto, os partidos comunistas deverão realizar uma política "de estreita unidade com todos os movimentos de libertação nacional", determinando, em cada caso, a forma dessa aliança, conforme o estágio de desenvolvimento do movimento comunista (em cada colônia ou país dependente) e o estágio de desenvolvimento do correspondente movimento de libertação nacional. Será necessário reforçar constantemente que apenas (o triunfo mundial do poder soviético) poderá resultar em uma verdadeira igualdade de nações [...]. Será preciso apoiar todos os movimentos dissidentes (em todo lugar que aparecer), tais como o nacionalismo irlandês, (as reivindicações) dos negros norte-americanos etc.

> Devemos ter presente que a vitória do socialismo contra o capitalismo não poderá ser alcançada e levada a sua meta final sem a união do proletariado (dos países capitalistas avançados)[12] com as massas (dos territórios coloniais e dos países dependentes). Uma das fontes principais das quais o capitalismo extrai sua força é seu domínio sobre colônias e países dependentes. Sem o controle desses mercados e campos de exploração, (o capitalismo) não poderia se manter [...]. Os superbenefícios derivados das colônias (e dos países dependentes) são o suporte principal do capitalismo moderno, e enquanto não o privarmos dessa fonte de ganhos, não será fácil para o proletariado[13] dos países capitalistas avançados destruir a ordem capitalista [...]. Portanto, é o colapso do império colonial (e a ruptura da dependência no caso dos países nominalmente independentes) que provocará, junto com a (então) inevitável revolução proletária nas metrópoles, o colapso do sistema capitalista mundial. (Para a promoção desses objetivos deverá se levar em conta que), nos países dependentes (e nas colônias), existem dois movimentos distintos:

o movimento nacionalista democrático burguês, cujo programa (não passa de) independência nacional sob o regime democrático burguês; (e a) aspiração das massas camponesas e operárias à libertação de todo o tipo de exploração [...]. Para a expulsão do capitalismo estrangeiro (imperialista), que será o primeiro passo para a revolução (socialista) nos países dependentes, será útil (a coincidência tática) e a cooperação dos elementos nacionalistas burgueses [...]. Dessa maneira, os países atrasados poderiam chegar ao comunismo não por meio do desenvolvimento capitalista, mas (diretamente) conduzidos (pela Internacional Comunista) [...].

De lá para cá, essas formulações se tornaram mais indiretas, mais ornamentadas, e, ao mesmo tempo, conquistaram o mundo, de maneira que, sob certo aspecto, cada vez que utilizamos a expressão "Terceiro Mundo" estamos todos admitindo tacitamente boa parte das suposições explícitas ou implícitas dessas Teses da Terceira Internacional, em seu congresso de 1920, sobre o papel dos países coloniais (atualmente quase todos são ex-colônias) e dependentes na revolução mundial.

No entanto, antes de essa estratégia se envolver em formas cada vez mais distantes da tese básica (a qual diz, nem mais nem menos, que as aspirações nacionalistas dos povos atrasados deviam ser aproveitadas como arma para, primeiro, defender a Revolução Russa; depois para promover a influência e o poder soviéticos no mundo e debilitar a influência e o poder da Europa Ocidental e dos Estados Unidos), houve e ficou registrada uma enunciação brutal e sem rodeios. Ela se deve a Stalin (em *Fundamentos do leninismo*, de 1924), e afirma o seguinte:

> O caminho rumo à vitória da revolução (mundial) passa pela aliança (dos comunistas) com os movimentos de libertação anti-imperialista das colônias e dos países dependentes [...]. O caráter revolucionário de um movimento nacional [...] não exige a presença de elementos proletários nesse movimento, (nem) a existência de uma base democrática. (O essencial é que esse movimento) enfraqueça, subverta, desintegre o imperialismo [...]. A luta do emir do Afeganistão pela independência nacional do Afeganistão é *objetivamente revolucionária*, apesar das opiniões monárquicas do emir [...]. Pelo mesmo motivo, a luta dos empresários e dos intelectuais egípcios pela

independência nacional é *objetivamente revolucionária*, ainda que esses empresários e esses intelectuais se oponham ao socialismo. Por outro lado, o governo trabalhista inglês é reacionário (pois administra os interesses e o poder de um país capitalista avançado), apesar da origem proletária e das ideias socialistas dos integrantes desse governo [...].

Lenin tinha razão quando disse que o movimento de libertação nacional das colônias e dos países dependentes deve ser avaliado não do ponto de vista dos (avanços em direção à) democracia formal, mas do saldo favorável que (esses movimentos de libertação nacional) acrescentem na luta mundial (contra o capitalismo e a favor do poder soviético).

Entre Nehru, Kenyatta, Ho Chi Minh, Chu En-Lai, Sukarno etc. etc. etc. (todos produtos do impacto do Ocidente na Ásia e África) e essas teorias, vai se produzir uma corrente imediata de afinidade e simpatia. O leninismo é a última e decisiva influência ocidental nesses homens e em milhares de outros como eles, mais ou menos anônimos, mas igualmente motivados. Alguns abraçarão o comunismo sem reservas.[14] Outros guardarão distância da Terceira Internacional, e não admitirão nunca que tudo o que convenha à URSS deve ser feito cegamente, por mais antinacional, imoral ou insensato que seja, e entre esses últimos estará o marxista latino-americano mais importante e mais influente antes de Fidel Castro, Che Guevara e Salvador Allende: o peruano Víctor Raúl Haya de la Torre. No entanto, todos serão *leninistas* no sentido de que tornarão sua a hipótese de que os países capitalistas avançados devem a maior parte de seu poder e prosperidade à pilhagem das colônias e dos países dependentes, e que estes devem sua pobreza e seu atraso ao mesmo motivo. Por exemplo, Nehru vai dizer:

> Grande parte dos custos da transição à industrialização da Europa Ocidental foram pagos pela Índia, China e outros países coloniais, cuja economia era dominada pelas potências europeias.

E Nehru ainda diz apenas "grande parte". Outros dirão que toda a grandeza e a prosperidade do Ocidente foram e continuam sendo *roubadas* do Terceiro Mundo.

O TERCEIRO-MUNDISMO LATINO-AMERICANO

O fundamental é a correspondência dessas ideias falsas com forças reais, com necessidades sinceras, com aspirações nacionalistas inspiradas pelo nacionalismo ocidental e tornadas virulentas pela dominação e pela exploração imperialista e pela humilhação das elites do Terceiro Mundo em mãos do racismo, do chauvinismo e da arrogância do Ocidente. De modo que os aspirantes terceiro-mundistas à liderança política não só vão encontrar compensação, recompensa e satisfação *pessoais* na teoria leninista de imperialismo e dependência, como também vão descobrir nela, contanto que a adotem, a via apropriada para se converterem em dirigentes eficazes e ouvidos, cada um em seu país de origem, e mesmo em escala mundial (como Nehru e Sukarno), com perspectivas reais de algum dia chegarem ao poder (como de fato chegaram). Dessa maneira, todos virariam propagandistas mais ou menos demagógicos da cosmovisão leninista, grata para eles ao nível pessoal, e grata para seus respectivos povos ao nível coletivo; porta-bandeiras de uma explicação, enfim, satisfatória sobre a diferença insuportável entre seus povos e o Ocidente.

Por outro lado, o mesmo leninismo (e a Terceira Internacional) oferecia listas para se consumir, guias para agitação e organização políticas, a teoria e a práxis segundo as quais não havia motivo para esperar pacientemente a maturidade das "condições objetivas" da mudança rumo ao socialismo, nem nos países capitalistas atrasados, nem sequer nas economias pré-capitalistas, mas que era possível e desejável pôr pressão sobre a história mediante a ação de partidos de um molde novo, "vanguardas" de revolucionários profissionais decididos a tudo e prontos para conduzir, por quaisquer meios, massas disformes e imaturas até metas historicamente virtuosas *no contexto da revolução mundial*, ainda que, à primeira vista, nem sempre imediatamente vantajosas para os países protagonistas (isto é, o Vietnã).

Quando de sua formulação inicial, todas essas ideias e metas se referiam sobretudo, quando não exclusivamente, ao mundo afro-asiático, que era onde se encontravam as colônias e os países dependentes das potências imperialistas europeias.

Contudo, no fim da Segunda Guerra Mundial, o centro de gravidade do sistema capitalista mundial se deslocou definitivamente para os Estados

Unidos, com o que, a América Latina, o "quintal" do novo pilar do imperialismo, estaria dali em diante destinada a ocupar um lugar na primeira fila do "proletariado das nações" chamado a assediar os baluartes do capitalismo.

De certo ponto de vista, a história da América Latina não justificava semelhante destino. Trata-se de um grupo de países muito distintos em relação ao mundo afro-asiático. A Argentina, para considerar o caso extremo, é um país basicamente muito parecido com a Nova Zelândia ou com o Canadá, e, com certeza, muito mais adiantado e afortunado objetivamente que a Austrália. Aparentemente, nada a impediria a aspirar a figurar entre as nações adiantadas do mundo, ao lado ou acima dos três países mencionados e de diversos outros que, de acordo com Pierre Jalée (na obra citada), formam o grupo dos países "imperialistas". O mesmo poderia ser dito do Chile, do Uruguai, do México, da Venezuela (e de Cuba antes de 1959). Outros países latino-americanos são menos afortunados,[15] mas não estão de nenhuma maneira em situação comparável à dos países afro-asiáticos. Além disso, basicamente, todos são países ocidentais, herdeiros legítimos da civilização ocidental europeia, tanto quanto os próprios Estados Unidos.

No entanto, é nessa última circunstância que reside a inconformidade da América Latina com seu destino até agora e sua incapacidade de aproveitar ao máximo, sem complexos, suas vantagens consideráveis em relação ao verdadeiro Terceiro Mundo. Para a Argentina, tanto faz ser superior à Austrália, à Nova Zelândia e, inclusive, ao Canadá, como realmente é.

O que dói para a Argentina é o fato de ter fracassado em seu sonho de se igualar aos Estados Unidos. Por isso, o demagogo Perón, quando retornou em 1973, fortaleceu sua posição política ao declarar que, dali em diante, em política exterior, a Argentina formaria parte do Terceiro Mundo.

Para Perón, essa foi uma declaração muito tardia. Desde 1956, muita água havia passado por debaixo das pontes e a América Latina não tinha esperado o regresso de Perón à Argentina para militar no Grupo dos 77 e juntar forças na UNCTAD[16] com o bloco afro-asiático. Mais recentemente, essa solidariedade se estendeu a matérias políticas, tais como o conflito árabe-israelense. A maioria das nações latino-americanas votou a favor de que a Assembleia Geral das Nações Unidas ouvisse Yasser Arafat e o recebesse praticamente como um chefe de Estado. A maioria das nações latino-americanas também votou para excluir Israel dos programas da Unesco.

Em ambos os casos, e em outros que já tinham ocorrido, e em outros que estão por ocorrer, os EUA já não podem contar com a solidariedade automática da América Latina. Chegará o dia em que a URSS ou a China, os centros da revolução socialista mundial, poderão contar, na América Latina, com outros pontos de apoio sólidos além de Cuba? Em 1945, não teria sido uma ideia disparatada afirmar que, em menos de 15 anos, a URSS teria um satélite a 150 quilômetros da costa da Flórida? E caberia, tal desenvolvimento, dentro das previsões e das metas formuladas para o mundo afro-asiático pela Terceira Internacional, em 1920, ainda que as superando, pelo fato de, nem Lenin, nem M. N. Roy, nem ninguém, terem podido prever até que ponto os Estados Unidos seriam, na segunda metade do século XX, o eixo do capitalismo mundial; tampouco a terrível força subterrânea do antinorte-americanismo latino-americano?

HAYA DE LA TORRE E A APRA

Anteriormente, afirmei que o marxista latino-americano mais importante antes de Fidel, Che e Allende foi o peruano Víctor Raúl Haya de la Torre.[17] Essa afirmação ainda poderia ser insuficiente. Fidel, Che e Allende estavam em alta nos anos 1970. Suas atuações tiveram e continuam tendo grande repercussão por seu caráter de desafio direto ao poder norte-americano, o que lhes garantiu não só a amplificação magistral de que o movimento comunista internacional sabe fazer de tudo o que for a seu favor, mas também a audiência e a simpatia de toda a Europa Ocidental, a qual também sofre, não muito secretamente, pelo excesso de poder norte-americano desde 1945, e se alegra (às vezes de modo um tanto masoquista) com os reveses da política exterior de Washington.[18]

Por outro lado, Haya de la Torre se chocou muito cedo com a Terceira Internacional, e, desde então, tanto ele quanto seus discípulos em toda a América Latina têm sido vítimas de uma campanha de difamação também magistral, tal como só os mesmos setores pró-soviéticos que puseram nas nuvens Fidel, Allende e Che Guevara sabem fazer com igual intensidade e perseverança. E, sem dúvida, os esforços de Haya e seus partidários para estabelecer na América Latina regimes democráticos de transição rumo a um socialismo libertário não fizeram bater mais forte o coração dos correspondentes da imprensa europeia, e muito menos o dos leitores dessa imprensa, os quais o mais certo é que não tenham sido informados pelo noticiário nem sequer da existência de Haya de la Torre e de sua Aliança Popular Revolucionária Americana (APRA).

A APRA foi fundada por Haya no México, em 1924, sob a dupla influência da Revolução Mexicana e da Revolução Soviética. A primeira delas (de 1910 em diante) foi a mais importante convulsão social da América Latina desde as guerras de independência e teve a particularidade de ter se desencadeado espontaneamente, sem outra ideologia que a modestíssima palavra de ordem: "Sufrágio efetivo, não à reeleição", lançada no que resultou ser o momento exato, contra um caudilho (ditador) cujo domínio havia durado muito tempo, até desembocar na gerontocracia. A grande, vasta e sangrenta insurreição camponesa que resultou dessas palavras aparentemente anódinas, demonstrou que a imobilidade e a estratificação das sociedades latino-americanas ocultavam uma profunda dose de raiva e violência reprimidas e sublinhou que a questão agrária (o latifúndio e a peonagem) continuava sem solução, ou havia piorado nos cento e tantos anos desde a Independência. Quanto à Revolução Soviética, a América Latina não podia ficar indiferente à sua visão e ao seu entusiasmo iniciais sobre a possibilidade de uma reviravolta universal nas relações de produção e nos sistemas de propriedade que levasse à abolição das desigualdades, das injustiças e dos nacionalismos.

Portanto, a Revolução estava na ordem do dia. Mas que Revolução? A mexicana, já então estagnada, demonstrava a insuficiência de uma simples guerra social carente de estratégia e ideologia. A soviética, ainda à margem de seus desvios (ou aberrações), que já em 1924 podiam preocupar quem estivesse bem informado sobre o que realmente acontecia na Rússia, era um processo *sui generis*, iniciado, conduzido e consumado com o esquecimento, quando não com o desprezo, de certos postulados muito fundamentais do marxismo. Não seria essa heterodoxia voluntarista a explicação para o agravamento da ditadura, da repressão, da liquidação das tendências socialistas distintas do bolchevismo etc.? E, por outro lado, no melhor dos casos, as condições da América Latina, ou da Indoamérica, como dizia Haya de la Torre, eram muito distintas das condições da Rússia antes de 1917. Recorrendo às fontes marxengelianas, Haya chegou à conclusão de que, se não era inteiramente certo, como Marx havia pensado, que os países capitalistas avançados mostrassem aos países atrasados a imagem de seu desenvolvimento futuro, muito menos podia se afirmar, como Lenin dissera (e era a tese oficial, como vimos, da Terceira Internacional), que o papel dos países atrasados deveria ser daí em diante a bucha de canhão de uma "Revolução Mundial" com seu centro de irradiação indiscutível na URSS e sua Meca em Moscou.

Na América Latina, Haya concluiu, existia um sistema capitalista bastardo, deformado, por meio do qual não podia se esperar um desenvolvimento capitalista clássico, conforme as análises e as previsões feitas por Marx e Engels com relação à Grã-Bretanha, à França ou à Alemanha. Junto a uma burguesia incipiente, fraca, vinculada não a um setor industrial nacional (inexistente), mas ao comércio de importação, coexistia um setor feudal, cujos beneficiários, os latifundiários, na prática exerciam o poder político, aliados aos exércitos e à Igreja. A indústria, onde superava o nível das pequenas manufaturas e artesanatos, estava em mãos de capitalistas estrangeiros. Da mesma forma que a infraestrutura básica: ferrovias, instalações portuárias etc. As exportações eram geradas principalmente pela ação desse capitalismo estrangeiro, imperialista. O proletariado era pouco numeroso e não podia ser o motor único, nem sequer o principal, das transformações e das reformas imediatamente necessárias. Por outro lado, o campesinato era numeroso e, como na Revolução Mexicana, tinha demonstrado ser potencialmente combativo. As classes médias, inclusive os intelectuais e os estudantes universitários, consideravam a estrutura social e política latino-americana limitada e asfixiante e, portanto, estavam disponíveis para a ação revolucionária nacionalista.

Finalmente, cada país latino-americano achava impossível modificar e melhorar sua situação individualmente (nisso, o exemplo da Revolução Mexicana também era demonstrativo), motivo pelo qual a APRA não seria um movimento nacional, nem internacional, mas um movimento *latino-americano*, que teria como uma de suas metas a unidade política e econômica da América Espanhola.

Os postulados iniciais da APRA foram os seguintes: 1. Ação contra o imperialismo ianque; 2. Unidade da América Latina; 3. Nacionalização de terras e indústrias; 4. Internacionalização do Canal do Panamá; 5. Solidariedade de todos os povos e classes oprimidos.

No quinto ponto, Haya fez um gesto amistoso à Terceira Internacional, que lhe valeria muito pouco. A Internacional Comunista via os socialistas não submetidos ao seu controle como o pior inimigo do mundo, e, de imediato, começou a difamar Haya. O primeiro argumento que encontraram foi acusá-lo de ser... um agente do imperialismo britânico! Haya não havia excluído de modo revelador esse imperialismo ao restringir a ação revolucionária latino-americana à luta contra o imperialismo *ianque*?

Em formulações posteriores, Haya excluiu o adjetivo, sem que essa concessão lhe valesse nenhuma indulgência por parte da Terceira Internacional, já que aquilo que estava em jogo não era esse bizantinismo, mas o atrevimento de não filiar a APRA à Terceira Internacional.

Em sua obra fundamental (*El anti-imperialismo y el Apra*, escrita em 1928, mas publicada só em 1936), Haya dá a seguinte explicação para esse assunto:

> Esse postulado (não implicava) que a luta anti-imperialista da APRA (estivesse) limitada a combater o imperialismo ianque e não os outros imperialismos, como, por exemplo, o britânico. Acontece que os cinco lemas da APRA foram formulados pela primeira vez no México, em 1924, e sua propagação imediata começou nos setores dos povos indo-americanos do Caribe, sobre os quais predomina agressivamente o imperialismo dos Estados Unidos [...]. Além disso, para a maioria dos nossos povos, o imperialismo ianque é o imperialismo moderno por antonomásia [...]. Mas como os comunistas *criollos* se agarraram (a isso) para afirmar que a palavra 'ianque' era, no programa aprista, intriga sinistra de misteriosas concomitâncias da APRA com o imperialismo britânico, fiz diversas vezes o esclarecimento, sobretudo em (meu livro) *Impresiones de la Inglaterra imperialista y de la Rusia soviética* (1932).

Em outra parte, com sinceridade, Haya expõe seus problemas com a Terceira Internacional:

> No início do outono europeu de 1926, recebi uma carta amistosa de Lozowsky, presidente da Internacional Sindical Vermelha, ou *Profintern*, que me comunicava de que "dava as boas-vindas à (APRA)" [...]. Respondi a Lozowski extensivamente e ratifiquei alguns pontos já enunciados durante nossa conversa em Moscou: as características sociais, econômicas e políticas muito peculiares da América; sua diferença completa da realidade europeia; a necessidade de enfocar os problemas americanos e,

principalmente, os indo ou latino-americanos, em sua total extensão e complexidade. Reiterei minha convicção sincera de que não é possível a Europa dar receitas mágicas para oferecer a solução a esses problemas, expressando-lhe que, assim como admirava o conhecimento que os dirigentes da nova Rússia tinham da realidade de seu país, notava sua evidente carência de informação científica acerca da realidade da América. Também lhe adverti que essas opiniões, já emitidas pessoalmente em conversas com Lunatcharski, Frunze, Trótski e outros dirigentes russos, me fez decidir, depois de uma serena e minuciosa visita ao grande país dos sovietes, a não ingressar no Partido Comunista, por acreditar, como acredito, que não será a Terceira Internacional que vai resolver os graves e complicadíssimos problemas da Indo-América.

É fácil imaginar a raiva com a qual os soviéticos devem ter recebido essa declaração de independência de um homem e um movimento com os quais haviam acreditado contar para promover as políticas do *Komintern* (Terceira Internacional) na América Latina. No ano seguinte, em 1927, aproveitaram a oportunidade do Primeiro Congresso Anti-Imperialista Mundial, em Bruxelas, para banir a APRA. A partir de então, agentes da Internacional se encarregariam de assumir o controle onde já existiam, ou de fundar, uma rede de partidos comunistas latino-americanos dóceis a Moscou, de acordo com fórmulas tão conhecidas que não é necessário repeti-las aqui. Talvez valha a pena recordar que o Partido Comunista Mexicano se encarregou de coordenar e possibilitar a série de atentados que culminaram com o assassinato de Trótski.

O IMPERIALISMO, PRIMEIRA FASE DO CAPITALISMO

Entre as formulações teóricas mais interessantes de Haya de la Torre, inclui-se a afirmação de que, ao contrário das teses leninistas (e da Internacional Comunista), na América Latina o imperialismo representa não a última, mas a *primeira* fase do capitalismo. De fato, o desenvolvimento incipiente de um sistema econômico que merecesse o qualificativo de *capitalista*, havia começado na América Latina apenas pelo ingresso de investimentos estrangeiros provenientes de países capitalistas avançados e geradores, com todos os seus inconvenientes, do processo de modernização capitalista de economias que até então tinham sido feudais, pré-capitalistas.

O resultado fora desigual, complexo, com aspectos positivos e negativos. Entre esses últimos, destacam-se, sem dúvida, a deformação estrutural provocada por investimentos motivados não pelas necessidades e pelo crescimento das economias latino-americanas a partir de dentro, mas pela demanda das metrópoles capitalistas por produtos primários, minerais ou agrícolas; a aliança dos investidores estrangeiros (e das chancelarias de seus países de origem) com as estruturas de poder tradicionais, por meio da qual estas acabavam reforçadas;[19] e o surgimento de novos obstáculos, sobre os inúmeros e muito graves que já existiam, para o esforço de alcançar algum dia a unidade política da América Latina.

No entanto, também havia um aspecto positivo fundamental: de nenhuma outra fonte poderia proceder o estímulo para a modernização, os capitais para iniciá-la e, o mais importante, a formação de um proletariado moderno, suscetível de ser organizado em sindicatos e mobilizado, tática e estrategicamente, na multiplicidade de metas e tarefas que exigia o início do processo revolucionário na América Latina.

Perdeu-se de vista — e os comunistas fizeram o possível para que isso fosse esquecido por completo — a coincidência de Haya de la Torre com Marx e Engels nessa matéria. De fato, é óbvio que, em relação às vias pelas quais os países atrasados podiam chegar ao socialismo, Haya de la Torre é o marxista ortodoxo, enquanto Lenin e os leninistas são os *revisionistas*. Claro que este último adjetivo (ou acusação) só pode deixar incomodados aqueles que discutem, combatem e pensam (*ou não pensam*) valendo-se de citações dos textos e dos códices sagrados. Porém, não relativamente à qualquer ortodoxia, mas aos fatos, o sentido comum e o espírito científico parecem, nesse caso, estar ao lado de Marx, Engels e Haya de la Torre; enquanto que Lenin, os leninistas e os stalinistas, evidentemente, ajustaram a interpretação do passado ao seu modo (a Revolução Mundial aparentemente iniciada felizmente em um país atrasado: a Rússia); do período entre 1917 e 1945 (a Revolução em um só país, a mesma atrasada Rússia, com todo os corolários stalinistas que conhecemos); do período entre 1945 e o presente (com os "socialismos" de países muito mais atrasados do que a Rússia de 1917, tais como China, Coreia do Norte ou Albânia; e o "socialismo" cubano); e, sem dúvida, do futuro, para o qual esgrimem ainda as teses do Segundo Congresso da Internacional Comunista a respeito das questões nacional e colonial. E, em particular, a hipótese de que aos países do Terceiro Mundo o que cabe é se sacrificar em favor da revolução mundial, mediante comportamentos, por parte dos países capitalistas avançados, como o bloqueio a Cuba ou a ação militar — primeiro francesa e depois norte-americana — no Vietnã.

A raiva e a propaganda comunistas contra a APRA tinham (e ainda têm) relação direta com a influência notável das ideias e da capacidade proselitista de Haya de la Torre. Em 1929, existiam partidos apristas no Peru (pátria de Haya) e no México, na Guatemala, na Costa Rica, em Porto Rico, na Bolívia, no Chile e na Argentina. Em geral, o aprismo foi a alternativa socialista latino-americana ao marxismo-leninismo, com a circunstância de que se revelou na prática muito mais capaz de influir na evolução política da América Latina do que os partidos comunistas.

Em todos os países (exceto no Chile), estes últimos permaneceram atrofiados pelas exigências de fidelidade a Moscou. No entanto, os partidos apristas puderam ser flexíveis, criativos e *democráticos*. O aprismo não descartava a violência revolucionária, e, de fato, partidos apristas protagonizaram diversas tentativas de insurreição armada, inclusive uma em Cuba, em 1933, que teve êxito em derrubar (com simpatia norte-americana) o ditador Gerardo Machado. Contudo, o aprismo não propunha como meta nenhuma "ditadura do proletariado", mas a abolição das estruturas de poder opressivas tradicionais na América Latina e o estabelecimento de democracias reformistas, respeitosas dos direitos humanos e, ao mesmo tempo (e por isso mesmo), dedicadas a libertar o campesinato da peonagem. Pela primeira vez, os investimentos estrangeiros seriam regulamentados, com o objetivo posterior de nacionalizar aqueles que envolvessem o controle de setores básicos da economia. O capitalismo nacional seria *estimulado*, pois, para o aprismo (e segundo Marx e Engels), nenhuma revolução verdadeiramente socialista é concebível, ou nem sequer desejável, até que a sociedade esteja madura para conseguir essa transformação a um nível superior. Em outra parte deste livro,[20] relatarei a atuação do partido *aprista* que conheço melhor, a *Ação Democrática*, da Venezuela. Porém, desde agora, quero consignar a afirmação de que o *aprismo* merece muito mais consideração do que lhe concedem aqueles que, dentro ou fora da América Latina, aceitam, ingenuamente ou não, a versão comunista da história latino-americana contemporânea. Qualquer evolução política latino-americana que consiga fundir o progresso social e econômico com a liberdade e os direitos humanos deve muito ao aprismo. E, de fato, entre os regimes latino-americanos contemporâneos, os menos reprováveis são os que aderiram basicamente aos métodos e às metas *apristas*.

OS PARTIDOS COMUNISTAS

Com a exceção já mencionada do Partido Comunista chileno, os partidos comunistas (PCs) latino-americanos antes de Fidel Castro eram pequenas seitas congeladas por sua docilidade ante as diretrizes do *Komintern* e do *Kominform*.[21] De fato, antes de 1935, os PCs latino-americanos permaneceram praticamente asfixiados. Por um lado, eram reprimidos em todos os lugares com ferocidade. Por outro, a excomunhão do aprismo decretada pelo *Komintern*, em 1927, impedia-lhes todo o tipo de acordo, ainda que tático, com o único setor que sentia alguma afinidade por eles.

Em geral, esse isolamento só terminou quando Moscou, preocupada com o auge do fascismo, decretou, no VII Congresso da Internacional Comunista (1935), que, dali em diante, o pecado mortal do bom comunista seria o "sectarismo de esquerda", e autorizou expressamente todas as alianças, em quaisquer condições, com qualquer força "oposta ao fascismo e ao imperialismo", sem exigir (como até então se exigia) a condição impossível de que os sócios não comunistas de qualquer aliança aceitassem se subordinar, sem reservas, às táticas e à estratégia do *Komintern*, representado no caso pelo PC nacional correspondente.

Essa "linha branda" durou até que Stalin tivesse certeza de que a URSS havia resistido ao ataque nazista e foi suspensa com a denúncia (de Jacques Duclos, dirigente comunista francês) do "browderismo" (de Earl Browder, chefe do PC norte-americano, a quem, por recônditas razões stalinistas, decidiu-se tornar bode expiatório para a mudança de linha). Diversos dirigentes comunistas latino-americanos do primeiro escalão, que passaram quase uma década apoiando o frentismo antifascista e o esforço de guerra contra o eixo Berlim-Tóquio-Roma, viram-se, de repente, na intempérie, degradados, quando não excluídos.

O *Kominform*, criado em 1947, formalizou o retorno ao "sectarismo de esquerda", que alcançou o paroxismo nos anos da guerra fria e do desbordamento paranoico por parte de Stalin. Para os PCs na América Latina, essa foi outra época de isolamento, quando não de perseguições implacáveis e de nova clandestinidade.

Com a morte de Stalin, e a URSS armada com bombas atômicas, a linha mudou novamente. O *Kominform* foi dissolvido em 1955 e o XX Congresso do PC da URSS (o mesmo que ouviu o relatório secreto de Kruschev a respeito de Stalin) autorizou de novo que os PCs do Ocidente e do Terceiro Mundo adotassem táticas de Frente Popular e condenou (implicitamente) a via insurrecional, capaz de gerar situações perigosas de confrontação com os EUA e até uma eventual guerra atômica. A URSS já não se sentia em perigo, exceto justamente por essa terrível possibilidade. Desde então, a preservação da paz seria o objetivo principal. Os comunistas da Europa Ocidental teriam que se adaptar a uma longa espera e a uma transição pacífica rumo ao socialismo em um futuro indeterminado.

No mundo afro-asiático (naquele momento, o único Terceiro Mundo), continuariam vigentes as teses leninistas a respeito da questão colonial e nacional, e ali estavam a China e o Vietnã (e também a Índia, de Nehru, e a Indonésia, de Sukarno, e o Ceilão e a Birmânia) para testemunhar a correção e a clarividência dessas teses.

E a América Latina? Ora, infelizmente, em todo o futuro previsível, a América Latina estava dentro da esfera de influência norte-americana. Não era a URSS, nem um partido comunista tão disciplinado como o PC cubano que iam estimular ou minimamente apreciar um terrorista individualista e pequeno-burguês, um guerrilheiro ridículo chamado Fidel Castro.

NIXON EM CARACAS

Nos momentos de intransigência na linha política (de "sectarismo de esquerda"), os PCs da América Latina receberam de Moscou a ordem de se converter em fatores de perturbação máxima. Por outro lado, em conjunturas internacionais delicadas para a URSS, os PCs latino-americanos tiveram que se transformar em fatores de moderação e conciliação. Assim sucedeu no momento de consolidação de vitórias soviéticas, depois da trégua na Coreia e da morte de Stalin. Sem dúvida, os EUA tinham se transformado no centro e no pilar do capitalismo mundial, e isso fazia da América Latina a zona potencialmente mais interessante para aplicar, nessa nova etapa, as teses leninistas referentes ao uso das tensões entre metrópoles e países dependentes como força motora da revolução mundial; mas os EUA eram muito poderosos para serem provocados diretamente em sua zona imediata de influência, da mesma forma que resistiram à tentação de ir provocar a URSS, intervindo, de algum modo, na insurreição de Budapeste, em 1956. Acima da retórica, as duas superpotências sabiam que não tinham alternativa à coexistência pacífica.

Evidentemente, isso não alterava o objetivo marxista-leninista de "enterrar o capitalismo", como reafirmou Kruschev em declarações dadas em território norte-americano, mas o mesmo Kruschev, de regresso à URSS, precisou que o objetivo era enterrar o capitalismo sob montanhas de carne e manteiga, superando os EUA na produção desses dois itens.

Para os PCs latino-americanos, o resultado de sua obrigação de serem cata-ventos indicadores da menor mudança no "vento de Moscou" os tinha reduzido a essa função mecânica e passiva (se é que alguma vez tiveram outra). Um exemplo: em janeiro de 1958, um ano antes do triunfo de Fidel Castro em Cuba, a Venezuela passou de viver durante dez anos sob uma brutal ditadura militar de direita para uma situação de semianarquia. Por mais de um ano, até que as eleições convocadas pelo governo provisório produzissem uma nova legitimidade, o Partido Comunista venezuelano, em seu momento mais alto de prestígio e influência, pelas circunstâncias e por ter participado com heroísmo da luta clandestina contra a ditadura, poderia ter tentado um *putsch*. *Foi nessa conjuntura que se deu a visita de Nixon a Caracas e que aconteceram os motins que quase lhe custaram a vida.* Nesses acontecimentos, o PC venezuelano demonstrou sua capacidade de ação nas ruas; as massas de Caracas mostraram sua suscetibilidade a essa mobilização; os demais partidos e os demais setores organizados e determinantes (Forças Armadas, meios de comunicação, Igreja, organizações empresariais, sindicatos etc.) expuseram sua impotência, sua inconsciência ou *sua ativa simpatia* pelas palavras de ordem antinorte-americanas dos comunistas (o presidente provisório, um almirante da Marinha de Guerra, chegou a dizer: "Se eu fosse estudante, também teria ido às ruas para protestar contra Nixon"). E, no entanto, o PC venezuelano não contemplou, nem por um instante, a possibilidade de tentar tomar o poder, o que teria transgredido "a linha". O que fez, à parte do carnaval que foi a manifestação contra Nixon, foi ser exemplo de "frentismo democrático" e dedicar todos os esforços a "defender a democracia" e a colaborar com os partidos aprista e democrata-cristão na preparação das eleições. Sua aspiração máxima, em perfeita conformidade com "a linha", era o triunfo de uma "frente de esquerda", na qual participariam como sócios secundários e cujo candidato (o almirante presidente provisório) esperavam poder influenciar para objetivos limitados e aprovados por Moscou, caso ele fosse eleito.

FIDEL EM SIERRA MAESTRA

Em Cuba, os comunistas tinham feito alianças táticas com Batista e haviam até aceitado cargos em seu gabinete. Em 1958, estavam distanciados do desacreditado ditador, mas exceto por decisões individuais de alguns comunistas decididamente heterodoxos (ou enviados em missão, com o risco, para eles, de serem banidos depois como "desviacionistas"), mantinham-se pelo menos igualmente distanciados do "aventureiro putschista pequeno-burguês" Fidel Castro.

Nesse termos exatos, o Partido Comunista cubano condenara o assalto ao Quartel Moncada por Fidel e seus homens, em 26 de julho de 1953; e ainda no segundo semestre de 1958, está documentada uma convocação formal dos comunistas cubanos a uma frente ampla, que deveria incluir não apenas os setores "anti-imperialistas" (isto é, os comunistas e os filocomunistas), mas também todos os cubanos com aspirações e sentimentos democráticos, desejosos de ver a ditadura de Batista substituída por um governo correspondente às teorias apristas; isto é, um governo do tipo que, nos períodos de linha dura ("sectarismo de esquerda"), os PCs latino-americanos haviam anatematizado por meio de instruções do *Komintern* ou do *Kominform* como "nacional-traidor" e "pró-imperialista".

De fato, o "Movimento 26 de julho", de Fidel, correspondia em suas formulações teóricas ao *aprismo* (de nenhuma forma, ao marxismo-leninismo); mas, em 1958, os comunistas se opunham à sua inclinação ao terrorismo (originado na tradição das lutas estudantis cubanas) e ao aventureirismo romântico da guerrilha, nada novo, certamente, na América Latina, e também vinculado a uma antiquíssima maneira de fazer oposição armada ao poder de todas as sociedades *rurais, atrasadas e desorganizadas*; e, portanto, totalmente oposta ao conceito marxista da ação revolucionária.

No final de 1958, a ditadura de Batista desmoronou de maneira muito semelhante a como havia terminado a ditadura de Pérez Jiménez onze meses antes na Venezuela, por uma combinação de desmoralização e divisões nos altos escalões do poder, do distanciamento dos quadros militares em relação à estrutura política da ditadura, e de uma correspondente maior audácia da população, inclusive as classes média e alta, em manifestar seu descontentamento pela corrupção administrativa e a repressão. A guerrilha de Fidel fora uma catalisadora do processo, mas também é certo que, sem ela, Batista não teria conseguido se manter, *porque os* EUA *passaram a considerá-lo um fardo e uma vergonha*.

Na sequência, a virada inesperada que os assuntos políticos sofreram em Cuba se deveu a dois fatores. Um deles, com certeza o menos importante, foi que a corrupção do regime de Batista havia contaminado as Forças Armadas, as quais, por isso, tinham se enfraquecido muito politicamente por sua incompetência em combater os guerrilheiros, e porque esses poucos combates as tinham comprometido como *instituição* a favor da ditadura e contra os heróis barbudos que desciam da montanha.

O outro fator foi o próprio Fidel. Aclamado unanimemente por Cuba e pela América Latina (exceto, no primeiro momento, pelos comunistas), visto com simpatia por importantes setores norte-americanos, o *aprista* Fidel, no entanto, iniciaria em meses um processo que conduziria ao objetivo que os comunistas, desejando-o idealmente, tinham considerado impossível de alcançar (e cheio de riscos inaceitáveis sequer para tentar) na América Latina. Em primeiro lugar, Fidel enfrentaria os EUA (o imperialismo, por antonomásia) até provocar, finalmente, uma ruptura econômica e política total. Então, iniciaria um processo de estatização da economia e da vida cubana, que, começando pelas propriedades norte-americanas, acabaria tornando Cuba um país mais rigidamente comunista do que a Polônia ou a Hungria (ou do que a URSS), já que, a partir de 1968 ("Ano do Guerrilheiro Heroico"), até os mais insignificantes sobreviventes da atividade econômica artesanal ou de serviços seriam estatizados, considerados como cistos perigosos e inadmissíveis de "tendências individualistas" e de "atividades anticomunistas". Logo, Fidel converteria o Partido Comunista cubano primeiro em seu braço político principal; depois, no setor dominante do Partido Unido da Revolução; então, finalmente (dissolvido esse PUR, supostamente contendo todas as tendências genuinamente revolucionárias), no partido único — na melhor tradição leninista — idêntico ao governo, regente de todas as instituições, inclusive o rádio, a televisão e as universidades, editor de todos os livros, folhetos e revistas, assim como do único jornal diário que existe onde antes — e depois do pior da ditadura de Batista — havia um leque que refletia todas as tendências.

E, com certeza, o mais importante: Fidel inverteria a dependência cubana, de modo que onde antes estavam os norte-americanos, passariam a estar os russos, com tanto poder de decisão sobre os usos do território cubano em sua estratégia global, que, em 1962, tentaram transformar Cuba em uma base nuclear contra os EUA e, em seguida, arrependeram-se, sem que a opinião ou a vontade de Cuba fosse, no essencial, levada em conta nem para a decisão original, nem para sua anulação.

Por que e como Fidel fez essas coisas? Antes de 1959, Fidel era um comunista disfarçado, ou ainda um marxista, exceto no sentido em que os *apristas* são tão marxistas, ou mais, do que os leninistas? No Capítulo 9, *As formas de poder político na América Latina* (ver mais adiante), tratarei de responder a essas perguntas.

O que salta aos olhos, sejam quais fossem suas motivações, é que, na prática, Fidel conseguiu, a 150 quilômetros do litoral norte-americano, em um dos países mais estreitamente vinculados aos EUA, uma das vitórias mais importantes e espetaculares na perspectiva das teses leninistas a respeito do papel dos países coloniais e dependentes na destruição da ordem capitalista mundial.

Isso explicaria por si só (e, de fato, justificaria) a imensa repercussão da Revolução Cubana. Com os acontecimentos de Cuba entre 1959 e, digamos, 1962 (quando ninguém mais podia duvidar que a ilha tinha se tornado um satélite soviético), o mundo não estava diante de um incidente local, de uma pequena mudança pendular de governo ocorrida em um remoto país latino-americano. O que havia acontecido era algo comparável à viagem da Apollo 11, quando o homem pôs os pés na Lua pela primeira vez.* Com a Revolução Cubana, pela

---

* Foi a quinta missão espacial tripulada do programa Apollo e a primeira a realizar uma alunissagem, em 20 de julho de 1969. (N.T.)

primeira vez, a cosmovisão marxista-leninista conseguiu se garantir em forma de sistema de poder no hemisfério ocidental, algo tão impensável alguns anos antes como as viagens extraterrestres e, talvez, mais transcendente.

O Ocidente sentiu esse abalo e continua sentindo (concebe-se Portugal de 1975 sem a Cuba de 1960?), e *o socialismo* também sentiu e muito profundamente, em seu sentido mais amplo. A partir da Revolução Cubana, nada seria exatamente igual, tudo seria revirado, os homens, as ideias, as táticas, os partidos marxistas-leninistas e os partidos socialistas democráticos.

E tudo isso, na América Latina e no mundo, por algo que aconteceu e que continuaria se desenvolvendo em um país latino-americano e, em seguida, no resto da América Latina. Essa inserção da América Latina no contexto mundial (no lugar do contexto "pan-americano") é um dos motivos pelos quais uma proporção surpreendente de latino-americanos, cuja psicologia de fracassados analisamos (assim como sua causa no êxito norte-americano), sente-se de alguma maneira "vingada" por Fidel.

O "BOM REVOLUCIONÁRIO"

Tendo se declarado marxista-leninista em dezembro de 1961, tendo resistido à pressão norte-americana e às maquinações da CIA que culminaram no patético desembarque de Playa Girón, Fidel consegue (e havia ganho) atenção e bajulação universais. Cuba é uma "democracia socialista", enquanto Fidel é uma das estrelas do comunismo mundial. Chegam jornalistas de todos os países (e simples curiosos, como Françoise Sagan) para ver de perto essa via inédita rumo ao socialismo.

Para a URSS, toda a questão resulta verdadeiramente providencial. Em 1956, Kruschev reconheceu diante do XX Congresso do PCUS os crimes e os "desvios personalistas" de Stalin. E, ao contrário do que havia suposto a liderança soviética, com pouco conhecimento da força da informação moderna, o assunto tinha repercutido (e continua repercutindo até hoje). Naquele mesmo ano, ocorreu a insurreição de Budapeste e sua brutal repressão pelos tanques russos, assim como a rebelião de 15 mil operários da fábrica de vagões ferroviários de Poznan, na Polônia, gritando morte ao comunismo e aos soviéticos e exigindo pão e liberdade. A partir de 1960, as relações sino-soviéticas passariam da frieza para a inimizade pré-bélica, e o mundo veria se desenvolver o espetáculo, escandaloso e deprimente para os comunistas, de uma *rivalidade de potências* entre os dois principais países revolucionários. Em agosto de 1961, o Muro de Berlim foi a única resposta que os comunistas conseguiram encontrar para o fato de os alemães do Leste desejarem manifestar seu descontentamento por meio da migração, bastante ansiosos para trocar sua participação na criação do futuro por um pouco de liberdade e comodidade no presente.

Nesse quadro verdadeiramente sombrio, o surgimento de Cuba revolucionária foi duplamente importante: contribuía com uma prova da força histórica do leninismo, como já foi dito, mas também, e sobretudo, dava oxigênio à esperança de que alguma vez, em algum lugar, um regime comunista poderia não ser desumano. Assim como, antes do descobrimento da América, o "velho mundo" da civilização europeia imaginara a existência de alguma parte de alguma ilha não contaminada pela civilização e pelo pecado original, onde vivessem "bons selvagens", livres de ambição, de crueldade e de cobiça, o "velho mundo" da cultura revolucionária que vinha se formando de 1917 até aquele momento, não cessava de imaginar que pudesse surgir em algum lugar (uma ilha seria bastante apropriada) uma espécie nova de revolucionário, um "bom revolucionário", não contaminado pelo stalinismo e capaz de não reeditá-lo.

Por um momento, a Revolução Cubana (como antes — e ainda — a Revolução Chinesa) veio responder a essa ilusão. E dentro dela, não tanto Fidel (cuja figura de "político" e homem de poder excederam desde muito cedo a máscara da barba e do uniforme surrado e sem insígnias do "bom revolucionário"), mas Che Guevara, com suas teorias sobre a função purificadora da guerrilha e do "homem novo".

Para Che, o guerrilheiro e a guerrilha seriam a matriz não apenas da revolução, mas de uma revolução finalmente pura, finalmente humana. O guerrilheiro deveria ser como um santo da revolução, superior aos demais homens não só em valor pessoal e consciência revolucionária, mas também em bondade e simpatia em relação aos oprimidos. Um discípulo de Che, Camilo Torres, padre guerrilheiro colombiano, chegou a dizer que o próprio Cristo teria sido guerrilheiro se vivesse na América Latina em nossa época.

E esses revolucionários puros e ascéticos, temperados pelos perigos e pelas privações, seriam supostamente capazes, uma vez conquistado o poder, de exercê-lo com igual bondade e devoção, e também de transmitir seu altruísmo para as massas, até conseguir, por uma transformação sociológica sem precedentes, o advento do "homem novo".

Para Che, havia uma linha contínua entre as virtudes do guerrilheiro e seu "contágio" para toda a sociedade socialista, que seria uma "democracia armada" (uma sociedade de guerrilheiros), finalmente composta, de forma preponderante, ou até *exclusiva*, por reformadores sociais. Os incentivos materiais não seriam necessários, o trabalho seria voluntário, o dinheiro não existiria, e dentro da abundância alcançada sem grande esforço em uma economia organizada "para o serviço e não para o lucro", cada um retiraria dos depósitos coletivos os bens e os alimentos necessários para sua subsistência.

Vale a pena assinalar, ainda que seja só para não passar por ignorantes dos textos muito fundamentais e conhecidos do marxismo, tais como *O manifesto comunista,* a introdução de Engels ao ensaio de Marx intitulado *Trabalho assalariado e capital,* e *Crítica do programa de Gotha* (Marx), que não são nem novas e nem de Che, essas ideias sobre a abolição das transações mercantis e do trabalho assalariado, pelo desaparecimento do egoísmo e da superabundância de bens materiais que, supostamente, aconteceriam sob o socialismo. Talvez possa se considerar interessante a ênfase de Che a respeito do guerrilheiro, "homem novo" *antes* de se produzir as condições *pós-revolucionárias* para o desaparecimento do egoísmo, do individualismo e dos conflitos sociais, devidos, exclusivamente, para o marxismo, à existência da propriedade privada e à luta de classes, que seria sua consequência.

Sem exceção, os socialistas, mesmo pré-marxistas, partiam do princípio de que o objetivo da revolução não podia ser outro que não fosse criar as condições para o surgimento natural e inevitável (não voluntarista, nem heroico) de um homem novo, que, na realidade, não seria novo de modo algum, mas o velho "bom selvagem", que todos temos dentro de nós, reprimido pela civilização, e que, sem dúvida, ao despertar, após seu longuíssimo sono, e ao se deparar com todas as maravilhas que a civilização corrompida lhe terá deixado de herança, vai se tornar nada menos do que um *super-homem,* e o mundo, um *supermundo.* Para Fourier, na sociedade socialista, os animais nocivos terão desaparecido e todos os existentes se dedicarão a servir ao homem e a fazer todo o trabalho para ele.

Um anticastor cuidará da pesca, uma antibaleia rebocará os barcos no mar nos dias de calmaria, e um anti-hipopótamo, as embarcações nos rios. Em vez do leão, existirá um antileão, corcel de maravilhosa rapidez, em que os ginetes encontrarão um assento tão suave quanto os bancos de um carro confortável [...].

Godwin não considera impossível que, após a abolição da propriedade privada, os homens virem imortais. Kautsky afirma que, com a sociedade socialista, "nascerá um novo tipo de homem [...], um super-homem, um homem sublime". Trótski detalha essa ideia ainda mais:

"O homem será muito mais forte, muito mais perspicaz, muito mais refinado. Seu corpo será mais harmonioso, seus movimentos serão mais rítmicos, sua voz será mais musical. A média humana se elevará ao nível de Aristóteles, de Goethe, de Marx".[22]

Vale a pena dizer que a admirável originalidade e profundidade atribuídas a Che Guevara se deve à ignorância ou (o que é mais provável) ao cálculo de que é mais fácil espalhar certas ideias constituintes do socialismo atribuindo-as a Che do que a Fourier, Kautsky, Godwin, Trótski ou mesmo Marx e Engels. O "bom revolucionário" é mais bem encarnado e mais bem proposto como ideal humano pelo guerrilheiro mártir de hoje do que por antepassados de sobrecasaca.

REVOLUÇÃO NA REVOLUÇÃO

Em 1967, Che morreu na Bolívia, vítima de sua fidelidade à visão leninista de uma revolução mundial provocada pela insurreição dos países proletários, e mártir do fracasso de sua própria teoria referente ao "foco guerrilheiro" como catalisador do potencial revolucionário das massas dos países do Terceiro Mundo. Che tinha visto Fidel se radicalizar na guerrilha e florescer em seguida como o caudilho anti-imperialista capaz de transportar um país caribenho do campo imperialista para o campo socialista. Essa façanha, inesperada em todos os cálculos dos ideólogos comunistas, só podia ser explicada por algo implícito na própria ação guerrilheira, capaz daquilo que o movimento sindical e a política tradicional dos PCS na América Latina não tinham conseguido: forjar *a verdadeira vanguarda revolucionária* e gerar o amadurecimento antecipado das condições para a transformação revolucionária.

A teoria do "foquismo guerrilheiro" (popularizada pelo livro de 1967, *Revolução na revolução?*, de Regis Debray) supõe que a América Latina está basicamente pronta para uma explosão revolucionária. As estruturas de poder existentes só se sustentam pela aliança das oligarquias e dos exércitos nacional-traidores com o imperialismo norte-americano. O problema reside em desarticular os exércitos, desmoralizar as burguesias e preparar as massas para tomar parte da conquista do poder e da construção da nova sociedade socialista. Ambas as faces do problema podem ser resolvidas com um único instrumento, cuja eficiência ficou demonstrada em Cuba: o foco guerrilheiro, que apenas superficialmente é um expediente militar, mas que, na realidade, alcança três objetivos políticos decisivos: 1. Cria a verdadeira vanguarda revolucionária; 2. incita os exércitos nacional-traidores a uma luta para a qual não estão preparados e os destrói; 3. por sua existência e suas façanhas militares, politiza as massas (são o "motorzinho" que põe em movimento o grande motor das massas), com o que se prepara o terreno para o último ato do drama revolucionário: a greve geral ou a insurreição urbana sobre a qual se apoiará a tomada do poder.

O atrativo dessas ideias é óbvio. Contra o descrédito, bastante merecido, do sovietismo e dos PCS tradicionais, elas propõem o frescor de uma nova maneira "selvagem" de fazer a revolução, partindo do mais simples e imediatamente factível — o "foco" guerrilheiro — para o mais complexo — o movimento revolucionário generalizado —, com o "bom revolucionário" evitando, em cada passo, contaminar-se com a "velha política", que "apodrece" a pureza das intenções e complica a simplicidade das ações.

Além disso, essas ideias eram um atrativo que se manifestava igualmente entre os *diletantes* da revolução e entre seus atores designados. Enquanto em publicações e salões de esquerda europeus e norte-americanos se discutia de maneira refinada as teorias de Che, divulgadas por Debray, na América Latina, antes e depois da publicação de *Revolução na revolução?*, homens de carne e osso, e sobretudo homens (e mulheres) muito jovens, principalmente estudantes universitários, em alguns casos perdiam a vida na guerrilha e quase sempre perdiam as ilusões.

Os velhos teóricos marxistas não tinham sido tão insensatos assim quando insistiam para que se esperassem as condições objetivas favoráveis à revolução. Claro que por força de olhar para Moscou, e jamais ao seu redor, os comunistas latino-americanos nunca se inteiraram da existência dessas condições objetivas, ainda que as tivessem tido debaixo do nariz (como as tiveram na Venezuela, em 1958); ou, ao contrário, teriam se jogado de cabeça contra uma parede se Moscou assim ordenasse, como, de fato, aconteceu na Alemanha, em 1923.

No entanto, naquele momento, com a Revolução Cubana e a teoria do "foco guerrilheiro", diversos PCs latino-americanos se lançaram na aventura de tentar imitar Fidel; e, de qualquer forma, não eram necessários os PCs para que os guerrilheiros saíssem até de debaixo das pedras. Com Fidel em cena, os partidos *apristas* perderam suas alas esquerdas e suas juventudes, conquistadas pelo *fidelismo* e pelo *guevarismo*.

Porém, as táticas descobertas pela improvisação fidelista se mostraram não extensivas ao restante da América Latina. E parece claro que, na medida em que se possa imaginar que uma surpresa comparável pudesse ter acontecido em outro lugar (novamente me refiro à Venezuela em 1958), e não tenha sido aproveitada a oportunidade pela inexistência de um Fidel que forçasse os acontecimentos, é óbvio que uma vez ocorrida a Revolução Cubana, *a surpresa já não poderia se repetir*. Em qualquer lugar, as Forças Armadas, os partidos liberais, conservadores, *apristas* ou social-cristãos, os empresários, as classes médias, os sindicatos, a Igreja, os meios de comunicação e, em geral, toda a estrutura social (sem excluir as classes populares, operárias e camponesas, mas não por isso pró-comunistas) se puseram em guarda, e os norte-americanos prontos a prestar ajuda e, eventualmente, a intervir "a tempo", como na República Dominicana, em 1965, para evitar "uma nova Cuba".

GUERRILHA RURAL E TERRORISMO URBANO

Na década posterior à Revolução Cubana, dez ou doze países latino-americanos enfrentaram a experiência do "foquismo" ao estilo de Sierra Maestra. Sem dúvida, a experiência da montanha era parte essencial da teoria, ou se assim se quiser, da *reconstrução*. Para quem resolve pegar em armas contra um governo estabelecido, a decisão de ir para a montanha é angustiante e antinatural. Na América Latina, até o sucesso do "foco" de Sierra Maestra, o guerrilheiro tinha se tornado uma figura do passado, ou de regiões onde ainda se vivia como no passado, inconcebível, exceto na sociedade rural pré--capitalista (Sandino, na Nicarágua, na década de 1920, ou Zapata e Pancho Villa, na Revolução Mexicana), onde o guerrilheiro saiu da terra e tem hábitos e *savoir-faire* de camponês. Contudo, o guerrilheiro latino-americano da década de 1960 foi, em geral, um intelectual burguês ou, em sua maioria, um estudante universitário que nunca tinha carregado um peso, visto uma cobra ou acendido fogo sem fósforo. Um escoteiro estaria mais bem treinado para sobreviver na montanha.

Em 1963, Fidel e um comunista venezuelano travaram o seguinte diálogo:

Fidel: Você poderia ser um bom guerrilheiro, embora esteja um pouco gordo, mas isso a serra resolve...

Comunista venezuelano: Fidel, na Venezuela, as cidades desempenharam um papel importante nas lutas políticas. Além disso, o nosso "aparato urbano" deixa o governo louco (*aprista* de Rómulo Betancourt; ver a seguir o Capítulo 9: *As formas de poder político na América Latina*). Seria uma tolice ir para a montanha e abandonar essas posições.

Fidel: Veja, Mendoza, a única coisa que garante a sobrevivência do aparato armado da revolução e o desenvolvimento de um verdadeiro exército rebelde é a luta guerrilheira. O terrorismo nas cidades é o mais fácil. (Entre os nossos,) muitos preferiram morrer nas cidades do que subir a montanha [...].[23]

O fato é que subir a montanha (a "serra" de Fidel) não era fácil, mas não era menos mortal que enfrentar os governos no âmbito urbano. O fracasso e a morte de Che Guevara na Bolívia, em 1967, e a queda "como um passarinho" em mãos das autoridades bolivianas do propagandista europeu do "foquismo" e da ilusão do "bom revolucionário", são o símbolo mais apropriado e mais eloquente das limitações da "revolução na revolução", a qual mostrou ser arma de um só tiro. Sobram, em diversos países latino-americanos, guerrilheiros obstinados, porém cada vez mais isolados, cada vez menos levados em conta. Paradoxalmente, as únicas vezes que conseguem impressionar as sociedades que pretendem desestabilizar são quando atacam as cidades, para conseguir dinheiro mediante um assalto a um banco ou um sequestro para exigir resgate.

Entretanto, a realidade sociológica derrotou a teoria. Os jovens latino-americanos, influenciados pelo culto a Fidel e a Che, que continuam a empregar a "luta armada", atuam há muitos anos quase exclusivamente nas cidades. Os Tupamaros uruguaios e os Montoneros e o Exército Revolucionário do Povo argentino são os que mais deram o que falar. No Uruguai, esse terrorismo urbano teve êxito em conduzir um regime liberal a comportamentos cada vez mais repressivos. Na Argentina, onde aconteciam mais de um sequestro e atentado por dia, em média, resultou no neoperonismo, com ou sem Perón; a desculpa perfeita para liquidar *fisicamente* sua "ala esquerda", a partir do que os marxistas argentinos recordaram, um pouco tarde demais, quem era e de onde saíra Perón.

Finalmente, a atividade subversiva da esquerda (a "luta armada") sofreu a suprema afronta de ser acusada de ter sido, em alguns casos, "manipulada" pela CIA.

No México, essa é a tese que se esgrime contra os poucos guerrilheiros que atuam por lá; e foi evocada, por exemplo, em 1974, quando o sogro do presidente mexicano foi sequestrado por um grupo de extrema esquerda.

CHILE: UMA DOENÇA INFANTIL MORTAL

Sem dúvida, a efervescência emotiva (e ideológica) provocada pela Revolução Cubana na América Latina, foi uma das causas fundamentais do fracasso (ou, em todo caso, do desenlace violento) da experiência da Frente Popular chilena. Sem a necessidade de "estar à altura" de Fidel e de Che, sobretudo sem a pressão à sua esquerda de fidelistas e guevaristas, é provável que se Salvador Allende estivesse vivo, continuasse presidente do Chile e entregasse a presidência ao seu sucessor devidamente eleito (com certeza, o democrata-cristão Eduardo Frei), em 1976. Durante seu mandato, o Chile teria estatizado a economia um pouco menos do que se tentou entre 1970 e 1973, mas, de qualquer maneira, de forma significativa e *irreversível*. Com isso, o Partido Comunista chileno teria visto premiados uma grande paciência, um formidável trabalho organizativo e uma habilidade tática, que (sem violar a fidelidade à URSS) o qualificam (ou o qualificavam) como o único PC latino-americano que era mais do que clube político marginal, atrás dos *apristas* e de outros movimentos "populistas".

O PC chileno foi o único PC latino-americano que cumpriu exatamente a palavra de ordem frentista do Sétimo Congresso da Internacional. Entre 1938 e 1941, e novamente em 1946-47, participou (em segundo plano) dos governos da Frente Popular. E, em 1956, negociou com o Partido Socialista, liderado pelo *aprista* Salvador Allende,[24] uma coalizão eleitoral chamada Frente de Ação Popular, e mais bem conhecida por sua sigla: FRAP.

Com a adesão de outros partidos menos importantes (e, no final das contas, da extrema esquerda da Democracia Cristã radicalizada pela Revolução Cubana), a FRAP obteve 28,6 por cento dos votos nas eleições de 1964 (vencidas pelo candidato democrata-cristão Eduardo Frei, com 55,6 por cento dos votos).

Seis anos depois, os conservadores chilenos, descontentes e alarmados pelo que consideravam um perigoso radicalismo esquerdista democrata-cristão, lançaram um candidato próprio (o que não fizeram em 1964, assustados pela FRAP). O resultado foi uma vitória apertada de Allende, com uma maioria relativa de 36,2 por cento dos votos (contra os 34,9 por cento do candidato conservador e 27,8 por cento do candidato democrata-cristão).

A Constituição chilena previa, para o caso de que nenhum candidato alcançasse a maioria absoluta, não um segundo turno eleitoral entre os dois candidatos com as maiores minorias (como na França), mas uma decisão pelo Congresso. Por causa dessa circunstância, os democratas-cristãos chilenos poderiam ter escolhido o candidato conservador para presidente. No entanto, preferiram dar respaldo a Allende, embora não sem antes exigir uma série de compromissos e garantias de que não trataria de subverter as instituições.

O desenvolvimento e o desenlace da tragédia de Salvador Allende (e do Chile) serão abordados em outra parte deste livro.[25]

PARA ONDE IR E COMO?

O pesadelo chileno forçou os mais sérios entre os marxistas latino-americanos a reformular toda a questão das táticas e das estratégias revolucionárias. O ciclo aberto pela Revolução Cubana em 1959 se encerrou com a derrocada da Unidade Popular Chilena (nome adotado pela FRAP no poder), em 1973.

Outra ilusão lírica terminou. Em Cuba, o regime fidelista reedita, com ênfase tropical, os aspectos mais odiosos e mais deprimentes do comunismo, tal como é conhecido cada vez mais desde 1917. No Chile, a tentativa de revolucionar uma sociedade latino-americana com o Exército intacto e sem suprimir as liberdades públicas, desembocou em uma ditadura implacável. Para onde ir agora e como?

Alguns comunistas latino-americanos chegaram à conclusão de que nada se poderá fazer sem ganhar os exércitos para a causa revolucionária, e se referem à chamada "Revolução Peruana". Outros (ou os mesmos) resolveram se desvincular publicamente da URSS, cuja existência não deixam de considerar valiosa, mas que, ao mesmo tempo, desacredita a cada dia a causa revolucionária com a demonstração de seu atraso político, da sua pobre produtividade econômica *e de seu próprio imperialismo sobre os países fracos do campo socialista.*

Em geral, cabe a afirmação de que os sobreviventes do "foquismo", mais sábios após esse fracasso e pela maneira como os fidelistas e guevaristas chilenos levaram Allende ao desastre, começaram a refletir que Víctor Raúl Haya de la Torre talvez não estivesse tão enganado.

Um dos movimentos latino-americanos de renovação marxista mais perspicazes, o Movimento ao Socialismo (MAS) venezuelano, dissidente do PC em bases associadas à atitude expressa por Garaudy em *A grande virada do socialismo,* deu as costas às alternativas pendulares *frentismo-sectarismo da esquerda,* em relação as quais se discutiu (e se discute) a impotência dos PCS latino-americanos. Em vez desses ziguezagues impostos pelas conveniências táticas da URSS, o MAS pretende atrair por meio de uma política de atenção solícita as aspirações especiais de todos aqueles que estão insatisfeitos, a setores muito mais amplos do que os devotos da religião marxista e, no fim das contas, os militares. No entanto, não vacilam em reconhecer que o *aprismo* venezuelano conseguiu exatamente isso, concentrando sua crítica contra a Ação Democrática (o partido *aprista* venezuelano, atualmente no poder)* referente à falta de correspondência estrita entre o programa (*aprista*) da Ação Democrática e seus governos com quatro presidentes e quatorze anos no poder desde 1945.

---

* A última eleição presidencial da Venezuela vencida pela Ação Democrática foi a de 1988 e elegeu Carlos Andrés Pérez, presidente pela segunda vez (seu primeiro mandato foi de 1974 a 1979). (N.E.)

No entanto, essas falhas (sustentam tacitamente, por sua vez, o "neocomunista" MAS) poderiam ser explicadas (e até desculpadas) pela necessidade de existir, sobreviver, crescer, chegar ao poder (e se manter nele) um movimento "anti-imperialista" (isto é, marxista), nas condições históricas prevalecentes antes da Revolução Cubana, da viagem de Nixon a China e da vitória comunista no Vietnã. No novo contexto mundial, a tese aprista de aliança anti-imperialista de operários, camponeses, classes médias e empresários não vinculados ao capital estrangeiro não poderá ser rejuvenescida em novas mãos? Ou talvez, melhor ainda: a captura do *aprismo* pelo leninismo, que Lozowsky tentou sem sucesso em 1926, não poderia se consumar? Afinal de contas, por um lado, aquele fracasso se deveu às condições mundiais prevalecentes, que tornavam impensável uma ação política eficaz na América Latina baseada na interpretação dogmática (e além disso ziguezagueante, conforme os interesses circunstanciais da URSS) das Teses da Internacional Comunista sobre a questão nacional e colonial, mas também, por outro lado, à brutalidade dos soviéticos de querer impor um domínio vertical sobre o desenvolvimento da revolução mundial, a partir da suposição de que tudo aquilo que favoreceria a URSS era, em cada caso, o melhor e o mais útil para o triunfo final do comunismo.

Seja como for, o MAS e outros movimentos "neocomunistas" latino-americanos, que assumem atitudes igualmente perspicazes e semelhantemente apropriadas às novas "condições objetivas", possuem diversos trunfos relativos ao propósito de "terceiromundizar" de maneira irreversível a América Latina. Por exemplo, todos os partidos *apristas* carregam um sentimento de culpa por julgar que o exemplo de Fidel Castro demonstrou que era possível ir mais longe e mais rápido na via do anti-imperialismo. E, na América Latina, o anti-imperialismo tem a conotação precisa e clara de um confronto e uma ruptura futura, não com o mundo capitalista avançado em geral, mas exatamente com os EUA, cujo êxito e poder no hemisfério americano nos causam tanta humilhação e tanta amargura, em comparação a nosso próprio fracasso relativo sobre o mesmo terreno e no mesmo tempo histórico.

Com a aceitação, agora generalizada, das hipóteses de que esse êxito norte-americano se explica basicamente pela pilhagem a que eles nos submeteram mediante os mecanismos do imperialismo e da dependência, a América Latina pôs o dedo na ferida do mito mais perigoso e mais irritante entre os tantos que serviram para desculpar os nossos defeitos.

UM, DOIS, TRÊS, MUITOS VIETNÃS

Esse mito é particularmente irritante porque, se tudo o que dá errado na América Latina se deve a um agente externo, nada do que façamos antes de exorcizar esse demônio (antes de "romper a dependência", como Cuba) servirá para melhorar a qualidade de nossas sociedades. Ao contrário, os esforços mais bem-intencionados e mais heroicos para alcançar progressos dentro do "reformismo" terminarão por parecer especialmente perversos, já que atrasam o advento da transformação revolucionária.

Além disso, esse mito é perigoso porque está gerando — em alguns países latino-americanos mais bem-dotados para alcançar um avanço decisivo (como a Venezuela) — comportamentos cada vez mais baseados na hipótese de que não existem interesses nem metas comuns entre a América Latina e os EUA, apenas divergências.

Contudo, com a distensão promovida por Kissinger nas relações entre as superpotências, e a substituição da bipolaridade pela *tripolaridade* EUA-URSS-China, não desapareceu a rivalidade mortal desses centros de poder; nem o uso do marxismo como instrumento da política exterior soviética ou chinesa; nem a gravidade da escolha que, para cada um dos países da América Latina, representa a opção entre os modelos liberal e marxista de organização social, com tudo o que isso implica em matéria de alternativas diversas, contraditórias e incompatíveis em sua política interna e em suas relações internacionais.

O que acontece é que a distensão (mais aparente do que real) nas relações entre as três superpotências ofusca essas realidades e as faz parecer desbotadas, da mesma forma que a Guerra Fria e a bipolaridade lhes davam um relevo provavelmente exagerado.

Nessas novas circunstâncias, as superpotências comunistas se encontram em uma excelente posição para fomentar o antinorte-americanismo latino-americano, não como instrumento invariável e exatamente específico dos melhores interesses dos países da América Latina (ainda que essa possibilidade não possa ser descartada), mas, do modo mais provável, como força aproveitável e de mediação em favor da URSS ou da China, ou de ambas.

Aparentemente, ninguém se detém para analisar o sentido, não obstante transparente, da famosa palavra de ordem proferida na Bolívia pelo fiel leninista que foi Che Guevara, segundo a qual cabe a todo revolucionário latino-americano fazer com que seu próprio país se torne outro Vietnã. Por acaso, a guerra do Vietnã serviu aos melhores interesses daquele povo? Pessoalmente, acho óbvio que se tratou muito mais de uma terrível tragédia que se abateu sobre o povo vietnamita, cujo legítimo sentimento nacionalista foi captado e alienado de acordo com as teses leninistas sobre a questão nacional e colonial. E que, em consequência, sofreu a tragédia de converter-se em um vulcão na periferia de grandes massas geopolíticas, as quais perseguem não um equilíbrio definitivo impossível, mas um reajustamento contínuo e vantagens marginais, sem guerra geral.

Uma reajustamento, em que, além do mais, e infelizmente para o Vietnã e para qualquer outro povo, especialmente o latino-americano, que morda a isca leninista, o ideológico desempenha um papel importante, mas não exclusivo, nem sequer determinante; de maneira que, depois de sofrer trinta anos de horror em nome da revolução mundial, mas de modo mais preciso em favor da URSS e mais recentemente da China, o Vietnã se deu conta de que seu sacrifício e o trauma *indelével* dessa guerra serviram principalmente para que os EUA iniciassem uma nova era de cooperação econômica com a URSS e se viu forçado a admitir que a China é, de pleno direito, uma das superpotências do planeta.

Quem, ou quais serão, depois disso, os promotores, conscientes ou inconscientes, de um, dois, três, muitos vietnãs com que sonhava o "bom revolucionário" Ernesto Guevara para a América Latina?

NOTAS

1. Com certeza, essa observação é extensível ao complexo de igual natureza, porém, mais geral e difuso, de que sofre todo o chamado "Terceiro Mundo" em relação a todo o mundo ocidental industrializado.
2. Ver seção A Aliança para o Progresso, no Capítulo 2.
3. Ver seção Relendo Marx, no Capítulo 2.
4. Grifo meu.
5. Ver nota 5, do Capítulo 2.
6. John Atkinson Hobson, inglês, em *El Imperialismo*, 1902.
7. Rudolf Hilferding, austríaco, em *El Capital Financiero*, 1910.
8. Cf. Pierre Jalée, *Le pillage du Tiers Monde*, Paris, Maspero, 1967.

9. Da mesma forma, os discípulos de Cristo, depois de se convencerem de que o Segundo Advento e o Milênio não aconteceriam a curto prazo, reformularam o cristianismo sobre suposições distintas da volta rápida do Messias.
10. Nesse ponto, é preciso insistir que o imperialismo e a exploração dos países fracos pelos países fortes não são nenhum mito. Através de toda a história, os países poderosos submeteram os países fracos a todo tipo de humilhações, sofrimentos e extorsões. O transparentemente falso é que o poder dos países imperiais, desde a antiguidade até os nossos dias, derivou dessas extorsões, as quais evidentemente puderam ocorrer porque existiam diferenças decisivas de poder *antes* de todo o contato, antes de toda a transferência injusta dos bens dos fracos aos bens dos fortes. Além disso, não basta que uma potência tenha a capacidade de ação externa que lhe permita se tornar imperialista para que as transferências de riqueza obtidas impropriamente resultem em seu benefício. O exemplo da Espanha, arruinada por seu fantástico êxito na América, é suficiente para demonstrar que a maior transferência de riqueza pode ser positivamente catastrófica se a sociedade que a recebe não tem, por outro lado, uma *capacidade de ação interna* muito mais importante e decisiva para a sua própria prosperidade e equilíbrio do que o talento militar e político que permite reduzir outros povos à submissão.
11. A redação das Teses do Segundo Congresso da Internacional Comunista a respeito das questões nacional e colonial resultou da colaboração entre Lenin em pessoa e o comunista hindu M. N. Roy; não é desprovido de interesse saber que, em seguida, Roy foi enviado à América Latina pela Terceira Internacional e que se deve a ele a fundação do Partido Comunista Mexicano.
12. Desde o reconhecimento, assumido por Lenin, em *O imperialismo, fase superior do capitalismo*, de que "os dirigentes sindicais e [...] a aristocracia operária" dos países capitalistas avançados foram "subornados" e tinham se "aburguesado", a palavra *proletariado* no vocabulário comunista vai ser cada vez mais usada quando a referência é, aos partidos comunistas, a "vanguarda do proletariado".
13. Isto é, os partidos comunistas.
14. Ho Chi Minh se converteu no delegado da Terceira Internacional para o Sudeste Asiático, e vimos até que ponto o Vietnã, o Laos e o Camboja foram cenário não de algum progresso "desprezível" rumo à democracia formal, mas dessa violência cada vez maior prevista com satisfação por Hilferding em 1910 (ver seção "As Teses da Terceira Internacional", neste capítulo), com o resultante "saldo favorável" não para esses desafortunados países, mas para a posição relativa dos centros de poder socialista (antes apenas a URSS; agora também a China) em sua luta histórica com os países capitalistas avançados.

15. Ou melhor, da América Espanhola, porque convém aqui recordar que o Brasil está excluído das generalizações que se encontram neste livro; e, nesse contexto, é interessante registrar que o Brasil rejeita categoricamente sua inclusão no "Terceiro Mundo".
16. Sigla em inglês de Conferência das Nações Unidas sobre Comércio e Desenvolvimento.
17. Nasceu em 1895.
18. Ainda que prefira que aconteçam no Vietnã ou na América Latina do que em Portugal.
19. Ver seção "Os caudilhos consulares", no Capítulo 9.
20. Ver seção "Os democratas na contracorrente", no Capítulo 10.
21. No entanto, devemos afirmar que os PCS foram importantes e influentes como estímulo ao ativismo político e que muitos dirigentes do que, em geral, podemos chamar de *aprismo*, começaram suas carreiras como militantes ou simpatizantes do comunismo.
22. A citação de Fourier é das *Ouvres complètes*, a. IV, 2ª edição, Paris, 1841, p. 254. A de Godwin, é de *Das Eigentum*, Leipzig, 1904, p. 73. A de Kautsky, é de *Die soziale Revolution*, 3ª edição, Berlim, 1911, volume II, p. 48. A de Trótski, é de *Literatur und Revolution*, Viena, 1924, p. 179. Essas citações, assim como a referência de suas fontes, encontram-se no livro *El Socialismo*, de Ludwig von Mises.
23. Rafael Elino Martínez, ¡*Aquí todo el mundo está alzao!*, Caracas, El Ojo del Camello. 1973, pp. 277-278.
24. Precavendo-me contra a certa acusação de que estou caluniando Allende ao qualificá-lo de "*aprista*" esclareço que: 1) Allende era próximo de Haya de la Torre, e não dos comunistas; e 2) o adjetivo *aprista*, privado das implicações pejorativas endossadas pelos comunistas, descreve melhor do que qualquer outro (uma vez explicado o que é o aprismo) as distintas tentativas de formular um socialismo democrático latino-americano, diferenciado dos instrumentos soviéticos que foram os partidos comunistas.
25. Ver Capítulo 9, "As formas de poder político na América Latina".

CAPÍTULO 6

A América Latina e a Igreja

PELA IGREJA E PARA A IGREJA

A Igreja Católica tem mais responsabilidade do que qualquer outro fator no que é e no que não é a América Latina. A conquista espanhola foi feita pelo catolicismo e para o catolicismo. Este serviu à conquista e à colonização, e a conquista e a colonização serviram ao catolicismo. Desde esse processo inicial até meados do século XIX, ou seja, nos 350 anos decisivos da formação da cultura e das estruturas políticas e sociais da América Latina, o catolicismo foi, ao mesmo tempo, o cérebro e a espinha dorsal da sociedade latino-americana.

Por outro lado, a Igreja Católica teve na evangelização do Novo Mundo seu maior sucesso proselitista desde a Antiguidade, exatamente quando a metade do Velho Mundo europeu se livrava do domínio de Roma por meio da Reforma Protestante. Há nisso razão mais do que suficiente para que a Igreja considere a América Latina sua filha predileta e se preocupe muito com a evolução dos assuntos latino-americanos e com sua própria participação nessa evolução. Na América Latina, em 1995, 80% da população era católica. Embora se mantenha maioritária, esse percentual tem diminuído ano a ano. Se a Igreja continuar perdendo terreno nessa região, o quadro global será sombrio para ela. No entanto, se o catolicismo conseguir recuperar ainda que seja uma parte modesta da influência que teve no passado, ou pelo menos não perder mais terreno do muito que já perdeu, estará salvando um dos ramos mais importantes da árvore da fé católica. Portanto, cabe perguntar se a

América Latina não ocupa um lugar de muito destaque nas análises do Vaticano a respeito do panorama total do catolicismo no mundo e, inclusive, se algumas decisões de alcance geral e de grande transcendência, como, por exemplo, a distensão das relações da Igreja com o mundo comunista, não têm por objetivo facilitar o desenvolvimento atual e futuro da Igreja latino-americana, assim como ampliar seu campo de manobra em seu esforço para se reengajar com a dinâmica social de uma região onde, em outro tempo, o catolicismo foi soberano e determinante em praticamente todos os aspectos da vida dos indivíduos e da sociedade.

DA ONIPOTÊNCIA AO NAUFRÁGIO

A Emancipação foi a primeira coisa feita na América Latina fora da vontade da Igreja, mas nem por isso *contra* a Igreja. A Constituição da Primeira República venezuelana (1811) ratifica a intolerância religiosa prevalecente sob o derrocado Império Espanhol nesses termos:

> A Religião Católica Apostólica Romana também é o Estado, e a única e exclusiva dos habitantes da Venezuela. Sua proteção, conservação, pureza e inviolabilidade serão um dos primeiros deveres da Representação Nacional, que não permitirá jamais, em todo o território da Confederação, nenhum outro culto, público ou privado, nem doutrina contrária à de Jesus Cristo.

No México, a denominada Constituição de Apatzingán (1814), inspirada no radicalismo de Morelos, afirma, porém, que "a religião católica será a única, sem a tolerância de outra", e estabelece que o dogma católico deverá ser apoiado pela vigilância de um *Tribunal da Fé*, autônomo e alheio ao Estado. O próprio Morelos, em seus *Sentimientos de la Nación*, afirmou que "se deve arrancar toda planta que Deus não plantou". O *Manifiesto de Iguala*, de Iturbide, 1821, tem como a *primeira* de suas *Bases*: "A religião católica apostólica romana, sem tolerância de nenhuma outra"; e a Constituição republicana de 1824 dispõe que "a religião da nação mexicana é e será eternamente a católica apostólica romana. A nação a protege com leis sábias e justas, e proíbe a prática de qualquer outra".

Disposições semelhantes são encontradas em praticamente todos os primeiros textos constitucionais das repúblicas hispano-americanas. Além disso, os privilégios exorbitantes que a Igreja conservou nas primeiras décadas de vida independente dessas repúblicas, incluíam, sem dúvida, o monopólio da educação. Os conflitos entre a Igreja e o Estado apareceram só depois de 1850. Nessa segunda metade do século, os *liberais* reduziriam o poder da Igreja, conforme o espírito dos novos tempos, da mesma forma como a Igreja havia previsto quando se opôs, como instituição, à Independência hispano-americana, vendo nela parte do colapso do Antigo Regime e o germe da abolição de seus direitos e privilégios.[1]

Em relação a esse retrocesso em seu poder e em sua influência, a Igreja Católica latino-americana resistiu de modo encarniçado, em aliança estreita com os assim chamados Partidos Conservadores (cujo programa era basicamente manter o poder da Igreja), mas sem excluir acordos e serviços mútuos entre a Igreja e os "liberais" mais interessados em estruturar dispositivos de dominação do que em questões filosóficas. Na realidade, os caudilhos e ditadores "liberais" do final do século XIX e da primeira metade do século XX governaram com sólido apoio eclesiástico, devidamente retribuído por eles mediante concordatas satisfatórias para o Vaticano e para as hierarquias locais.

Além disso, até muito recentemente, a Igreja latino-americana parecia claramente comprometida com a hegemonia norte-americana no hemisfério. Já tivemos oportunidade de ver que, até a Revolução Cubana, ser membro da estrutura de poder latino-americana significava ser, se não ativamente pró-norte-americano, pelo menos não ativamente antinorte-americano. E a Igreja Católica sempre foi, e aspira a continuar sendo, uma peça fundamental das estruturas de poder; temporal se for possível, mas pelo menos espiritual nas sociedades onde atua. E quem, de boa-fé, pode distinguir a linha divisória entre esses dois terrenos?

Para ir ao fundo dessa questão, seria necessário desentranhar as ambiguidades do catolicismo, as contradições e os arranjos casuísticos requeridos por seu duplo caráter de mensageiro espiritual e poder temporal. Outros autores dedicaram esforços mais competentes e especializados ao tema. De minha parte, direi apenas que, na atuação da Igreja no Império Espanhol da América e nas repúblicas latino-americanas subsequentes, essas ambiguidades e contradições se exacerbaram, dando lugar a idealismos e maquiavelismos extremos, consequências uns e outros da inserção dos fins e dos métodos da Igreja em um contexto desafortunado, e da participação primordial e ductora da Igreja na criação e manutenção de uma sociedade atrasada. Por outro lado, a própria Igreja latino-americana foi vítima das deficiências generalizadas da sociedade que ela tanto contribuiu para forjar e que se refletem tanto em seu pessoal especializado como nas paróquias, tanto nos pastores como no rebanho.

É por isso que depois de ter sido todo-poderosa a Igreja perdeu relativamente mais vigência na América Latina do que em quase qualquer outra área de sua implantação, que está reduzida a um fragmento de seu antigo poder, e que o cristianismo católico apresenta na região uma existência marginal e decrescente enquanto fé viva (distinta da adesão formal e praticamente insignificante)?

Em todo caso, para a Igreja e para o cristianismo que ela encarna, a América Latina representa hoje em dia um naufrágio, pois a Igreja contribuiu mais do que ninguém para criar e orientar uma sociedade com a qual ninguém está satisfeito; e que, além disso, hoje, essa sociedade está apenas fracamente vinculada à religião católica: o mesmo em suas crenças vivas que em seus comportamentos.

Dessa maneira, a América Latina significa nada menos que o fracasso, na época moderna (dentro da qual a extensão da cultura europeia ao continente americano é o fato fundamental), do catolicismo diante do protestantismo, ou, em todo caso, da ética católica diante da ética protestante, esta última consumada historicamente, sobretudo nos EUA.

OUTRA VEZ A OUTRA AMÉRICA

Um dos primeiros latino-americanos a contemplar dolorosamente o contraste entre as duas Américas foi o chileno Francisco Bilbao (1823-1865), que acreditava que a chave da diferença estava no "livre pensamento, no *self-government* (autogoverno), na isenção moral e na terra aberta ao imigrante"; todos elementos diretamente atribuíveis, na América protestante, à ausência das restrições e sujeições materiais, morais, políticas e mentais que o absolutismo católico impôs à América Latina.

Um século depois, nas vésperas do Concílio Vaticano II, outro latino-americano angustiado, Juan José Arévalo, formulou o mesmo tema em termos modernos: no protestantismo, haveria existido:

> "simpatia pela democracia. Sociólogas [...] relacionam (o protestantismo) com as origens do capitalismo moderno. Os navegantes do Mayflower eram protestantes e, *por sua causa*, consolidaram-se as fundações cívico-religiosas da democracia na América, contrariando assim os princípios monárquicos da Igreja Romana e os autoritários da Igreja Anglicana".[2]

Além disso, o mais grave de tudo é que a diferença entre as duas Américas não é apenas de êxito econômico e de poder, mas de moralidade pública e privada. Desse ponto de vista, básico para quem, crente ou não, está convencido de que o cristianismo é muito mais do que uma superestrutura hipócrita de relações de dominação e de jogos de interesse e um véu piedoso de comportamentos cínicos e imorais, a sociedade protestante norte-americana revela-se mais cristã (ou menos anticristã) do que a sociedade católica latino-americana e, em todo caso, muito mais exigente de conduta socialmente construtiva (mesmo na divergência) e de boa-fé nos assuntos correntes e nas relações interpessoais. Por exemplo, na sociedade norte-americana, não vemos nada comparável ao terrível desamparo da mulher mãe solteira, que é regra da sociedade latino-americana, na qual não é raro que *dois de cada cinco bebês nasçam de relações circunstanciais*, com frequência tão fugazes que o pai não conhecerá o recém-nascido, *hijo de un disfraz*.[3] Na sociedade norte-americana, para a geração em idade de procriar, cuidar dos filhos procriados é normal. Na sociedade latino-americana, a irresponsabilidade paterna (no sentido exato: do pai; a mãe não tem outra saída senão cuidar do filho, ainda que os infanticídios ou os abandonos de recém-nascidos não sejam raros) alcança tais proporções que quase chega a ser *a regra*. E se recordarmos aquele "excesso de amor" de que Vasconcelos nos fala (ver seção "A raça cósmica", no Capítulo 4), e que não foi nada além da realização por parte dos conquistadores espanhóis (católicos) de todas as fantasias de luxúria em que o *macho* imagina *todas* as mulheres disponíveis, perceberemos que, até hoje, a sociedade latino-americana ficou marcada e atrasada pela incapacidade de a ética católica evitar semelhante perversão do amor e da sexualidade.

ÉTICA CATÓLICA E ÉTICA PROTESTANTE

Se nos deslocarmos para um terreno mais amplo, veremos que a sociedade norte-americana protestante se demonstrou muito mais capaz do que a sociedade latino-americana católica de evitar, ou, no final das contas, de permitir a aceitação e a generalização de comportamentos suscetíveis de conduzir a coletividade (a nação) à impotência, à frustração e, finalmente, à guerra civil e à desintegração.

A sociedade norte-americana tornou essa capacidade dramaticamente patente por meio da forma como encurralou e destruiu dois presidentes em um processo que começou com o protesto contra uma guerra estrangeira injusta e equivocada e culminou com a investigação de Watergate. Na primavera de 1975, uma comissão do Congresso norte-americano, ao investigar as operações das empresas multinacionais *norte-americanas*, trouxe à luz atos de suborno a governantes latino-americanos por algumas dessas empresas (United Brands, em Honduras; Gulf Oil, na Bolívia). Seria paradoxal que, de agora em diante, os presidentes e os ministros latino-americanos tenham que pensar duas vezes antes de se deixar comprar, por temor de que suas transgressões sejam investigadas e reveladas pelo sistema parlamentar e judiciário norte-americano.

Além disso, antes dos tribunais de justiça e das comissões parlamentares especiais ou permanentes, os EUA contam com uma opinião pública que está muito longe do cinismo e da impotência (sem o que os mecanismos propriamente institucionais poderiam ter todos os poderes que quisessem, mas permaneceriam inoperantes). O caso Watergate terminou com o veredito da Suprema Corte obrigando Nixon a entregar as fitas de gravação probatórias. No entanto, começara com a investigação e as revelações feitas por jornalistas apoiados pelos jornais em que trabalhavam; e, de certa forma, ainda antes, com o questionamento da hipertrofia do poder executivo, pela maneira como Lyndon Johnson conduziu a guerra do Vietnã.

Em meus tempos de estudante universitário, o famoso senador Joseph McCarthy estava no auge de seu poder. Para meu julgamento de jovem latino-americano, não parecia impossível que a demagogia inescrupulosa de McCarthy, apoiada no paroxismo da Guerra Fria, o conduzisse diretamente à presidência. "Ele não tem a mais remota possibilidade", me tranquilizou meu companheiro de quarto na universidade. E me explicou como seus pais, republicanos conservadores, tinham sido, até poucos dias antes, fervorosos admiradores do senador McCarthy, de cujas façanhas de caçador e denunciante de "criptocomunistas" tomaram conhecimento na imprensa. No entanto, tinham acabado de vê-lo *na televisão*, nas audiências de uma comissão parlamentar convocada para elucidar as alegações macarthistas. O senado fora brilhante, incisivo, demolidor. Porém, quando chegou a vez de uma de suas vítimas, e esta começou a contestar com fatos as acusações extravagantes, McCarthy começou a golpear a mesa com um cinzeiro para que as palavras de seu adversário não pudessem ser ouvidas pela televisão. *Nesse mesmo instante, sua carreira política começou a declinar.* Os pais de meu amigo, e junto com eles a maioria dos que, até aquele dia, tinham visto em McCarthy um defensor íntegro da sociedade norte-americana ameaçada pelo comunismo, subitamente se deram conta da desonestidade básica do personagem e sentiram verdadeiro horror dele.

É fácil sorrir de uma anedota como essa, principalmente se quem sorri pertence a uma sociedade "normal", em que a opinião pública chegou ao cinismo por meio da impotência, mas, de minha parte, estou disposto a sustentar o óbvio: com todas as imperfeições, hesitações, cumplicidades e todos os outros tipos de baixezas e comportamentos imorais, chegando ao delitivo, que se possam assinalar como correntes e com frequências impunes nos EUA, essa impunidade é *menos provável* lá do que em qualquer outro lugar (exceto talvez na Grã-Bretanha e nos países escandinavos, *também protestantes*); e a sociedade norte-americana é evidentemente muito mais capaz do que a sociedade latino-americana de tornar potencial ou realmente custosos para os transgressores esses comportamentos mediante os quais os transgressores *demonstram não ser o que aparentam.*

Isso é o fundamental. A sociedade latino-americana (católica) se satisfaz facilmente com as aparências (aparência de boa conduta, de responsabilidade familiar e paterna, de talento, de probidade, de erudição, de patriotismo, de radicalismo revolucionário, de heterossexualidade, *de religiosidade*). Ao mesmo tempo, a sociedade latino-americana tem sido muita limitada quanto ao leque de comportamentos *ostensivos* admitidos e, de fato, é por influência norte-americana que nós, os latino-americanos, nos tornamos recentemente um pouco mais tolerantes em relação aos comportamentos heterodoxos.

Em contraste, a sociedade norte-americana (protestante) parece, na prática, muitíssimo mais exigente do cumprimento do que cada um *pretende ser*. E é, com certeza, nessa exigência, que é razoavelmente *eficaz*, onde reside, em grande parte, a *confiabilidade* e a *produtividade* de uma proporção da população norte-americana suficientemente importante para ser determinante, principalmente entre os grupos que colonizaram as regiões protagonistas do básico de liderança e dinamismo norte-americanos.

USOS E ABUSOS DA INTELIGÊNCIA

Para os latino-americanos, essas reflexões são profundamente desagradáveis e, por isso mesmo, preferimos em geral ignorá-las ou evitá-las. Ou as compensamos, referindo-nos a valores distintos e *mais elevados* que o comportamento prosaico bom e pontual nos assuntos cotidianos, que é uma virtude de comerciantes e de nada vale ao lado de uma boa angústia existencial ou de um arrependimento *in articulo mortis* (na hora da morte).

Em *O labirinto da solidão*, Octavio Paz reconhece que, nos EUA, existe:

> ... uma crítica corajosa e assertiva, que não é muito frequente nos países do Sul [...]. Mas essa crítica respeita a estrutura dos sistemas e nunca desce até as raízes. Recordei-me então daquela distinção que Ortega y Gasset fazia entre os usos e os abusos, para definir o que denominava 'espírito revolucionário'. O revolucionário é sempre radical; quer dizer, não almeja corrigir os abusos, mas os próprios usos. Quase todas as críticas que ouvi em lábios norte-americanos eram de caráter reformista: deixavam intacta a estrutura social e cultural e apenas tendiam a limitar ou a aperfeiçoar estes ou aqueles procedimentos [...].
>
> Quando cheguei aos Estados Unidos, o que me espantou, acima de tudo, foi a segurança e a confiança das pessoas, sua evidente alegria e sua conformidade com o mundo que as rodeava [...]. Por outro lado, tinham me falado do realismo americano e de sua ingenuidade; qualidades que aparentemente se excluem. Para nós, um realista sempre é um pessimista. E uma pessoa ingênua não pode ser ingênua durante muito tempo se contempla a vida com realismo verdadeiro. Não seria mais exato afirmar que os

norte-americanos não desejam conhecer a realidade tanto como utilizada? Em certos casos — por exemplo, diante da morte — não só não querem conhecê-la, como visivelmente evitam sua ideia [...]. Assim, o realismo americano é de uma espécie muito particular, e sua ingenuidade não exclui a dissimulação e até a hipocrisia. Uma hipocrisia, que é um vício de caráter, também é uma tendência de pensamento, pois consiste na negação de todos aqueles aspectos da realidade que nos parecem desagradáveis, irracionais e repugnantes.

Leopoldo Zea, também mexicano, propõe que o "homem ocidental", categoria determinada basicamente pela ética protestante:

> ... sem maiores arrependimentos, jogou pela amurada um passado que o estorvava [...]. Não ocorreu o mesmo com o ibérico, que se empenhou em prolongar seu passado cristão no futuro moderno. O ocidental [...] (cria) inclusive um cristianismo a serviço de seu futuro: o protestantismo.

Zea admite que o catolicismo espanhol estava destinado a ser um fóssil, um obstáculo, tanto para a própria Espanha como para suas colônias da América; mas, ao mesmo tempo, atribui-lhe uma superioridade *moral* sobre o protestantismo, já que *supostamente* reconhecia, na América, "humanidade em todos os homens, independentemente de sua raça, cor, cultura etc.".[4]

O mesmo argumento fora exposto de modo mais extenso e com maior profundidade e refinamento pela primeira vez por um agnóstico ou ateu latino-americano em 1950 (ano da primeira edição de *O labirinto da solidão*), e já então com o *leitmotiv* inevitável de todo o tipo de reflexões sérias de um latino-americano a respeito da América Latina: a comparação, na maioria das vezes forçadamente favorável à América Latina, com os Estados Unidos:

> É muito fácil rir da pretensão ultraterrena da sociedade colonial. E mais fácil ainda é denunciá-la como uma forma vazia, destinada a encobrir os abusos dos conquistadores ou justificá-los ante si mesmos e ante suas vítimas. Sem dúvida, isso é verdade, mas não é menos do que essa aspiração ultraterrena, que não era um simples acréscimo, mas uma fé viva [...]. O catolicismo é o centro da sociedade colonial porque, na realidade, é a fonte de vida que nutre

as atividades, as paixões, as virtudes e até os pecados de servos e senhores, de funcionários públicos e sacerdotes, de comerciantes e militares. Graças à religião, a ordem colonial não é uma mera sobreposição de novas formas históricas, mas um organismo vivo. Com a chave do batismo, o catolicismo abre as portas da sociedade e a transforma em uma ordem universal, aberta a todos os colonizadores [...]. Sem a Igreja, o destino dos índios teria sido muito diferente. E não penso apenas na luta empreendida para adoçar suas condições de vida e organizá-los de maneira mais justa e cristã, mas na possibilidade que o batismo lhe oferecia de tomar parte, pela virtude da consagração, de uma ordem e de uma Igreja. Pela fé católica, os índios, em situação de orfandade, rompidos os laços com suas antigas culturas, mortos seus deuses tanto como suas cidades, encontram um lugar no mundo. Essa possibilidade de pertencer a uma ordem viva, mesmo que fosse na base da pirâmide social, foi impiedosamente negada aos nativos pelos protestantes da Nova Inglaterra [...]. A Nova Espanha (México) conheceu muitos horrores, mas pelo menos ignorou o mais grave de todos: negar um lugar, mesmo que fosse o último na escala social, aos homens que a compunham. Havia classes, castas, escravos, mas não havia párias, pessoas sem condição social determinada, ou sem estado jurídico, moral ou religioso.[5]

A cultura latino-americana revolucionária, realista, radical, humanista, fraterna, participativa e católica não tinha nada a invejar (pelo contrário) à cultura norte-americana reformista, hipócrita, conformista, racista, individualista, atomizada e protestante, mediocremente preocupada em corrigir abusos, em vez de aspirar à perfeição.

Sinto imensa admiração pelo grande Octavio Paz, mas semelhante idealização da cultura católica colonial latino-americana me parece singularmente distante da realidade.

Na cultura latino-americana atual, onde estão os vestígios de tanta beleza? E ao medir a influência do catolicismo sobre a América Latina não é suficiente nos referirmos à ordem colonial. No entanto, hoje, a maioria dos dirigentes latino-americanos *de todos os setores* receberam ao menos parte de sua formação em escolas, liceus e universidades católicas, e, sem dúvida, fizeram o batismo e a comunhão, mas sem que a educação e os sacramentos pareçam ter afetado o egoísmo, a inépcia ou a capacidade de dissimulação das classes dirigentes latino-americanas, que não são somente os ricos ou os políticos, mas que incluem, com muito destaque, os *intelectuais* "progressistas" que tanto se entusiasmaram com *Ariel*, e que, mais recentemente, estão descobrindo as virtudes das sociedades rigidamente hierarquizadas, onde, em contraste com o execrável liberalismo, cada um tem o seu lugar, ainda que seja no último degrau da escala social.

OS FRADES DA CONQUISTA

A conquista religiosa do Novo Mundo foi tão surpreendente quanto a conquista militar. O catolicismo espanhol do final do século XV era uma fé militante e militarizada, consubstancial com a guerra da *Reconquista* contra os infiéis muçulmanos, que terminou justamente com a tomada de Granada em 1492, ano do descobrimento da América. Já se falou muito, mas de fato é necessário repetir que a coincidência do descobrimento com o término dessa guerra político-religiosa tornaria a aventura americana um desaguadouro ou válvula de escape para energias e recursos que sem ela teriam ficado repentinamente ociosos. Sem o descobrimento, a Espanha teria quase certamente se comprometido muito no norte da África. Quando Colombo regressou com a boa nova de ter encontrado uma nova rota para as *Índias*, os espanhóis se empenhariam em outro projeto, infinitamente mais sedutor, no qual investir seu excedente de energia. E, nesse projeto, a evangelização cristã não viria a se distinguir do objetivo político ou econômico. Melhor, parecia ser prioritária, primordial. No começo da organização colonial hispano-americana, os frades acabariam sendo pelo menos tão numerosos quanto os funcionários públicos, e mais importantes. Invariavelmente, as igrejas e suas dependências foram os primeiros edifícios de alvenaria no rosário de povoados fundados pelos expedicionários.

Da seriedade e sinceridade da fé cristã na Espanha do século XVI, dá testemunho o grande e angustiado debate que muito em breve seria suscitado em relação à natureza dos direitos dos indígenas americanos. A partir do momento em que se admitia que os "índios" eram seres humanos, dotados de alma, tão filhos de Deus quanto os cristãos que os tinham subjugado, sua escravidão resultava ilícita. Assim, as almas de seus subjugadores ficavam em perigo de perdição, e até a do rei, em cujo nome e benefício se realizava a conquista.

Pela primeira vez na história, para a honra *intelectual* da Espanha e do catolicismo, o debate acabaria por decidir *teoricamente* (mas não na prática) contra o direito dos mais fortes de escravizar os mais fracos. Existiram teólogos defensores da doutrina aristotélica referente à conformidade da escravidão com a lei natural; mas, contra essa tese, foi decisivo o testemunho dos frades que vieram especialmente da América para sustentar o ponto de vista oposto. Entre esses frades, o mais notável foi o frei Bartolomeu de las Casas, que, em 1550, em debate convocado pessoalmente por Carlos V em sua corte imperial de Valladolid, sustentou que os índios americanos eram tão homens como os europeus, capazes de fazer igualmente bem tudo aquilo que um europeu podia fazer, exceto colocar ferradura em um cavalo. Las Casas admitiu que os índios americanos faziam sacrifícios humanos, mas não vacilou em alegar (com um raciocínio que Jacques Soustelle retomaria ao seu modo anos mais tarde) que os homens mais profundamente religiosos são os que oferecem a Deus o maior sacrifício, de forma que aqueles que imolam outros homens nos altares tinham um conceito muito elevado da Divindade. Esse traço revela o temperamento, ao mesmo tempo, excepcional e arbitrário de Las Casas, um desses homens que, movidos pela indignação e apegados a certas convicções e conclusões, estão dispostos a empregar o exagero e até a inexatidão e o sofisma para defender seus pontos de vista, e que não vacilariam em os impor pela força se chegassem a tê-la. Nesse sentido, Las Casas é um antecessor genuíno dos atuais "padres revolucionários" latino-americanos, que corretamente enxergam nele um herói e precursor e, a propósito, um testemunho da presença do Espírito Santo em um drama histórico que mesmo assim terminaria muito mal para os índios americanos.

Uma bula pontifícia de 1597 decidiu a questão do ponto de vista *teórico*. Os índios foram reconhecidos como *homens*, com alma, iguais aos europeus. Ao mesmo tempo, como *pagãos* e *selvagens*, eram tidos como inferiores, do mesmo modo como são inferiores as crianças antes da idade da razão. A missão dos colonizadores espanhóis teria de ser *protegê-los* e *evangelizá-los*, empregando-os, ao mesmo tempo, moderadamente, como trabalhadores (em nenhum caso, como escravos).

A IGREJA, INSTRUMENTO DE CONTROLE SOCIAL

É desnecessário dizer que esses bons princípios não foram cumpridos em nenhum lugar. Em Cubagua, os índios foram obrigados a mergulhar em busca de pérolas até arrebentarem os pulmões. Nas minas do Peru, não tinham permissão para sair à superfície; viviam e morriam nas profundezas da terra. Nas *encomiendas*, as terras adjudicadas a cada colono, com certa quantidade de "almas" indígenas que o colono devia supostamente tutelar e evangelizar, o sistema de trabalho não se diferenciava da mais dura escravidão.

Os juízes mais severos da colonização espanhola imaginam uma população indígena muito numerosa dizimada quase até a extinção por esses procedimentos. Na realidade, é duvidoso que a população pré-colombiana da América Espanhola tenha sido numerosa. As estimativas mais verossímeis indicam, por exemplo, que o Império Asteca não alcançava um milhão de súditos. A capital, Tenochtitlán, tinha uma área de menos de cinco quilômetros quadrados, o que é indício conclusivo de uma população reduzida. No Império Inca, Cusco era a única cidade de alguma importância. Cálculos muito cuidadosos, realizados com base no uso ideal da terra cultivável com os métodos disponíveis antes da conquista e da colonização espanholas, levam à conclusão de que a área que o Peru moderno ocupa hoje não pode ter sustentado mais do que um milhão e meio de habitantes.

Tanto no México como no Peru (as zonas mais povoadas, por meio das quais, qualquer estimativa feita para elas, vale com muito mais razão para qualquer outra região), a escassez de índios para repartir em *encomiendas* foi um dos problemas mais graves do século XVI.[6]

Esses números contrastam com outros, exagerados, que durante muito tempo foram considerados confiáveis, e em relação aos quais se construiu a lenda do extermínio de grande quantidade de indígenas pelos espanhóis. De fato, apesar de todos os maus-tratos e do efeito da transferência pelos espanhóis ao Novo Mundo de enfermidades eruptivas, que, por serem desconhecidas, resultaram inicialmente devastadoras, a população indígena quase certamente não decresceu de forma significativa em nenhum momento; inclusive, a partir do final do século XVII, provavelmente superou os números pré-colombianos e continuou crescendo até hoje.

Os indígenas da América Espanhola, longe de serem exterminados, continuaram formando a imensa maioria da população, junto com os *mestiços*, gerados com fúria devassa pelos conquistadores. E, rapidamente, o papel da Igreja passou a ser não aquele que o frei Bartolomeu de las Casas e outros como ele tinham desejado, mas o de peça principal do sistema de autoridade e controle, mediante o qual um número relativamente muito pequeno de colonos brancos, e seus descendentes legítimos, os *criollos*, manteriam submissas e dóceis as *massas* de escravos índios, negros, mestiços, mulatos, *zambos* etc. Na ordem católica colonial, todos esses servos tinham seu *lugar*, como afirmou Octavio Paz, mas justamente na base da pirâmide, nos últimos degraus da escala social.

O TRIUNFO DA INQUISIÇÃO

O caráter perfeitamente deliberado de semelhante desenho social está presente nas instruções reais trazidas ao Peru pelo vice-rei Francisco de Toledo em 1560. O vice-rei chegou prevenido a respeito do problema que significavam os freis pró-indígenas, da estirpe de Las Casas, e com instruções precisas de expor de imediato cada caso aos bispos, para impedir que a imprudência daqueles agitadores se degenerasse em escândalos perniciosos para a autoridade da Coroa e da Igreja. Uma das primeiras atitudes que o novo governante da colônia mais importante do Império Espanhol da América tomou foi reunir-se com a alta hierarquia eclesiástica de Lima e Cusco. A Inquisição acabava de ser estabelecida no Peru e o propósito de reunião convocada pelo vice-rei Toledo seria justamente determinar de comum acordo com os bispos se os mecanismos do Santo Ofício não poderiam ser mais utilmente utilizados não para descobrir e castigar hereges inexistentes (os índios ainda não convertidos não eram hereges, mas pagãos inocentes, objeto de evangelização e não de investigação quanto à pureza da fé), mas para impor obediência e silêncio a religiosos pregadores de opiniões contraditórias à ordem político-eclesiástica que a Coroa e a Igreja tinham moldado para a América Latina e estavam dispostas a defender sem contemplações, como demonstrou o próprio Toledo ao inaugurar o vice-reinado com a execução exemplar do príncipe inca Túpac Amaru,[7] que se negava a acatar a soberania imperial espanhola e a religião católica.

Na Nova Espanha (México), onde a Inquisição seria estabelecida um ano depois (1571), ocorreu uma evolução semelhante. Rapidamente, na América, essa organização tenebrosa adquiriu poderes muito extensos e, além disso, mal definidos. Seus anátemas, suas proscrições e suas ordens de prisão não poderiam ser objeto de apelação. Em princípio, o "braço secular" da autoridade civil deveria obediência e cooperação irrestritas à Inquisição. Os próprios vice-reis chegariam a temê-la. Inevitavelmente, um poder tão grande e tão isento de controle acabaria utilizado não só para perseguir e descobrir supostos ou raros hereges, mas também para conseguir direitos, privilégios e riqueza para seus detentores e para a Igreja.

No século XVI, chegaram ao fim os tempos heroicos da conquista e da colonização. No século XVII, e mais ainda no XVIII, a Igreja estava quase completamente depurada de idealistas e agitadores e se mostraria solidamente estabelecida como sócia paritária, simoníaca e simbiótica do poder temporal. Os sacerdotes se tornaram sedentários, amantes da boa vida, membros destacados das oligarquias *criollas*. E a Igreja se tornou menos interessada em salvar almas do que em melhorar seu domínio confessional sobre a sociedade e em aumentar seu patrimônio. De diversas fontes, tais como dízimos, doações da Coroa e de particulares, dotes de freiras e frades, heranças, um imenso caudal aos poucos se formou, terminando por tornar a Igreja colonial hispano-americana a maior proprietária de imóveis e terras (no México, chegou a possuir um quinto do território) e a maior proprietária de escravos. A tradição de Las Casas nunca desapareceu completamente (não podia desaparecer enquanto os Evangelhos não fossem postos no Índex), de modo que não é surpreendente que tenham existido sacerdotes "de misa y olla" (padres de poucos estudos e pouca autoridade), que simpatizavam com a emancipação ou que fossem seus instigadores diretos movidos por ideais de justiça social, como aconteceu no México, com Hidalgo e Morelos (ambos padres pobres, de paróquias miseráveis; Morelos, mestiço), em uma época (1810) em que os *criollos* mexicanos permaneciam rigorosamente fiéis à Coroa. Contudo, na América, a Igreja como tal tornou-se muito rapidamente uma instituição de poder, riqueza e privilégio, cuja identidade beligerante com toda a estrutura política e social do Antigo Regime se viu, além disso, fortalecida (e foi assumida com consciência renovada) pelo "escândalo" da Revolução Francesa e pelo auge, ainda antes, do liberalismo *ilustrado* e anticlerical.

AS MISSÕES DO PARAGUAI

Apenas os jesuítas simpatizaram com a independência da América Espanhola e, por motivos muito específicos, originados na expulsão da Ordem de todos os domínios do rei da Espanha em 1767, depois de os discípulos de Santo Inácio terem conseguido edificar na América uma ordem teocrática cristã sem dúvida deprimente para um espírito liberal, mas que é um dos poucos exemplos históricos de um regime socialista consequente com seus princípios.

Os jesuítas chegaram ao Paraguai em 1588. Em pouco mais de um século (antes de 1700), chegaram a criar nessa região da hinterlândia hispano-americana cerca de 300 missões denominadas *reducciones*,[8] com não menos do que 100 mil índios.

Cada *reducción* irradiava de uma praça central, onde um dos lados era ocupado pela igreja e sua sacristia, e os outros três, por dormitórios para 100 ou mais famílias, com habitações separadas para cada família. De madrugada, os homens em idade de trabalhar saíam rumo aos campos de lavoura, conduzidos por um irmão jesuíta, acompanhados de música e levando o andor com a imagem de um santo. No caminho, a procissão se detinha diversas vezes para orar em *estaciones*, que eram outros santuários. Gradualmente, de acordo com as exigências do trabalho, pequenos grupos iam se separando do grupo principal. Então, depois que todos os índios estavam distribuídos na terra cultivada, o sacerdote e os músicos regressavam aos galpões. Ao meio-dia, antes de almoçar, ocorriam outras devoções e o descanso. Em seguida, mais trabalho, e pouco antes do pôr do sol, o mesmo jesuíta e os músicos recolhiam o grupo de índios.

Outros índios, também enquadrados, ocupavam-se do gado. Outros ainda cuidavam do artesanato. Tudo era *propriedade comunitária*; um conceito que, não por acaso, os modernos partidos social-cristãos quiseram reviver, ainda que ninguém saiba ao certo como ele poderia ser aplicado em uma sociedade moderna, onde o paternalismo e a "socialização" da propriedade dão resultados que já não podem ser qualificados de imprevisíveis. Em troca do trabalho, os índios das missões recebiam parte do que a comunidade produzia autarquicamente e, além disso, parte do que "importava" em troca da "exportação" do excedente (coisas como facas, tesouras e óculos).

A atitude dos jesuítas em relação aos indígenas era a de adultos encarregados da guarda e da custódia de menores permanentes, de crianças as quais não se supunha nem se esperava que chegassem à idade adulta, à razão e à maturidade. Os "neófitos" (como eram chamados) não recebiam nenhum estímulo voltado para a responsabilidade, somente para a obediência. Não seria essa a realização, tão perfeita quanto jamais será possível novamente, de uma espécie de "cidade de Deus" na terra, ou de uma República platônica? Cabe perguntar se, no fim das contas, o pensamento político cristão não realizou seu ideal perene, imortal, na sociedade construída pelos jesuítas no Paraguai nos séculos XVII e XVIII.*

OS JESUÍTAS FORA DO SISTEMA (E CONTRA ELE)

Teria sido muito interessante, e de todos os pontos de vista seria desejável, que essa experiência pudesse ter continuado indefinidamente. De fato, sua aparente viabilidade foi sua ruína. A riqueza e o poder dos jesuítas no Paraguai (e em todo o Império espanhol) converteram-se em um argumento eficaz contra eles por parte dos inimigos da Ordem, desde outros membros da Igreja até a sociedade maçônica, no auge de sua potência e atividade justamente no século XVIII.

Além disso, as missões jesuítas do Paraguai eram uma reprovação implícita ao sistema de colonização e de "redução" dos indígenas empregado no restante da América espanhola; e a riqueza que tinham acumulado constituía uma tentação para os colonos espanhóis do Sul e para os colonos portugueses do Norte. Quando estes últimos faziam incursões escravocratas no território das missões jesuítas, os primeiros viam essas agressões com indiferença ou com simpatia, já que desejavam e esperavam a destruição das missões jesuítas para se apoderar das terras que os missionários e os "neófitos" tinham desmatado e cultivado, e para *reduzir* os indígenas, mas, dessa vez, à escravidão.

Em 1767, o rei Carlos III, movido por uma mistura de ideias "ilustradas" e de pressões coloniais (inclusive eclesiásticas), expulsou os jesuítas do Império Espanhol e confiscou para a Coroa todas as suas propriedades. O clero não

---

* Assentamentos semelhantes foram estabelecidos pelos jesuítas espanhóis no sul do Rio Grande do Sul: os Sete Povos das Missões. São consideradas exemplos de comunidades que, hoje, chamaríamos socialistas. (N.E.)

jesuíta e funcionários públicos se mudaram para o Paraguai, para se encarregar das *reducciones*. Em poucos anos, os índios se dispersaram. Alguns voltaram para suas formas primitivas de vida. Outros foram escravizados. As missões ficaram em ruínas. Os rebanhos foram dizimados ou se tornaram animais selvagens. A selva reocupou as terras cultivadas.

Espalhados pela Europa, os jesuítas americanos se tornariam adversários perigosos do Império Espanhol da América, distintos nesse aspecto do restante do clero americano. O livre-pensador Francisco de Miranda se deu conta de tudo o que isso podia significar para seu desejo de destruir esse império e estabelecer nações independentes em seu lugar. Da mesma forma, os ingleses também concordavam, por seus próprios motivos, com o projeto independentista hispano-americano. Existe documentação de conversas entre Pitt e Miranda a respeito do partido que se podia tirar de tantos e tão eminentes americanos desterrados e motivados contra o domínio espanhol. Juan José Godoy, jesuíta *criollo*, colaborou com Miranda na expedição que o Precursor[9] preparou dos Estados Unidos para invadir e sublevar a Venezuela em 1806.

De todos os jesuítas americanos expulsos em 1767, o mais conhecido foi o peruano Juan Pablo Vizcardo y Gusmán, autor de *Carta a los españoles americanos*, que é um dos documentos mais eloquentes, apaixonados e terríveis entre os que prepararam a emancipação das colônias espanholas da América. Miranda cuidou de sua impressão em francês na Filadélfia, em 1799, e em espanhol, em 1801, pondo a obra em circulação do México até Buenos Aires.

Mas, sem dúvida, os jesuítas americanos desterrados representavam um ponto de vista heterodoxo e dissidente na instituição eclesiástica. Para o Santo Ofício, em julgamento emitido em Roma, em 1810, a *Carta* de Vizcardo é uma das "produções mais letais, libertinas e incendiárias que jamais se viu, muito mais temível e mais perigosa na América do que todos os cânones do atual déspota e intruso Bonaparte".

O ANTICLERICALISMO LATINO-AMERICANO

O século XIX seria uma noite escura para a Igreja Católica no mundo, e em nenhuma parte mais do que onde tentou se aferrar a seus antigos privilégios, aliada de modo defensivo e reacionário daqueles que pretendiam manter ou restaurar o Antigo Regime. Porque nesses lugares, a Igreja acabaria pagando com o desinteresse e até com a hostilidade ativa das populações, com uma conservação precária e, no final das contas, efêmera de poderes, propriedades e benefícios contraditórios com sua missão evangelizadora.

Na América Espanhola, vimos que o primeiro abalo revolucionário deixou a Igreja praticamente incólume. No entanto, após meados do século XIX, e com poucas exceções (a Colômbia sendo a mais notável), as repúblicas hispano-americanas se tornaram *liberais* e *laicas*, o que não significou maiores ganhos para as populações, apenas grandes perdas para a Igreja. Porque os *liberais* latino-americanos se tornariam, quando muito, democratas oligárquicos (Argentina e Chile), e, na maioria das vezes, caudilhos autocráticos. Mas o que careciam de liberalismo verdadeiro em sua atuação política, compensariam com um anticlericalismo radical. Despojaram a Igreja de privilégios e propriedades, restringiram ou proibiram as congregações religiosas, instauraram o registro civil no lugar do livro paroquial, tornaram o casamento civil requisito prévio ao casamento religioso, proibiram o culto religioso fora dos templos, estimularam a educação laica, possibilitaram o divórcio. Inclusive, diversas repúblicas chegaram a romper relações diplomáticas com o Vaticano (México, Cuba e Uruguai).

Um documento recente do episcopado venezuelano diz que:

> ... a situação da Igreja sofre ainda os efeitos das medidas persecutórias sofridas no final do século XIX e que interromperam durante várias décadas a existência ou o funcionamento normal de diversas instituições eclesiásticas, tais como seminários etc."[10]

O que esse documento não diz é que, ao perder a engrenagem com o poder temporal, a religião católica percebeu que seu trabalho evangélico de três séculos e meio tinha sido frágil. Para os homens das classes dominantes latino-americanas, a religião, depois de ter sido um instrumento de poder, tornou-se (com a moda do "liberalismo") um assunto de "mulheres".[11] As boas senhoras, por seu lado, viviam o cristianismo, a missa, a confissão como uma distração e, inclusive, como a única distração em vidas de tédio e insignificância. Fé viva importante não existia, exceto nas classes populares, e mesmo ali, por meio de um equívoco, pois para o povo *pardo* latino-americano, o culto católico está ligado a todo tipo de superstições pagãs; e, inclusive, entre os índios puros do México, Guatemala, Colômbia, Equador, Peru e Bolívia, está sobreposta ao cerne de teogonias pré-colombianas.* Reveladora de abismos é a forma como um índio puro mexicano concebe a identidade e o significado das imagens que vê na igreja de seu povoado, explicando o que significam para ele e para sua raça:

> Este que está encaixotado é o senhor São Manuel; chama-se também senhor São Salvador ou senhor São Mateus; é ele que cuida das pessoas, das criaturas. Pede-se para que ele cuide das pessoas na casa, nos caminhos, na terra. Este outro que está na cruz também é o senhor São Mateus; ele está ensinando, está mostrando como se morre na cruz, para nos ensinar a respeitar. Antes de São Manuel nascer, o sol estava frio como a lua. Na terra, viviam os *pukujes*, que comiam pessoas. O sol começou a esquentar quando nasceu o menino Deus, que é filho da Virgem, o senhor São Salvador.[12]

O Cristo está mostrando como se morre na cruz, *para nos ensinar a respeitar*. Será necessário acrescentar algo para entender o que, do ponto de vista de *controle social*, significou a cristianização da América Latina? Ou por que a Igreja tem tão pouco prestígio moral entre nós?

A "CONSPIRAÇÃO ANTICRISTÃ JUDAICO-PROTESTANTE-MAÇÔNICA-LIBERAL-MARXISTA"

Esse prestígio não cresceu com a atuação da Igreja no mundo e na América Latina até a Segunda Guerra Mundial. Com certeza, a recuperação do sentido evangélico da Igreja Católica, ao mesmo tempo transcendente e humanista, teve seu ponto de partida com a encíclica *Rerum Novarum* (1891), com a qual o papa Leão XIII reconheceu a existência da *questão social* e a necessidade da Igreja de encontrar uma resposta satisfatória ao desafio do socialismo marxista. Nessa e em outras encíclicas *sociais*, os movimentos políticos

---

* Fenômeno que no Brasil seria chamado de "sincretismo religioso": adição das religiões africanas e indígenas (essas bem menos) às crenças católicas. (N.E.)

social-cristãos encontraram sua motivação e sua direção, dos quais, na América Latina, dois conseguiram, até o momento, ganhar eleições e exercer o poder durante um período constitucional: Chile (1964-70) e Venezuela (1969-73). Porém, até a morte de Pio XII, a Igreja parecia continuar obcecada com suas derrotas para o liberalismo, e sem conseguir fazer uma distinção entre liberalismo e marxismo.

Nesse sentido, a confusão era tão grande que alguns líderes social-cristãos hoje muito importantes (e, de certo modo, *liberais*), em sua juventude sentiram-se identificados com a Falange espanhola e levaram a sério as pretensões de Franco de ser o defensor da fé contra as hordas vermelhas.

Um testemunho muito interessante do que, até muito recentemente, a Igreja significava para os liberais e democratas latino-americanos, por todos os antecedentes que vimos, e pela atuação das hierarquias até praticamente ontem, encontra-se no livro já mencionado de Juan José Arévalo,[13] presidente *aprista* da Guatemala entre 1945 e 1950. Depois de relatar o quão merecidamente a Igreja perdera seus privilégios e a maior parte da influência na América Latina, inclusive na área muito importante da educação, Arévalo observa (em 1959) que:

> ... a batalha contra o laicismo (não foi abandonada pela Igreja) na América Latina [...]. Na Guatemala, caíram juntos (em 1954) o laicismo e o governo popular [...]. Na Colômbia [...] a Igreja jamais (perdeu) seu comando político. O arcebispo de Bogotá foi o grande eleitor da República [...]. A Argentina sofre (a reação clerical) desde 1943, quando clérigos e militares simpatizantes de Hitler invadiram a Casa Rosada.[14] O primeiro discurso presidencial daquela 'revolução'[15] foi redigido por um sacerdote. Aqueles de nós que, na universidade, representávamos[16] a 'velha guarda' liberal e laicista, vimos desde dentro a revanche *antikomunista*[17] que se mostrou contrária aos simpatizantes (da causa aliada na Segunda Guerra Mundial) [...]. (O peronismo foi portador de um) *revanchismo eclesiástico.*

Muitos adultos esqueceram e muitos jovens jamais se inteiraram de quais eram as explicações que as autoridades católicas davam, até há pouco, da evolução da sociedade ocidental desde o século XVII até os nossos dias. Arévalo cita um certo monsenhor José María Caro (latino-americano), que, em um livro escrito em 1918, mas atualizado e reeditado em 1954, sustentava que essa evolução se explicava inteiramente por uma conspiração universal "contra o altar e o trono", com a finalidade de fazer a humanidade regressar ao seu "estado de natureza".

Naquele momento, maçons, liberais e comunistas (a mesma coisa) proporiam uma nova religião: a adoração de Lúcifer. Durante muito tempo, a maçonaria se valeu do liberalismo como disfarce. Em uma etapa mais avançada de seu plano realmente diabólico, seu veículo passara a ser o socialismo marxista. E tudo isso, claro, a serviço dos judeus: "Ultimamente, os autores manifestam às claras a íntima relação do judaísmo com a maçonaria e com os partidos revolucionários, do socialismo ao bolchevismo". O objetivo? Ora, naturalmente, "a destruição do cristianismo para o judeu alcançar o predomínio do mundo".[18]

Para esse autor católico, entre os marcos fundamentais no progresso da conspiração judaico-maçônica, destacavam-se a Revolução Inglesa de 1649, a expulsão dos jesuítas de Portugal, em 1759, e do Império Espanhol, em 1767, a Revolução Americana, de 1776, a Revolução Francesa, de 1789, a Emancipação Hispano-Americana, de 1810 a 1824, as revoluções de 1848 na Europa, as reformas liberais na América Latina na segunda metade do século XIX, o *Risorgimiento* italiano, de 1859 a 1870, a Revolução Russa, de 1917, e a República Espanhola, em 1931.

Na mesma medida, consideravam-se judaico-maçônicas todas as instituições humanas que, de algum modo, enfraqueceram a influência da Igreja Católica ou, sendo importantes, não foram ativamente pró-católicas. A lista é longa, como bem se pode imaginar, incluindo a Liga de Defesa dos Direitos do Homem, os escoteiros, a Festa da Árvore, a educação laica, a Associação Cristã de Moços etc.

De semelhante perspectiva, uma área delicada e difícil de analisar e explicar era o papel dos EUA no mundo. A primeira potência liberal e protestante só podia ser reconfortante e utilíssima para "a conspiração judaico-maçônica".

Por exemplo, em 1953, Gustavo Rojas Pinilla, ditador militar da Colômbia, disse: "A atividade dos missionários protestantes na Colômbia constitui o maior perigo para a unidade nacional e para a solidariedade americana". Acrescentou que a atividade dos missionários protestantes provocava na Colômbia a perda da fé religiosa e, assim, servia ao comunismo. Nos oito anos entre 1949 e 1957, 47 igrejas e capelas protestantes foram incendiadas ou dinamitadas na Colômbia e 76 pessoas protestantes foram assassinadas. Em 1957, Pio XII especificou quais eram os perigos para a Igreja Católica na América Latina: o comunismo e o protestantismo. Para o monsenhor Caro, citado por Arévalo, nos EUA, "a maçonaria passou de seus templos aos arranha-céus e destes ao Pentágono", e Porto Rico seria "um despojo de guerra ganho maçonicamente pelos hereges do Potomac".

Porém, em 1954, os EUA também eram a primeira potência anticomunista e os defensores, na América Latina, de uma ordem social com a qual a Igreja, sendo anticomunista, estava profundamente comprometida. Quando o coronel Castillo Armas, cúmplice da CIA na *desestabilização* (1954) de Jacobo Arbenz, presidente da Guatemala, foi assassinado, o arcebispo da Guatemala, que estava na ocasião em Washington, regressou apressadamente em um avião militar norte-americano, acompanhado por um filho do presidente Eisenhower, que vinha à cerimônia fúnebre representando seu pai. Juan José Arévalo assegura, ainda que pareça inverossímil, que, em sua oração fúnebre pelo tirano assassinado, o arcebispo disse que Castillo Armas fora "bom como Cristo", quando a única coisa certa é que fora um fantoche dos norte-americanos.

A GRANDE VIRADA DA IGREJA

Hoje, *Antikomunismo en América Latina*, o livro de Arévalo, publicado em 1959, parece singularmente anacrônico no capítulo dedicado à Igreja Católica, reafirmando o que todos já sabiam e o que todos pensavam sobre a postura inflexível e reacionária da Igreja Católica no mundo, e mais na América Latina do que em qualquer outro lugar.

Contudo, não é difícil imaginar que, já muitos anos antes da morte de Pio XII, muitos dos personagens mais importantes da Igreja e da Cúria Romana, entre eles os papas João XXIII e Paulo VI, estavam perfeitamente conscientes do anacronismo da Igreja em relação às realidades políticas do mundo. Com o império comunista no centro da Europa desde 1945, e estendido à China desde 1949, a Igreja podia continuar interpretando o mundo de uma forma tão primária como a do monsenhor Caro, ou tão inflexível, como a dessa intransigente testemunha do anticomunismo, o cardeal Mindszenty, refugiado desde 1956 no consulado norte-americano de Budapeste?

Além disso, algo muito interessante estava acontecendo. Nos países católicos onde o comunismo se convertera na religião do Estado, como na Polônia e na Hungria, a Igreja não só fora destruída, como estava conseguindo duas coisas inesperadas e complementares: ser a única instituição não governamental e, assim, interlocutora privilegiada, se não a única, dos governos; e, ao mesmo tempo, ganhar para si a simpatia e a adesão dos indivíduos e dos núcleos sociais anteriormente indiferentes ou hostis à Igreja, *laicos ou anticlericais*. O mesmo ocorre com o judeu nominal que não seja um filósofo estoico: ao se ver inserido dentro do universo totalitário comunista, descobre que a religião é a única outra interpretação global do sentido da existência humana que vai lhe permitir se situar em uma perspectiva que torne tolerável sua situação imediata; e a Igreja (ou, no caso dos judeus, a sinagoga) seria a única instituição social, cultural e recreativa que escapava da doutrinação medíocre e opressiva com que o comunismo tingia todo o tecido social.

Para a Igreja Católica, o fundamental seria, portanto, *negociar* com o Império Comunista sua sobrevivência em cada um dos países que pudessem ir sendo anexados por esse Império. Em seguida, o tempo ajeitaria os fardos.

Sendo correta, essa interpretação explicaria muitas coisas que ocorreram de 1958 para cá, e que, sem ela, pareceriam inexplicáveis, já que pareciam extrapolar, no sentido de uma *legitimação* por parte da Igreja dos regimes comunistas estabelecidos, assim como de uma certa coincidência tática de católicos com os movimentos revolucionários "terceiro-mundistas", as palavras de ordem de "atualização" e as formulações *sociais* do Concílio Vaticano II e das encíclicas *Mater et Magistra* (1961) e *Pacem in Terris* (1963), do papa João XXIII, e *Popularum Progressio* (1967), do papa Paulo VI.

A DIVINA SURPRESA

As coincidências táticas e a simpatia mútua entre cristãos e comunistas, onde aconteciam, e, destacadamente, na América Latina, viram-se facilitadas por toda uma nova família de argumentos anticapitalistas e guias éticos comunistas, tornados obrigatórios pelo fracasso das sociedades comunistas em cumprir as promessas marxistas de abundância ilimitada de bens materiais assim que a economia fosse libertada dos impedimentos da propriedade privada e da busca do lucro. Como isso não aconteceu e, ao contrário, surgiram justaposições tão embaraçosas como as das duas Alemanhas (e, em geral, das duas Europas), os comunistas deixaram de prometer a abundância sem limites e se tornaram apologistas da pobreza exemplar e compartilhada por todos, como alternativa à *sociedade de consumo* capitalista, a qual, pelo mesmo excesso de satisfações materiais que oferece e que *anuncia* (o pecado da *publicidade*) — e que, de fato, em que pesem todas as desigualdades que se pode contabilizar, estão ao alcance das massas — causaria uma corrupção materialista e vulgar das aspirações do ser humano, que não devem ser a comodidade egoísta, mas o coletivismo fraterno e desinteressado.

O *homem novo*, em Cuba, na China, no Vietnã etc., não possui praticamente nada, mas (segundo essa tese) seria dono de si mesmo, não está alienado por geladeiras, aspiradores de pó ou televisores, e muito menos por programas de rádio ou tevê, que, junto com anúncios para essas e mil outras coisas, veiculam informações ou opiniões diferentes daquelas que o *homem novo* deve conhecer e pensar. Toda a sua satisfação na vida resultará de saber que o sacrifício de suas aspirações como indivíduo é o preço da justiça, do triunfo do bem sobre o mal, da *redenção*.

Dessa maneira, o comunismo desembocou inesperadamente em uma coincidência quase perfeita com formulações ascéticas e antimercantis muito antigas e muito enraizadas, que, em outra época, rejeitara como obscurantistas e mentirosas, destinadas a enganar e a adormecer os seres humanos com promessas de uma felicidade celestial em troca da pobreza neste mundo, enquanto, na realidade, estavam sendo explorados pelos capitalistas em aliança com os sacerdotes.

A Igreja, assim, após muitos séculos de pânico e desconcerto pelo auge do liberalismo capitalista, livre-pensador e secularista, teve a divina surpresa de se dar conta de que, no socialismo marxista, tem, não um inimigo ainda mais perigoso que o liberalismo, como acreditou a princípio (e também os marxistas), mas um aliado *tático* valioso na propagação da mensagem segundo a qual os maiores inimigos da salvação do homem são os mercadores, e a tarefa mais urgente é expulsá-los do templo.

Nessa curiosa coincidência tática, não é certo que o cristianismo termine por ficar com a pior parte, como acreditam firmemente os comunistas. É possível ser cético em relação à correspondência exata do dogma católico com o plano transcendente do Universo e à existência de um Ser Supremo especialmente ocupado, por meio do Espírito Santo, em conduzir a Igreja até uma vitória final contra os infiéis, sem deixar por isso de julgar que se trata de formulações sutis e profundas relativas às angústias básicas da existência humana, de respostas persuasivas para cada problema e de uma metodologia com a qual enfrentar casuisticamente os desafios que a vida põe no caminho de cada um de nós. Por comparação, o *humanismo marxista* é de uma superficialidade e pobreza consternadoras, e os socialismos concretos são um terreno fértil extraordinário para o ressurgimento do espírito religioso.

Outra coisa era (e é) o liberalismo, o livre-pensamento, a livre discussão de ideias, a crítica e o questionamento constantes de todo o tipo de autoridade, a multiplicidade e o acesso ao uso, por indivíduos e grupos dissidentes, de meios de comunicação cada vez mais potentes e cada vez mais baratos,[19] e, sem dúvida, a prosperidade razoável, a execrável *sociedade de consumo*; todas as coisas que sobreviveram com o capitalismo e que o comunismo destrói, quando existem; aonde chega ao poder e trata por todos os meios de desacreditar como sem valor essencial (as liberdades) ou execrável (a sociedade de consumo, contra a qual difundiu, além disso, a tese de que só foi possível, onde existe, mediante a exploração dos países *proletários* pelos países *burgueses*) ali onde ainda se está lutando para alcançá-las.

Nas sociedades liberais, inclusive os países latino-americanos menos lastreados pelo feudalismo hispano-católico, as igrejas estão vazias; a consciência, ocupada por coisas diferentes da religião; e os jovens não afluem aos seminários, mas às universidades. Enquanto que em nenhum lugar a fé está mais viva do que na Polônia ou na Hungria. Não poderia algo semelhante ocorrer amanhã em Cuba e, depois, em outros países latino-americanos, tão despreocupados em sua fé, na mesma medida em que vão se transformando, alguns outros deles, em sociedades fechadas, enquadradas rigidamente pelo comunismo?

A argumentação anterior requer supor que a Igreja, em seus níveis mais altos de análise e decisão — e por Pio XII já não estar no meio (ou talvez antes, mas não podia ser Pio XII quem presidira a virada) —, concluiu que fora um erro monumental ser ponta de lança do anticomunismo mundial, por diversas razões:

1. Pelo fato de uma sociedade protestante, liberal, secular e materialista (os EUA) ser o núcleo mundial de oposição à expansão do Império Comunista;
2. Pelo fato de esse Império, depois da Segunda Guerra Mundial e da comunização da China, ser muito importante para que uma instituição eterna e universal como a Igreja fosse persistente em negar alguma conformação com uma realidade política tão sombria;
3. Pelo fato de o catolicismo não ter sido aniquilado, mas, pelo contrário, resistido e *prosperado como fé* nos países católicos controlados pelo comunismo, como Polônia e Hungria;
4. Pelo fato de a Igreja ter adquirido uma nova importância nesses países, como única instituição *não comunista* interlocutora organizada do Estado e como único *respiradouro* dessas sociedades fechadas.
5. Pelo fato de os comunistas terem se dedicado, nos países que não controlam, a pregar uma mensagem de ascetismo e antiliberalismo coincidente com as concepções, preocupações e até obsessões antiliberais da Igreja.
6. Pelo fato de o anticomunismo, na América Latina, exigir uma coincidência e, no fim das contas, uma *cumplicidade* em relação aos Estados Unidos, cuja influência preponderante, em uma zona do mundo tão importante para a Igreja Católica, acabaria inexoravelmente erodida pelo comunismo (em alguns casos) ou teria que ser acompanhada por uma identificação cultural e política cada vez maior pelos valores da civilização norte-americana, liberal, capitalista, pelo consequente enfraquecimento ainda maior da influência do catolicismo;
7. Pelo fato de sua identificação anterior com "os países imperialistas e as burguesias nacional-traidoras" resultar inconveniente para a Igreja no Terceiro Mundo, e sobretudo na América Latina; ainda mais quando os líderes dessas burguesias preferem assistir a uma corrida de motocicleta pela tevê do que ir à missa.

DANDO E DANDO

Em 1968, Paulo VI aproveitou a reunião do 39º Congresso Eucarístico Internacional, em Bogotá, para fazer a primeira visita de um papa à América em toda a história. O pontífice romano teve o cuidado de não justificar aqueles que, como Camilo Torres,[20] vinham defendendo que Cristo na América Latina de hoje pregaria com um fuzil na mão. Tampouco pode se interpretar que Paulo VI tenha dado apoio a posições como a de outro conhecido sacerdote latino-americano, o nicaraguense Ernesto Cardenal, que disse:

> É possível ser revolucionário sem ser comunista, mas não é possível ser revolucionário e anticomunista. De maneira nenhuma sou anticomunista, mas ainda que católico e sacerdote, considero-me marxista e comunista. Inclusive, estou começando a acreditar que atualmente, na América Latina, para ser revolucionário é preciso ser marxista e comunista. E acredito ainda mais que, para ser um autêntico cristão na América Latina, é preciso ser comunista.[21]

Nem é necessário imaginar que o papa tenha deliberadamente posto em marcha uma evolução que, poucos anos depois, levaria a Confederação Latino-Americana de Sindicatos Cristãos (CLASC) a declarar: "Na América Latina, a via legal está fechada. Só se pode contar com a luta armada, com a revolução violenta".

O que o papa Paulo VI disse expressamente por ocasião de sua visita a Bogotá foi apenas o seguinte: "Vi na América Latina uma grande necessidade de justiça social capaz de colocar grandes quantidades de pobres em condições de vida mais equânimes, mais fáceis e mais humanas".[22]

Mas por uma coincidência que dificilmente pode ser acidental, é exatamente desde 1968 que o Conselho Episcopal Latino-Americano (CELAM) vem radicalizando cada vez mais as posições da Igreja Católica no hemisfério. Nesse ano (o mesmo da visita do papa à América Latina), na II Conferência Geral, os bispos latino-americanos reunidos em Medellín, na Colômbia, empreenderam a interpretação para a América Latina das determinações renovadoras do Concílio Vaticano II e formularam como novo objetivo fundamental da Igreja latino-americana a "libertação de toda a escravidão", palavra de ordem cujo significado concreto é que "o cristianismo está convocado para denunciar e combater as estruturas de opressão e as situações de injusta dependência, massificação e exploração, e para reorganizar a sociedade com o fim de estabelecer relações de justiça verdadeira, igualdade e participação".

Em maio de 1975, em Mar del Plata, na Argentina, ocorreu a reunião mais recente da CELAM. Ali, a retórica do episcopado latino-americano já tinha se tornado completamente "terceiro-mundista" (e leninista). Nada menos do que o secretário geral da CELAM, o monsenhor Alfonso López Trujillo, da Colômbia, afirmou que "não se pode falar de Deus se alguém está morrendo de fome"; e que "os Estados Unidos e o Canadá estão ricos porque os povos latino-americanos estão pobres. Eles construíram sua riqueza sobre nós [...]."

Dessa maneira, a Igreja não só se colocaria sobre a crista da irresistível onda leninista, mas também se desvencilharia de toda a responsabilidade pelas carências da América Latina, *todas* devidas ao imperialismo.

Os povos têm memória tão curta? Seja como for, a Igreja pode contar com ajudas importantes em sua tentativa de confundir. Desde 1969 (um ano depois da visita do papa à América Latina e da II Conferência Geral da CELAM), Fidel Castro absolveu a Igreja Católica dos pecados do conservadorismo e da submissão aos norte-americanos. Em um discurso de 14 de julho daquele ano, Fidel admitiu *pela primeira vez* que o foco guerrilheiro não poderia ser o único agente da revolução comunista latino-americana, que tampouco poderia ser uma explosão súbita com uma onda expansiva devastadora de fronteiras e distâncias geográficas (como Fidel e Che tinham sustentado previamente), mas um processo de transformações nacionais *no sentido da revolução*, cada uma distinta, conforme as condições de cada país. E, nesse processo, a *nova* Igreja pós-conciliar teria, Fidel reconheceu, um papel importante e talvez decisivo.

ALTA DIPLOMACIA, ALTA POLÍTICA

Em agosto de 1973, Pedro Arrupe, superior geral da Ordem dos Jesuítas (aqueles mesmos jesuítas expulsos da América Latina pelo Antigo Regime, para os quais a Divina Providência demonstraria, ao mesmo tempo, justiça e senso de humor, se os designassem para uma *missão especial* na presente conjuntura), visitou o Chile e a Cuba socialistas e manteve entrevistas *políticas* do mais alto nível em ambos os países. Em setembro, pouco antes da queda de Allende,[23] Arrupe fez declarações enigmáticas à imprensa, nas quais dizia confiar "que o catolicismo mundial, que observa com tanto interesse o caso cubano, poderá, gradualmente, discernir os diversos aspectos de processo histórico tão singular".

No ano seguinte, 1974, foi um personagem importante da Cúria Romana, o monsenhor Casaroli, secretário do Conselho para Assuntos Públicos do Vaticano, quem visitou Cuba e teve um encontro com Fidel Castro. Em seguida, as declarações dadas pelo monsenhor Casaroli são bem menos enigmáticas:

> Os católicos que vivem em Cuba são felizes no regime socialista [...]. Os católicos e, de modo geral, o povo cubano, não têm o menor problema com o governo socialista [...]. Os católicos da ilha são respeitados em suas crenças como quaisquer outros cidadãos.

É verdade que essa última frase poderia ser interpretada de mais de uma maneira, principalmente tendo em vista que monsenhor Casaroli lamentou que o número de sacerdotes católicos em Cuba fosse de apenas 200 e reconheceu ter negociado junto ao próprio Fidel Castro um relaxamento nas restrições ao culto público. Porém, a ambiguidade não está tanto nas palavras de monsenhor Casaroli como nos fatos. A Igreja não pode deixar de continuar a ver no marxismo uma heresia abominável, seja lá o que digam Ernesto Cardenal e outras "batinas da nova onda". Mas, evidentemente, chegou-se à conclusão de que com os agregados leninistas destinados a estimular e orientar uma confrontação cada vez mais acirrada entre os países do Terceiro Mundo e os países capitalistas avançados, e com a base de poder temporal com que já conta no mundo, trata-se de uma heresia que não se pode combater frontalmente, mas com a qual é preciso conviver e, em última análise, pactuar; ainda mais quando há indícios de que significa uma reação contra a revolução liberal, em vez de ser seu aperfeiçoamento, como antes a Igreja temeu.

O PODER E A GLÓRIA

A condução dessa nova política pelo Vaticano não é fácil, nem está isenta de grandes riscos para a Igreja e para cada católico particularmente. Haverá (e já houve) perplexidades, desvios, abjurações. A maioria dos fiéis "rasos", e ainda muitos laicos de alto nível e inúmeros sacerdotes, não compreendem ou não conseguem admitir as gestões de Arrupe e Casaroli em Cuba, a destituição do cardeal Mindszenty de sua arquidiocese húngara ou a viagem a Moscou, em 1971, do cardeal Willebrands, presidente do Secretariado para a União dos Cristãos.

No outro extremo, quem duvida que muitos laicos e até muitos sacerdotes ficarão indiferentes ou serão (ou já foram) conquistados pela heresia marxista?

Em 1972, em uma conferência para a Rádio Vaticano, o cardeal Danielou advertiu que, para certos sacerdotes:

> ... os conselhos evangélicos já não são considerados como consagração a Deus, mas que são vistos em uma perspectiva sociológica e psicológica. (Há) a preocupação de não se mostrarem como burgueses, mas, no plano individual, a pobreza não é praticada. A dinâmica de grupo substitui a obediência religiosa. Sob o pretexto de reagir contra o formalismo, abandona-se todas as regularidades [...]. Religiosos e religiosas renunciam ao seu hábito e abandonam suas obras para se incorporar a instituições seculares, substituindo a devoção a Deus por atividades sociais e políticas [...].

Em 1971, no Chile, coincidindo com o início do governo de Salvador Allende, criou-se um movimento chamado *Católicos pelo socialismo*, que se estendeu como um rastilho de pólvora a outros países da América Latina e da Europa, para apoiar e promover as teses de que as injustiças do sistema capitalista e, sobretudo, as situações que afetam de modo adverso os países *dependentes*, só podem ser solucionadas por meio de revoluções comunistas, como em Cuba. O grupo foi fundado por 80 sacerdotes chilenos. Um ano depois, em abril de 1972, 400 sacerdotes de toda a América Latina se reuniram em Santiago para se solidarizar com a tese segundo a qual, na América Latina, naquele momento, o cristianismo e o marxismo deviam se dar as mãos.

Porém, as coisas não pararam por aí. Em janeiro de 1973, cerca de 200 sacerdotes e seculares norte-americanos e espanhóis se reuniram secretamente em Ávila, na Espanha, e lá aprovaram a tese de que o dever dos bons cristãos é lutar pelo socialismo, não como simpatizantes ou "companheiros de viagem" dos partidos marxistas, *mas como militantes disciplinados desses partidos*. Uma posição semelhante foi aclamada em uma reunião de 2 mil *Católicos pelo socialismo* em Bolonha, na Itália, em setembro de 1973.

Diversas conferências episcopais na América Latina e na Espanha se preocuparam com esse assunto, e um sínodo reunido em Roma, no primeiro semestre de 1975, advertiu que:

> ... a tentação de vincular a Igreja a um poder ou ideologia política junta-se ao de comprazer a opinião pública, coisa não menos perigosa. A luta pacífica pela libertação é um dever dos cristãos, (mas) não só no Terceiro Mundo — contra a opressão das estruturas econômicas e sociais colonialistas —, mas também no Segundo Mundo, o dos regimes comunistas, contra a opressão no campo espiritual, ideológico, religioso e moral, *a respeito do qual o medo da opinião pública nos mantêm calados* [...].

Essa última frase é eloquente, pois parece indicar a convicção da Igreja, em seus escalões mais altos, de que a *opinião pública* (sem dúvida do Terceiro Mundo e, em particular, da América Latina, que é a parcela do Terceiro Mundo que interessa primordialmente à Igreja) admite facilmente e aplaude as teses marxistas, com as quais *se compraz,* enquanto que essa mesma opinião pública seria indiferente ou até resultaria incomodada e hostil, se fosse lembrado que não são exatamente ideais as condições dos povos submetidos ao Império Comunista.

Nesse jogo tão ambíguo, e aparentemente tão arriscado para o catolicismo, pode ser que se tenha que esperar muito tempo para saber quem terá usado quem. A única certeza é que a Igreja sabe contar o tempo em séculos, e que a tentação dos cristãos de cair no messianismo temporal e na politização não é nenhuma novidade. Inclusive, esteve presente nos primeiros tempos da Igreja. Sem dúvida, o risco nunca foi maior, mas nem o desafio ou a oportunidade. Não se pode dizer com tanta certeza de nenhuma outra época como a atual que *um novo ciclo de séculos está começando* (ainda que talvez não seja nenhuma nova Idade de Ouro). E essa conjuntura a Igreja obviamente não está disposta a afrontar guiada pelos catecismos dos monsenhores Caro, Ottaviani e Mindszenty.

De qualquer forma, de todos os terrenos de coincidência tática ou de eventual confrontação entre católicos e marxistas, nenhum é mais sensível ou mais importante para a Igreja do que a América Latina, onde se encontra a metade (e, em breve, muito mais do que a metade) de todos os católicos nominais que existem no mundo e onde, talvez com a ajuda importante de católicos militantes, o marxismo possa contabilizar nos anos vindouros algumas de suas vitórias mais significativas.

NOTAS

1. A encíclica *Etsi longissimo* (1816), do papa Pio VII, qualifica como "sedição" a emancipação hispano-americana e exorta os americanos à lealdade ao rei. E as críticas dos bispos americanos foram muito além. O bispo de Arequipa, em uma pastoral, qualificou a independência de "imaginária, prejudicial, ultrajante e criminosa ante Deus". Os bispos de Popayán (Colômbia) e de Mérida (Venezuela) e o governador eclesiástico de Caracas qualificaram a insurreição de "pecado gravíssimo" etc.
2. Juan José Arévalo, *Antikomunismo en América Latina*, Buenos Aires, Editorial Palestra, 1959.
3. *Filho de um folião fantasiado*. Referência cruel à incidência maior do que a usual de relações sexuais fugazes e de gravidezes indesejadas durante o Carnaval.
4. Leopoldo Zea, *Latinoamérica y el mundo*, Caracas, Biblioteca de Cultura Universitaria, 1960.
5. Octavio Paz, *Ibid.*
6. Bailey W. Diffie, "Estimates of Indian Population in 1492", em *History of Latin American Civilization*, editado por Lewis Hanke, London, Methuen & Co. Ltd., 1969.
7. Não confundir este Túpac Amaru com o inca Túpac Amaru II, líder, em 1780, de uma rebelião indígena contra os abusos da oligarquia *criolla* peruana.
8. *Reducir*: Persuadir ou atrair alguém com razões e argumentos. Sujeitar à obediência. *Diccionario de la Real Academia Española.*
9. Chama-se Miranda de *Precursor*, por antonomásia, assim como Bolívar é o *Libertador*.
10. Comunicado à imprensa do Secretariado Permanente da Conferência Episcopal Venezuelana, Caracas, 10 de janeiro de 1975.

11. Em certo clube de praia perto de Caracas, as famílias, todas pertencentes à classe dirigente, assistem juntas à missa das dez, aos domingos. Porém, no domingo, 18 de maio de 1975, nesse horário, a televisão transmitia da Itália, via satélite, uma corrida de motocicletas válida para o campeonato mundial e na qual o favorito era um piloto venezuelano. Nesse dia, as senhoras foram à missa sozinhas.
12. Ricardo Pozas A., *Juan Pérez Jolote, Autobiografía de um tzotzil,* citado por Octavio Paz em *O labirinto da solidão.*
13. *Antikomunismo en América Latina.*
14. O palácio presidencial em Buenos Aires.
15. Preâmbulo do fascismo peronista.
16. Exilado na Argentina, Arévalo era professor da Universidade de Buenos Aires.
17. Arévalo escreve *antikomunismo* com "k" para ridicularizar a identificação, por Foster Dulles e *pela Igreja latino-americana,* de todo sinal de reformismo liberal com o "comunismo internacional".
18. Monsenhor José María Caro, *El misterio de la masonería,* 1954, citado por Juan José Arévalo, *Antikomunismo en América Latina,* p. 122.
19. Enquanto nos países comunistas os cidadãos comuns não podem possuir um mimeógrafo e, em alguns casos, até as máquinas de escrever devem figurar em um registro policial.
20. Sacerdote colombiano, filho de uma das "24 famílias" que dominam a sociedade mais tradicionalmente *católica* da América Latina. Camilo (que nasceu em 1929) se ordenou sacerdote na Colômbia e estudou sociologia em Lovaina, na Bélgica. Ao regressar, em pleno auge do castrismo e do guevarismo, assumiu posições cada vez mais radicais, que talvez tivessem sido entendidas e digeridas por uma hierarquia menos conservadora que a de seu país, mas que, na Colômbia, provocaram sua passagem ao Estado laico. Em outubro de 1965, uniu-se a um "foco" guerrilheiro e, em fevereiro do ano seguinte, morreu em um confronto com o exército. Ainda que Camilo não possa concorrer com Che Guevara ao posto de primeiro *santo* da Revolução latino-americana, para a Igreja é importante contar com esse mártir, enterrado (próximo do local de sua morte) sob uma humilde cruz de alumínio com o epitáfio: "Aquele que é católico que respeite esta tumba".
21. Cardenal é autor de *En Cuba,* apologia entusiasta do regime fidelista.
22. Palavras de Paulo VI proferidas em Roma, em 28 de setembro de 1968, pouco depois de regressar da Colômbia.
23. Com quem o cardeal primaz do Chile, Silva Henríquez, arcebispo de Santiago, manteve relações estreitas e excelentes.

CAPÍTULO 7

Algumas verdades

O "LEGITIMAMENTE NACIONAL"

A Igreja Católica, a influência dos Estados Unidos e, mais recentemente, a do marxismo, não são elementos *exteriores* à América Latina; mas, de uma maneira ou de outra, são fatores da essência latino-americana, componentes dessa essência, junto com outras contribuições culturais, políticas e econômicas da civilização ocidental, recebidas através do prisma um tanto deformante que foi a Espanha, ou, a partir do século XVIII, com o Iluminismo e as revoluções norte-americana e francesa, de países mais centralmente ocidentais, como os próprios Estados Unidos, França e Inglaterra.

E, sem dúvida, outra parte da essência latino-americana foi transmitida sem querer (e sem que os conquistadores quisessem) pelos "índios" que habitavam o território antes do descobrimento; outra, pelos escravos negros trazidos da África; outra, pelos imigrantes europeus (espanhóis, italianos, portugueses, alemães, judeus, russos, poloneses etc.), que chegaram desde a segunda metade do século XIX até hoje; e ainda outra, fundamental e originalíssima, pelo choque e pela fusão forçada de componentes culturais e étnicos que aqui se produziram desde o século XVI *e continuam sendo produzidos até hoje.*

No entanto, quando nós, latino-americanos, tentamos entender a nós mesmos e nos explicar para o resto do mundo, acontece invariavelmente que, não é que não consigamos, mas que *não nos propomos* a inter-relacionar esses diversos fatores de uma maneira que poderia ser chamada de *científica*. Cada um de nós possui suas preferências e suas fobias, algumas vezes predestinadas (por herança étnica, por exemplo); outras, prolixamente argumentadas; e outras, transparentemente arbitrárias em relação a esse conjunto de componentes de nossa personalidade como indivíduos e como coletividades.

No México, Hernán Cortés e todos os demais conquistadores e colonizadores espanhóis, guerreiros, frades e servidores públicos são considerados *invasores* e *usurpadores* execráveis, contra quem a *nação mexicana* (pré-colombiana) reagiu com sucesso trezentos anos depois, expulsando-os e retomando uma linha histórica *autóctone* apenas transitoriamente interrompida. E este é apenas um caso extremo; pois, como vimos anteriormente neste livro, o *leitmotiv* romântico da Guerra da Independência contra a Espanha foi, em todos os lugares, a *restauração da liberdade perdida em 1492*.

Contudo, como Marx e Freud argumentaram, cada um a seu modo, não existem fobias ou propensões aleatórias em indivíduos ou coletividades e as convicções mais determinantes, assim como os raciocínios mais complicados em apoio a essas convicções, podem ter sua explicação profunda em exigências de equilíbrio psíquico ou de autojustificativa.

Também pode ser o caso, ou a variante (e, de fato, é usada na explicação hoje na moda para a situação peculiar e o mal-estar do Terceiro Mundo, incluindo a América Latina), de que as neuroses coletivas sejam deliberadamente exacerbadas por aqueles que, compartilhando-as ou não, fizeram um esforço analítico para avaliar a virulência relativa das fobias e a força relativa das propensões com o objetivo preciso de manipular umas e outras na promoção de projetos políticos.

Por exemplo, para a geração latino-americana de 1810, o mito do "Bom Selvagem" teve um uso que poderíamos qualificar de *ingênuo*. O mesmo podemos dizer da fobia antinorte-americana da geração de Rodó e da Guerra Hispano-Americana. No entanto, na segunda metade do século XX, a cosmovisão leninista deixou para trás essas ingenuidades e criou um inventário e uma codificação das fobias e dos mitos latino-americanos, assim como um *arsenal* de argumentos que derivam potência de sua vinculação deliberada com as necessidades de satisfação, equilíbrio psíquico e autojustificativa da cultura latino-americana.

Não valerá muito a pena assinalar arbitrariedades ou inconsistências nesse arsenal dialético, já que não se trata, ao disparar de uma só vez ou alternadamente as distintas armas dessa panóplia, de se aproximar de alguma verdade científica, porém de ganhar uma guerra ideológica ou, de modo ainda mais grosseiro, propagandística.

De acordo com esse objetivo, assim concebido, os distintos elementos que contribuíram para formar a realidade global latino-americana vão ser julgados ou avaliados, não necessariamente em função de sua contribuição quantitativa ou qualitativa para essa sociedade, mas pela utilidade que sua exaltação ou desqualificação possa ter para o objetivo de alienar a América Latina do Ocidente emotiva e intelectualmente (e sobretudo dos Estados Unidos) como passo prévio para desvinculá-la do sistema político-econômico ocidental; e isso, sem dúvida, como uma faceta de verdadeira meta estratégica, que é encurralar e finalmente abolir do mundo os sistemas político-econômicos baseados nos valores e nas conquistas da Revolução Liberal.

Assim se explica que, na iniciativa de *desocidentalizar* a América Latina (a região mais obviamente ocidental do chamado Terceiro Mundo), não exista nenhum inconveniente em utilizar instrumentos culturais ou tecnológicos, ideias ou artefatos "não autóctones", já que não se persegue uma consequência lógica ou retidão intelectual, mas *eficácia*. Por exemplo, é necessário dominar o código e os instrumentos das ciências sociais criadas no Ocidente (a sociologia, a economia política, a historiografia, a etnologia, a antropologia, a arqueologia, a demografia etc.) e fazer uso de computadores, câmaras cinematográficas e fotográficas, gravadores de áudio e vídeo etc., mas com o propósito bem definido de "servir à revolução", e não à ciência. De fato, as mesmas disciplinas e os mesmos artefatos acabariam denunciados como instrumentos da infiltração cultural imperialistas em todos os casos em que não fossem utilizados em favor da "boa causa".

Essa questão está colocada com toda a clareza em um artigo intitulado "L'Anthropologie Révolutionnaire, comment faire", de R. Buijtenhuijs (*Les Temps Modernes,* No 299-300, junho-julho de 1971, p. 2.389):

> Supposons qu'un anthropologue "engagé" fasse un séjour dans un des territoires liberés des colonies portuguaises et qu'il découvre que la realité politique, economique et sociale reste en dessous des idées proclamées par les responsables de la révolution [...]. Faut il alors publier ces faits ou les passer

sous silence? Dans le premier cas on risque de servir la propagande contre-revolutionnaire qui s'en servira aussitôt.[1]

Colocadas as coisas dessa maneira, é compreensível que Oscar Lewis tenha visto o resultado de um ano de trabalho na Cuba comunista confiscado pela polícia cubana e que tenha sido declarado "agente da CIA". Também fica claro o reconhecimento excepcionalmente sincero de um sociólogo marxista latino-americano, para quem, na luta contra a *dependência cultural*, "o que se deve afirmar como legitimamente nacional é (tudo) aquilo que se oponha à dominação imperialista".[2]

O INDIGENISMO

Nessa perspectiva, existe, neste momento, uma supervalorização "comprometida" do componente indígena na cultura latino-americana.

Aparentemente, nesse fato existiria apenas a continuidade com a preocupação muito compreensível e muito admirável de todos os reformadores sociais latino-americanos pelo destino do índio, oprimido desde a conquista até os nossos dias, apesar de terem sido feitas em seu nome as guerras de emancipação contra a Espanha, a Revolução Mexicana etc. Mas, na prática, atualmente, o que se busca é potencializar ao máximo o mito do "Bom Selvagem" pelo que tem de virulência *nacionalista*, *anti-imperialista* e *bom-revolucionarista* em sociedades que, na realidade, devem relativamente muito pouco ao passado pré-colombiano e nas quais o índio está totalmente ausente ou tem uma existência passiva e marginal.

Na América Espanhola, existem de 15 a 20 milhões de índios puros (menos de dez por cento da população), concentrados principalmente no México, na Guatemala, na Colômbia, no Equador, no Peru, na Bolívia e no Paraguai.[3] Em qualquer um desses países, sua situação é deplorável e não resta nenhuma dúvida de que seu resgate, dignificação e desmarginalização deveriam ser um dos objetivos prioritários dos países que os abrigam. Inclusive, cabe admitir que pode ter sido equivocada a boa intenção daqueles que, no passado, expuseram o problema como de *integração* dos índios à cultura hispânica ocidental dominante; que o justo e conveniente seja, pelo contrário, tentar proporcionar-lhes os elementos para que, na medida do possível, reconstruam sua herança cultural própria.

Porém, o falso, insidioso e irritante para a grande sociedade latino-americana é postular que nosso *ser essencial* se deriva das culturas pré-colombianas e que a implantação da cultura ocidental nesses territórios desde o descobrimento e a colonização seja o início de uma curva descendente na sorte da América Latina, a alteração perversa *pelo imperialismo* (que, nesse caso, se supõe um só processo orgânico, que se desenrola desde 1492 até 1975) de uma situação imaginariamente *autêntica, autóctone, feliz e livre*, e sua transformação em uma situação *falsa, alienada, infeliz e dependente*. A *queda* do *Bom Selvagem*, que poderá ser vingada (e restaurada à situação anterior de beatitude *natural*) só pelo *Bom Revolucionário*.

A MENTIRA DEMOGRÁFICA

Sem dúvida, a verdade é bem outra. Os indígenas da América e suas culturas (muito heterogêneas) merecem todo o respeito que a cultura ocidental, *pela primeira vez na história,* reconheceu como devido a todos os seres humanos e a todas as culturas. Mas o fato é que nem sequer as civilizações inca e asteca (e muito menos ainda as outras culturas indígenas americanas) tiveram nem remotamente a importância e o brilho que lendariamente lhes atribuíram e que agora se pretende assumir como um dado indiscutível, com o propósito de convencer a nós, os latino-americanos, de que somos descendentes daqueles índios, e vítimas, junto com eles, *iguais a eles*, do Ocidente; quando a verdade é que somos principalmente herdeiros biológicos e culturais dos supostos invasores e, em segundo lugar, tributários de todos aqueles, norte-americanos ou europeus, que continuaram contribuindo ao longo do tempo para a ocidentalização e modernização cada vez maior da América Latina.

A primeira e mais flagrante falsidade que nos são propostas em relação às culturas pré-colombianas da América é que foram demograficamente importantes. Em seu esforço para demonstrar que os espanhóis massacraram a população indígena, o padre Las Casas assegura (em sua *Brevísima Relación de la Destrucción de las Indias*) que, em 1492, em Cuba, existiam não menos do que 200 mil habitantes indígenas. Outra estimativa contemporânea ainda mais exagerada, sustenta que, em 1511, existiam 1 milhão de índios em Cuba, e apenas 14 mil *seis anos depois*. Nessa mesma perspectiva de "Leyenda Negra", Antonio de Ulloa, autor espanhol do século XVII, estima que, no momento do descobrimento, a população na América devia alcançar 120 milhões de habitantes.[4] De acordo com esses números, no final do século XV, a América devia concentrar mais de um quarto da população mundial. A América Latina só teria recuperado sua densidade demográfica pré-colombiana já bem adiantado o século XX e, sem dúvida, a parte mais importante de tão assombrosa população teria integrado os impérios inca e asteca.

Contudo, em primeiro lugar, aqueles que, no século XVI, ampliaram desse modo a demografia pré-colombiana americana não estavam isentos de preconceitos, mas também estavam motivados por uma indignação sincera pelos abusos e crueldades que testemunharam, e quiseram, de todas as maneiras possíveis, desqualificar todo o esforço da conquista e da colonização espanholas. Por outro lado, suas estimativas, mesmo se tivessem sido feitas com o ânimo mais objetivo, e ainda que aparentemente reforçadas por proceder de observações diretas e contemporâneas, não deixariam de ser questionáveis. Humboldt, um dos primeiros espíritos científicos que se debruçou sobre a realidade global hispano-americana, fez a esse respeito a reflexão de que a população da ilha Otaheite (no arquipélago do Havaí) foi estimada pelo capitão Cook (seu descobridor no século XVIII) em 100 mil indivíduos; mas missionários que chegaram posteriormente estimaram apenas metade desse número; outro marujo, 16 mil; e outro observador *direto*, apenas 5 mil. E isso que aconteceu em relação a uma pequena ilha no século XVIII fez com que Humboldt (nos primeiros anos do século XIX), com toda razão, duvidasse dos números imensos propostos, no século XVI, para o vasto e inexplorado território da América.

No entanto, essas dúvidas são despreocupadamente postas de lado por todos aqueles que, por um ou outro motivo, querem exagerar a importância das culturas pré-colombianas da América. Jacques Soustelle, cuja motivação não nos cabe supor diferente da tendência muito humana de nos inclinarmos para a hipótese que reforça mais o tema ao qual dedicamos um grande esforço, disse:

"D'une façon que je reconnais arbitraire, et je le déplore, mais faute de mieux, on peut admettre que Tenochtitlan-Tlatelotlco5 comportait de 80.000 a 100.000 foyers de sept personnes, soit une population totale de 560.000 a 700.000 âmes".[6]

Faute de mieux!* De fato, a historiografia moderna (e ainda o simples bom senso, orientado pela lógica) conta, por sorte, com instrumentos um pouco menos grosseiros que a adivinhação arbitrária e, de fato, deplorável. Diffie[7] faz a observação elementar de que, sendo a área máxima de Tenochtitlán de 9 quilômetros quadrados, incluindo lagoas e canais, e que Londres tendo, no século XX, cerca de 4.650 habitantes por quilômetro quadrado, é bastante improvável que a capital asteca tenha tido, em 1520, uma população numerosa. Além disso, o mesmo autor formula uma pergunta tão simples quanto demolidora: se supomos uma população superior a umas poucas dezenas de milhares em Tenochtitlán, como imaginar o abastecimento e a coleta de lixo de uma cidade sem rio navegável, sem animais de carga ou tração e desconhecedora da roda?

Mencionei anteriormente o próprio Diffie (ver seção "A Igreja, instrumento de controle social", no Capítulo 6), em relação à impossibilidade de que o atual território peruano, com os métodos, os instrumentos e os recursos (vegetais e animais) disponíveis antes da colonização espanhola, tenha conseguido sustentar uma população de mais de 1,5 milhão de habitantes, *supondo o melhor uso possível da terra*.

Entre os animais que não existiam na América antes da chegada dos espanhóis, incluem-se os cavalos, os burros, os bovinos, os suínos, as cabras, os coelhos, as aves de criação. Entre as plantas, não são nativos os eucaliptos, amados por Jorge Luis Borges, e as rosas, mas também o trigo, o centeio, a videira, a oliveira, a cana-de-açúcar, os cítricos (laranjas, limões etc.), a bananeira, o café etc. Em geral, de 247 espécies vegetais alimentícias ou de utilidade industrial cultivadas sistematicamente na América, 199 são originárias da Eurásia ou da África, uma da Austrália e apenas 45 são com certeza americanas. Em 1652, o padre jesuíta Bernabé Coba fez a observação, perfeitamente justificada, de que essa transferência de plantas e animais do Velho Mundo

---

* Do francês, "Por falta de coisa melhor". (N.E.)

para o Novo Mundo foi mais importante e vantajosa para este do que todo o ouro e a prata extraídos pela Espanha de suas colônias americanas.[8]

Em 1884, a inteligência e a ausência de preconceitos "terceiro-mundistas" de Friedrich Engels o levaram, por pura lógica, a concluir que as sociedades pré-colombianas americanas, desprovidas de quase todos os cereais, de todos os animais domésticos, exceto a lhama (e esta, em uma reduzida zona andina), do ferro e da roda, só podiam necessariamente ser muito pobres em população e em vitalidade, e quase certamente não chegaram a reunir nem sequer meio milhão de homens sob uma única liderança e muito menos em uma única aglomeração urbana.[9]

O SOCIALISMO INCA

Contra a força do raciocínio de Engels, os incas aparentemente conseguiram construir e manter um império de cerca de mais de um milhão de súditos, e isso sem contar sequer com a escrita. Dessa maneira, é preciso reconhecer a genialidade política pouco comum que eles tinham. No entanto, a exaltação "terceiro-mundista" (e, claro, *anti-imperialista*, e, portanto, *legitimamente nacional* para cada país latino-americano, e não só para o Peru, Equador e Bolívia) do *Socialismo inca*, revela-se na prática tão arbitrária quanto a ampliação fantástica da população pré-colombiana; e é, em todo caso, contraproducente (se a questão é investigada com cuidado) como argumento a favor do socialismo, exceto como o sistema mais apropriado (em sua forma perfeitamente *totalitária*) para a distribuição relativamente equitativa de uma escassez crítica de recursos em relação à população (caso do antigo Peru e, com certeza, de zonas cada vez mais importantes do chamado Terceiro Mundo), mas de nenhuma maneira como sistema provável de liberdade ou de abundância; e ainda menos de liberdade em meio à abundância.

Por um paradoxo apenas aparente, aqueles que primeiro se entusiasmaram com as supostas virtudes extraordinárias dos incas foram os europeus e os norte-americanos. E, antes que qualquer um, os primeiros europeus no lugar: os espanhóis. O último sobrevivente do grupo de aventureiros que, com Pizarro à frente, conquistaram o Peru, declarou em seu leito de morte estar arrependido de sua participação na destruição de uma sociedade perfeita e na corrupção do *Bom Selvagem* americano. Na realidade, é mais provável que o testamento de Mancio Sierra de Leguízamo, onde figuram esses sentimentos, foi escrito em seu nome por algum frade, mas isso não lhe subtrai nem um pouco do valor como expressão de uma opinião (ou, melhor, de um *preconceito*), que já se encontra nas cartas de Colombo aos Reis Católicos e cuja origem e motivações em mitos europeus ou eurásicos muito antigos e arraigados vimos no início deste livro.

Para Leguízamo (ou quem escreveu o que se atribui a ele), o Império Inca, antes da chegada dos espanhóis, era uma sociedade tão perfeita e virtuosa que não havia *nenhum ladrão, nenhum homem vicioso, nenhum homem ocioso, nenhuma mulher adúltera*. Quem tivesse em casa cem mil pesos em ouro e prata poderia, tranquilamente, deixar a porta aberta, com apenas uma vassoura ou um punhado de lenha na entrada como sinal da ausência do dono em casa etc.

O testamento de Leguízamo é fonte original dessas e outras afirmações a respeito da virtude supostamente perfeita do antigo Peru antes da *queda*. Por exemplo, o historiador romântico norte-americano William Prescott (1796-1859), em sua obra *The Conquest of Peru*, sustenta que, no Peru pré-colombiano:

> ... ninguém era rico, mas ninguém era pobre. Nenhum esbanjador podia dilapidar sua fortuna em luxos extravagantes. Era impossível que um homem arruinasse sua família por alguma especulação desafortunada [...]. A mendicância não era tolerada [...]. A ambição, a avareza, o desejo de mudar de situação, todas essas paixões que agitam o espírito humano, não encontravam lugar no peito de um peruano.

Não passou pela cabeça do socialista utópico e romântico que era Prescott que, na medida em que tais afirmações apresentassem alguma relação com a realidade, poderia ser dada uma interpretação muito diferente à operação "espontânea" da virtude "natural" do "bom selvagem" antes da "queda" que teria sido toda a civilização *mercantil* e, acima de tudo, a ambição faustiana civilizadora ocidental. Por exemplo, uma explicação como a que propõe Louis Baudin,[10] para quem o Peru pré-colombiano testemunhou uma tentativa sem dúvida muito interessante, mas não "bom-selvagista", nem muito menos

229

libertária, de racionalização da sociedade baseada na absorção totalitária do homem pelo Estado; um sistema em que o bem-estar de cada um estava assegurado em um nível mínimo e aproximadamente igualitário (para os homens comuns, não para os dirigentes, que tinham privilégios em escala ascendente, conforme a hierarquia), em troca de uma rígida subordinação ao *plano* de cada existência individual. Os planejadores criaram e impuseram *regras* de produção, distribuição e consumo, para as quais toda a população estava organizada em uma pirâmide de hierarquias rígidas e sacralizadas, com todo o poder e toda a responsabilidade concentrados nos dirigentes.

Nesse sistema, cada camponês só tinha contato com seu centurião, e praticamente jamais se afastava do vale onde havia nascido. Esses camponeses "rasos" (99 por cento da população) não recebiam educação, exceto a mais superficial, especializada e estreitamente relacionada com suas funções específicas. Cada homem tinha que obedecer cegamente aos seus superiores, sob a ameaça de castigos terríveis. Por sua vez, os centuriões conheciam diversos vales e tinham alguma educação. Quanto mais alto o patamar em que estivesse um homem nesse aparato de controle social, maior era seu prestígio e mais amplos seus conhecimentos e seus horizontes. Mas ninguém, com exceção dos senhores mais eminentes, viajava por prazer ou por assuntos particulares. Além dos incas, apenas mensageiros ou funcionários públicos podiam se mudar de um lugar para outro do Império. Quem se encontrasse fora de *sua localidade* sem *justo motivo*, era castigado como delinquente.

Em seu prefácio ao livro de Baudin, Ludwig von Mises escreve:

> Dessas páginas emergem os contornos sombrios de uma vida sob um regime coletivista: o espectro do ser humano privado da qualidade fundamentalmente humana de *escolher* e *agir*. Os súditos dos incas eram seres humanos apenas no sentido zoológico. De fato, eram mantidos como gado no curral. Como o gado, não tinham nenhuma preocupação material, porque sua melhora pessoal não dependia de sua própria conduta.

Pode ser que, em nossa época, os problemas políticos de algumas áreas do mundo recomendem e até exijam soluções desse tipo (ainda que não seja certo que resultem tão ordenadamente factíveis em condições diferentes do total isolamento, ignorância de alternativas e penúria científica e tecnológica que caracterizaram o Império Inca), e que, ao adotá-las, os responsáveis as considerem "socialistas". O certo é que nem o antigo Peru tinha algo a ver com a ilusão mítica do "Bom Selvagem" (muito pelo contrário) nem se trata de um modelo de organização social que racionalmente deva nos servir de exemplo ou objetivo para os latino-americanos, ainda que sua exaltação esteja nesse momento sendo usada como instrumento *anti-imperialista* e, portanto, legitimamente *nacional* mesmo em países como Argentina ou Venezuela, cujas sociedades indígenas não tiveram a mais remota semelhança ou contato com o Império Inca.

Pobres em demografia, pobres em recursos naturais, pobres em tecnologia, nulos em ciência, primitivos em política, fracos fisicamente (por causa da alimentação deficiente), desprovidos de religiões capazes de concorrer com o cristianismo, os indígenas americanos não foram capazes de resistir militar e culturalmente ao choque recebido de um número irrisório de europeus. Inclusive os mais *avançados*, os incas e astecas, já que a total ausência de *participação popular* nos sistemas políticos peruano e mexicano deixou-os incapazes de sobreviver à captura e à destruição de sua alta liderança e, ao mesmo tempo, permitiu aos espanhóis assumir o controle dessas sociedades com o simples expediente de ocupar os postos de comando em lugar das minorias dirigentes anteriores.

Cortés conquistou o México à frente de 600 homens. Pizarro reuniu apenas 180 para a missão de enfrentar o Império Inca. Poderiam parecer feitos dos romances de cavalaria que estavam então na moda, mas estão perfeitamente documentadas. Em todo caso, e sem diminuir em nada a audácia insensata dos conquistadores, seu êxito fica um pouco menos incompreensível quando sabemos que não enfrentaram milhões de guerreiros ou nem sequer centenas de milhares, mas grupos reduzidos, mais sacerdotais do que militares, reinantes sobre coletividades pouco vitais e pouco numerosas.

A população americana começou a aumentar quase desde esse momento até chegar aos atuais níveis de "explosão demográfica", não apenas pela formidável capacidade de gerar bastardos mestiços (e, em breve, mulatos) que os conquistadores e os colonizadores acabariam demonstrando, mas basicamente pela introdução de novos fatores econômicos na forma de animais, vegetais e tecnologias de procedência eurásica, que multiplicariam a capacidade do solo americano para abrigar e alimentar seres humanos. E este é um processo que ainda hoje não cessou; pelo contrário, tornou-se muito mais acelerado e mais complexo desde a revolução industrial e com a participação dos Estados Unidos como principal centro de investigação científica e inovação tecnológica.

Dessa maneira, o elemento mais importante e invocado com maior razão para sublinhar a importância atual e futura da América Latina — nossa imensa e crescente população — devemos diretamente a essas relações *imperialistas* e de *dependência* a respeito das quais se afirma que nelas reside a raiz de todos os nossos males, quando sem elas, simplesmente não existiríamos.

UMA CULTURA DE INQUILINOS

A sorte histórica dos EUA na aventura americana novo-mundista foi serem colonizados e povoados (insisto no fato, fundamental, de que, para todos os efeitos práticos, a América, ao contrário da Ásia e da África, era um território praticamente despovoado quando recebeu o impacto do Ocidente) pela Inglaterra, a nação europeia cuja curva de energia e criatividade em todos os campos, e sobretudo nos campos científico-tecnológico, econômico e político, estava em ascensão no século XVII. As colônias inglesas receberam intactas e até filtradas de obstáculos essa energia e essa criatividade (não dessa maneira, obviamente, as colônias inglesas afro-asiáticas, densamente povoadas previamente).

Em contraste, e sem cairmos nem por um instante na bobagem de propormos a hipótese de o que poderia ter sido de outra maneira (se fosse de outra maneira, não seríamos o que somos, mas também não seríamos *outros*, e *nós* simplesmente *não seríamos*), a América Latina foi colonizada e povoada por um país admirável de mil maneiras, mas que entrava então em um divórcio com o espírito dos tempos modernos, em uma rejeição ao racionalismo, ao empirismo, ao secularismo, ao livre exame; quer dizer, aos fundamentos das revoluções industrial e liberal e do desenvolvimento econômico capitalista.

Simultaneamente, e por motivos vinculados ou não com sua rejeição à modernização, a sociedade espanhola, no mesmo século XVI, vai começar uma decadência, uma lassidão e uma tendência à desintegração, mesmo em relação aos seus próprios valores e coordenadas de origem e significado medieval e pré-capitalista. Os países "novos" que a Espanha fundou na América vão compartilhar e acentuar essa lassidão e essa tendência à desintegração. O Novo Mundo hispano-americano viria a ser o Velho Mundo espanhol com alguns problemas adicionais e muito sérios.

Em *España Invertebrada*, Ortega y Gasset, depois de afirmar que, pelo menos desde 1580, "o que acontece na Espanha é decadência e desintegração", faz a profunda observação[11] de que, assim como a curva ascendente de uma coletividade está marcada pela incorporação e pela totalização, no sentido de que cada indivíduo e cada grupo se sabem e *se sentem* parte de um todo, de modo que aquilo que melindra o todo afeta a cada um, e vice-versa, a decadência ocorre quando as partes da coletividade — os grupos e os indivíduos — não se sentem comprometidos com o destino comum, expõem seu particularismo, deixam de sentir-se a si mesmos como partes de um todo orgânico, e, em consequência, deixam de *compartilhar* os sentimentos (e os interesses) dos demais.

Se isso aconteceu na Espanha desde o século XVI, obviamente vai acontecer na sociedade hispano-americana *desde seu nascimento*, é sua condição original, e ainda mais quando o particularismo espanhol — ou seja, cada um dos espanhóis não se sentir pessoalmente comprometido com os interesses de sua sociedade — vai se radicalizar com o salto à América, que é a terra da conquista, da pilhagem, dos escravos, dos despojos.

Se o andaluz, o estremenho ou o castelhano que iam para as "Índias" não se sentiam *da Espanha*, muito menos vão se sentir *da América*, como vão se sentir americanos os imigrantes dos Estados Unidos (e até se apropriarem do gentílico), desde os peregrinos até hoje, e alheios à mais remota ideia de estar somente de passagem por aquela nova terra a qual tinham chegado (e ainda chegam) para *se integrar* no sentido de Ortega ou Mommsen, para se somar a um projeto comum, considerado por eles infinitamente preferível e, sem dúvida, mais viável do que suas sociedades de origem.

Em contraste, na vida e no folclore ibéricos vai perdurar até hoje a figura do "indiano", o *emigrante* que viajou ao Novo Mundo não para ficar, mas para fazer fortuna e regressar nem sequer à Espanha, mas à sua província, ao seu cantão, à sua aldeia.

Claro que muitos ficaram — e todos geraram filhos bastardos que não tiveram outro remédio senão ficar onde nasceram —, mas não vieram para isso. Vieram de passagem, e, de modo imprevisto, ficaram na América. No entanto, ficaram, eles e seus descendentes, não como donos da terra e comprometidos com ela, mas com um espírito de transeuntes, de inquilinos de um espaço alheio; não membros de uma sociedade perdurável, mas participantes acidentais de uma *aventura transitória*, caracterizada por não ser um projeto comum e compartilhado, nem um "sistema de incorporação", mas um subproduto da desintegração da sociedade espanhola a partir do século XVI.

Uma diferença muito especial e repleta de consequências entre a sociedade em processo de incorporação fundada pelos colonos ingleses na América do Norte e a sociedade centrífuga hispano-americana foi que, nas colônias anglo-americanas, as aglomerações urbanas nasceram e cresceram para responder às necessidades dos moradores do campo, dos agricultores; enquanto que, nas colônias hispano-americanas, a população agricultora seria escrava, organizada para responder às necessidades das aglomerações urbanas. O colono inglês chegou à América disposto a ser um *farmer* (fazendeiro). De fato, sua ambição é exatamente essa: ser um *free farmer* (fazendeiro livre)[12] e tirar seu sustento e obter sua liberdade da atividade agrícola realizada com suas próprias mãos. Em contraste, o colono (ou aspirando a "indiano") espanhol vem para a América para fundar povoados a partir dos quais controle o território; e o trabalho agrícola (ou, preferencialmente, mineiro) será feito por e para ele pelos escravos organizados em *encomiendas* e, posteriormente, em *haciendas* com todos os defeitos e nenhuma das virtudes da estrutura socioeconômica da Europa medieval.

A REFORMA AGRÁRIA

Na atualidade, insiste-se no tema de que os males da América Latina se devem em grande medida à má distribuição da propriedade da terra, sem se levar em consideração que esse fenômeno é um sintoma e uma consequência, e não uma causa primária dos males associados ao latifúndio tal como se encontra e como funcionou na sociedade latino-americana. Pelo fato de os reformadores sociais terem ficado na superfície do problema, imaginaram que uma *reforma agrária* consistente na distribuição de terras entre os camponeses (os descendentes dos escravos das *encomiendas* e das *haciendas*) seria a força motora suficiente de uma transformação de efeitos redentores múltiplos, tanto pelo estímulo que a propriedade da terra daria aos camponeses, como por ficar abalado o poder tradicional e reacionários dos latifundiários.

Mas, infelizmente, as reformas agrárias, onde foram tentadas a sério (e com grande alocação de recursos), resultaram decepcionantes, o que pareceria indicar que a sociedade rural latino-americana sofre de traumas muito mais complexos e difíceis de remediar do que a má distribuição da terra e sua concentração em latifúndios escandalosos, entre outras razões, por serem lamentavelmente improdutivos.

Em si mesmo, o latifúndio não tem por que ser improdutivo nem socialmente nefasto. Não o é nos Estados Unidos, onde o King's Ranch, no Texas, que é a maior extensão de terra no mundo nas mãos de uma única família, é, ao mesmo tempo, uma das propriedades de criação de gado mais produtivas que existem e também uma empresa agroindustrial, cujos trabalhadores ganham salários excelentes e têm uma vida digna, livre e até privilegiada em relação aos trabalhadores urbanos norte-americanos, já que dispõem de todos os confortos associados com a vida nas cidades sem ter que enfrentar a megalópole, com seus custos de estresse, congestionamentos e poluição. Nem é nefasto o latifúndio no Canadá, na Austrália ou na Nova Zelândia. Pelo contrário, a grande propriedade, se junto com ela existirem outras condições, pode facilitar a mecanização, a racionalização, a alta produtividade e um consequente nível de vida satisfatório para os trabalhadores do campo.

O latifúndio é um obstáculo quase mortal ou mortal quando tem sua origem em uma sociedade escravocrata, como aconteceu no Império Espanhol da América, pelas consequências que têm na formação de atitudes e comportamentos tanto dos senhores como dos escravos e seus descendentes. Na terra de avós escravos, o camponês sucessor herda o hábito de ser objeto de decisões de outros, e não vai mudar magicamente por receber uma parcela de propriedade. Continua esperando ser objeto de um controle paternalista, e se antes foi peão de um senhor feudal, agora será peão (e eleitor) de um partido político, ou do governo, representado no cantão por um *cacique*.[13] O espírito feudal segue vigente, as formas de produção continuam sendo primitivas, os resultados permanecem decepcionantes. E já que não há nenhum fazendeiro a quem culpar, o *fracasso da reforma agrária* (frase ouvida constantemente quando cessa a euforia inicial causada pela distribuição de terras) é atribuído aos maus governos, aos maus ministros de Agricultura, à insuficiência de ajuda, de crédito, de entrega de sementes, de compra oportuna da colheita; quer dizer, a tudo, menos ao essencial: que a estrutura social criada no século XVI continua pesando sobre a sociedade latino-americana do século XX; que o camponês continua tendo mentalidade de escravo, continua esperando ser objeto de decisões de outros (daqueles que, quando muito, se supõe que serão mais benevolentes que o fazendeiro e *menos exigentes*). Dele poderia se dizer, como o El Cid injustamente desterrado: Meu Deus, que bom vassalo, se tivesse um bom senhor!

Em geral, o sonho da terra própria, da fazenda que alguém cultiva por si e para si, sem temer a opressão nem esperar a supervisão nem a ajuda paternalista de ninguém (muito pelo contrário), não tem substância no espírito do camponês latino-americano. A expressão anglo-saxã *free farmer*, sobre a qual seria possível explicar toda a evolução política das colônias inglesas da América do Norte, antes e depois de sua independência, não faz sentido em nosso meio rural.

Pelo contrário, se alguma aspiração de mudança (e de melhora) chega a se formar no camponês latino-americano, costuma ser a de se mudar para as aglomerações urbanas, as quais possuem, entre outros atrativos e prestígios, o de terem sido desde o século XVI o lugar das classes ociosas. Os colonizadores espanhóis as fundaram rapidamente e ficaram nelas, supervisionando de longe suas terras e seus escravos. Dessa maneira, tão preocupante quanto a situação do camponês sem-terra, é o paradoxo da terra sem camponês, que também ocorre. Na Venezuela, onde a riqueza do petróleo hipertrofiou as cidades e cortou o país com vias de comunicação que facilitam a migração interna, continua sendo agitada a bandeira da reforma agrária, enquanto vastas regiões fronteiriças (e não tão fronteiriças) estariam sem cultivo se não fosse pelos imigrantes clandestinos procedentes da vizinha e deprimida Colômbia.

Na América Latina, as dificuldades e as frustrações de todos os processos de reforma agrária são peculiarmente graves no caso dos índios não hispanizados, acostumados a viver fora da economia monetária e em um nível insignificante; ao mesmo tempo apegados (e quem poderia afirmar que de modo insensato?) aos seus estilos de vida tradicionais, como forma de resistência passiva à assimilação pela sociedade hispano-americana. Dessa maneira, são insensíveis aos incentivos materiais, quando reformadores bem-intencionados os oferecem. Se receberem a propriedade da terra, e todos os outros benefícios de uma reforma agrária bem planejada e executada, o resultado será invariavelmente decepcionante, pois o índio terá a tendência de não produzir mais do que para seu próprio consumo e de sua família. De fato, se por acaso chega a ficar de posse de dinheiro em espécie, o mais provável é que o gaste de forma "suntuosa". Para ele, não existe compreensão adequada, nem atrativo real na "previsão", na "poupança", na produção de um excedente que sirva para abastecer aglomerações urbanas distantes e *estrangeiras*, e em troca do qual lhe seriam oferecidos produtos manufaturados, que, para ele, são desprovidos de interesse e até de significado. A reforma agrária que poderia estimulá-lo seria uma que lhe permitisse recuperar e reviver os remanescentes de sua antiga cultura, profanada pelos espanhóis. Nesse sentido, suas aspirações, se as pudesse formular, seriam reacionárias e incompatíveis com a modernização pretendida pelos proponentes da reforma agrária.

Por tudo isso, na maioria dos países onde se tentou esse processo, o resultado da divisão e distribuição das terras entre os peões foi de pouca utilidade social e contraproducente do ponto de vista econômico. Os antigos fazendeiros desapropriados se mudam para as cidades e investem o dinheiro em imóveis urbanos ou em hipotecas, quando não o enviam para o exterior. Os camponeses, após a *festa* de distribuição de terras, permanecem tão paralisados quanto antes em suas possibilidades de melhoria real, já que, ao permanecerem morando no meio rural e trabalhando no setor agrícola, continuam sofrendo as consequências da forma como foi organizada originalmente a sociedade hispano-americana.

A FAZENDA

Uma das palavras hispano-americanas de circulação universal é *hacienda* (fazenda), e por razões muito boas. Em castelhano, significa, em primeiro lugar, "o acúmulo de bens e riquezas que alguém possui, ou simplesmente 'riqueza'". Os Ministérios de Economia dos países da fala castelhana se denominam *Ministerio de Hacienda* (Ministério da Fazenda), no mesmo sentido em que o ministro da Economia norte-americano é o *Secretary of the Treasury*

(Secretário do Tesouro). Na América Espanhola, ante a evidência de que não havia ouro e prata em todos os lugares, e como esses minerais, onde fossem encontrados eram propriedade inalienável do rei, e exploráveis por particulares apenas como agentes e concessionários da Coroa, a fortuna e o poder dos indivíduos mais aptos e ambiciosos iria se basear cada vez mais na atividade agrícola; e a consolidação de grandes extensões de terra em propriedade plena (definitivamente liberada após a independência do vestígio mais tênue e hipotético de direito real sobre essas terras) acabaria sendo, por antonomásia, a fazenda dos ricos hispano-americanos.

No final do século XVII, a instituição da fazenda alcançou sua maturidade e, de certo modo, concomitantemente, seu estancamento (e o da sociedade que a tinha produzido). Suas semelhanças com o sistema de propriedade de terra e com as relações sociais e formas de produção da Europa feudal são evidentes, mas também o são suas diferenças. Em teoria, a *propriedade* das terras continua sendo do rei, mas, como no feudalismo europeu, a *posse* foi criando direitos irrevogáveis e, no final das contas, transferíveis por venda. Outra semelhança com a ordem social feudal é o trabalho servil dos índios e dos negros presos à terra pelo hábito e pela necessidade econômica ou pela escravidão.

Uma diferença muito importante é que, no contexto de uma economia mundial muito mais complexa do que a da Idade Média, as fazendas latino-americanas não buscaram a autossuficiência, a autarquia econômica, mas produziram principalmente para exportação, primeiro para a Espanha, depois para a Europa e, finalmente, sobretudo para os Estados Unidos. Essa é, diga-se de passagem, a base de todos os argumentos segundo os quais a marginalidade histórica e o atraso latino-americanos (mas, além disso, o progresso europeu e norte-americano) se deveriam unicamente à divisão internacional do trabalho imposta pelo sistema capitalista mundial, e, dentro do qual, alguns países ficaram incumbidos de produzir riquezas e outros, de desfrutá-las.

Outra diferença em relação ao feudalismo europeu é que a sociedade neofeudal hispano-americana não é guerreira nem instável. Ao contrário: na América Espanhola, desde a consumação da conquista até as guerras de independência existiu uma paz assombrosa, mantida quase sem tropas, o que demonstra que as cidades não fortificadas, sede dos poderes civil e eclesiástico, e rodeadas de fazendas, configuraram uma *ordem política* notavelmente exitosa. Existiram rebeliões, algumas graves, antes dos movimentos de emancipação do início do século XIX (que significaram o colapso daquela ordem política, com uma sequela de insegurança que deixou o feudalismo latino-americano pós-independentista mais parecido com o "salve-se quem puder" do século X europeu e que acabou por agravar, em um primeiro momento, as desigualdades e as injustiças sociais), como a insurreição de Túpac Amaru II, no Peru, no final do século XVIII; ou os motins ocorridos na Cidade do México no século XVII; assim como rebeliões raras de escravos negros; mas seu próprio inventário demonstra o caráter excepcional e isolado dessas alterações da *normalidade*, as quais, junto com ataques igualmente esporádicos de corsários ingleses a alguns portos do Caribe, seriam durante quase 300 anos os únicos incidentes dentro de uma paz quase perfeita. No início do século XIX, às vésperas da grande convulsão das guerras de emancipação, Alexander von Humboldt viajou pela Nova Espanha (México) e Venezuela em uma espécie de "safári" científico, em busca de dados ainda hoje valiosos a respeito da geografia, fauna, flora e sociedade hispano-americanas. E Humboldt não levou consigo uma escolta, mas apenas algumas pessoas que carregaram seus instrumentos científicos. Chegou até o rio Negro, na fronteira da Venezuela com o Brasil. Atravessou selvas e cordilheiras. E em todo o relato de sua viagem, não há menção de temores de assaltantes, de insegurança. E isso em lugares onde, ainda na primeira metade do século XX, um viajante não poderia se aventurar sem risco de vida ou sem uma forte escolta armada.

Nessa *ordem*, a fazenda é, sem dúvida, simultaneamente, uma instituição política e econômica. O fazendeiro colonial é um fator de produção e, ao mesmo tempo, um agente da ordem. A própria fazenda é uma molécula do organismo social. Nela, reina o fazendeiro ou, em sua ausência, o capataz. Os castigos são brutais e podem chegar até a morte sob açoites. Também há paternalismo, benevolência e, claro, relações sexuais dos senhores e de seus filhos legítimos com todas as mulheres dos servos e escravos.

No momento de sua consolidação, a instituição da fazenda pode até ser defendida como uma melhoria substancial em relação à brutalidade da *encomienda*, na qual o índio era uma máquina utilizada até quebrar. Porém, para o futuro da América Espanhola, o custo da fazenda é alto; o fardo, terrível. O molde social se cristaliza. Quase toda a terra cultivável se concentra em mãos de uma insignificante minoria.

E, no século XVIII, quando a população se tornou mais numerosa e a fazenda se dedicou cada vez mais a produzir para exportação, começou a surgir o problema da marginalidade social: a existência de um "excedente" de população em relação ao que poderia ser incorporado utilmente à economia. Esses homens "supérfluos" construíam barracos e desenvolviam uma agricultura de subsistência nas áreas não cultivadas das fazendas, de modo que eles também eram vassalos do dono da fazenda. As cidades não podiam se expandir, ou necessitavam para isso da benevolência dos fazendeiros, aos quais revertiam cada vez mais poder. E essa era a *normalidade*. Essa situação de todo o poder e de toda a riqueza para alguns poucos e de nenhum direito ou propriedade para a maioria era considerada justa, e o fazendeiro acabou virando um personagem digno de admiração e até de veneração. Sem dúvida, no final do século XVIII, a insurreição haitiana e o massacre dos fazendeiros franceses dessa ilha demonstrariam como esses extremos de submissão podem, de um dia para o outro, converter-se em explosões de ódio sangrentas.

A DOENÇA DA ESCRAVIDÃO

A partir do século XVI, a sociedade hispano-americana que se forma tem necessidade do índio e do negro como servos, porque o conquistador espanhol não está disposto a trabalhar nem nas minas nem na terra. Em contraste, os colonos da Nova Inglaterra chegaram ao Novo Mundo não com a expectativa de serem servidos por escravos, mas dispostos e ansiosos a trabalhar com suas próprias mãos.

Esses colonos da Nova Inglaterra e seus descendentes conquistadores da *fronteira* até o Pacífico viram nos índios apenas um estorvo, que era preciso afastar e até destruir. Não eram animais domésticos, mas animais selvagens. Por outro lado, os espanhóis criaram uma sociedade simbiótica, em que os escravos índios, negros, mestiços e mulatos seriam indispensáveis.

Essa diferença é básica para compreender o sucesso da sociedade norte-americana e o fracasso relativo da sociedade hispano-americana. Não é acidental que a região sulista dos EUA, onde colonos anglo-saxões criaram uma sociedade escravocrata, como os espanhóis na América Espanhola, onde o europeu em vez de ser um *free farmer* se dedicou às pretensões de *caballero** e a supervisionar mão de obra escrava, tenha evoluído de muitas maneiras de forma semelhante à sociedade latino-americana e tenha fracassado de forma muito parecida, até a guerra civil em que o Sul foi derrotado e "anexado" pelo Norte, sem que por isso tenha deixado de apresentar, até hoje, um quadro claramente diferenciado (e mais pobre em todos os sentidos) se comparado ao das regiões norte-americanas que não sofreram a doença da escravidão.

Em uma sociedade escravocrata, é estabelecida entre senhores e escravos uma relação dialeticamente parasitária, que é exasperante para ambos e para a sociedade em geral. Nesse contexto, é praticamente impossível que algum ser humano, senhor ou escravo, consiga se realizar satisfatoriamente ou alcance sequer uma *atitude vital* prezável; e muito menos que a sociedade em sua totalidade possa se desenvolver de uma maneira diferente de um organismo doente. De fato, a sociedade latino-americana foi qualificada (e pode sê-lo ainda) de "sociedade doente".

Eugene Genovese, historiador e sociólogo norte-americano, em seu livro *Roll, Jordan, Roll*, destaca, por exemplo, uma questão fundamental (entre outras muitas que poderiam ser analisadas), que é o *ritmo de vida* imposto pela escravidão nas sociedades que se baseiam nela. O trabalho do escravo não tem racionalidade nem intensidade regular. Na teoria, é "de sol a sol"; mas, na prática, está sujeito a diversas pausas, acelerações (quando o capataz se aproxima) e desacelerações (quando o capataz se afasta). Inexiste vínculo entre o esforço e a recompensa ou a remuneração. Não há mudança possível. Isso faz com que a sociedade escravocrata viva sem levar em conta o tempo, sem a compreensão da ambição de acumular capital (exceto "acidentalmente", no caso dos senhores, mas motivado apenas pelo impulso ou instinto primitivo de possuir sempre mais terra) ou de ganhar em bem-estar; e sem a tendência de relacionar o poder e a respeitabilidade com a pontualidade e com a produtividade. Os escravos têm, diga-se de passagem, toda a razão de fazer, em cada oportunidade, o mínimo esforço. O senhor, por seu lado, vai considerar o trabalho

---

* No sentido de "chevalier", "cavaleiro": fidalgo, pertencente à nobreza. Na Europa Medieval, aqueles que, por sua participação em batalhas, recebiam, como presente do rei, terras, servos, títulos nobiliárquicos. (N.E.)

como algo próprio de escravos. *E da mesma forma, todos os outros homens livres, por mais pobres que sejam.*

Na sociedade escravocrata, ser proprietário de escravos e dono de uma plantação em uma fazenda se converte na máxima ambição social e em indicador de uma suposta aristocracia. Outras atividades e vocações são consideradas desprezíveis, ou quando muito, transitórias. O médico, o advogado, o financista, o industrial, o comerciante, todos sonham chegar ao fim da vida como donos de terras e de escravos.

Por outro lado, uma sociedade escravocrata não requer progresso tecnológico e rejeita-o instintivamente (e mesmo conscientemente) como fator perturbador, o que terá consequências nas atitudes (e nas aptidões) de uma coletividade, de uma cultura muito tempo além da abolição da escravidão. Na Argentina, por exemplo, que logo chegaria aos níveis mais altos de emprego e de tecnologia na América Latina, já no século XIX as profissões técnicas estavam em mãos quase que exclusivamente de estrangeiros, tal como dois séculos e meio antes, quando alguns padeiros flamengos foram impedidos de emigrar por serem apenas eles que sabiam operar o único moinho de farinha existente em Buenos Aires, em 1607. Na Argentina, as inovações no processamento de couros, carnes etc., que vão acontecer desde a segunda metade do século XIX, serão obra de ingleses e franceses. Em outros países da América Latina, até pouco tempo atrás, qualquer equipamento mecânico quase invariavelmente, mesmo os muito simples, como os trapiches (moinhos de cana-de-açúcar) ou os descascadores de café, deviam ser instalados, supervisionados periodicamente e reparados por europeus ou norte-americanos. Enquanto o senhor branco estava ausente, ou só observava a produção, os capatazes mestiços se ocupavam de supervisionar as atividades do campo e os negros ou os índios cuidavam do trabalho físico da colheita da cana-de-açúcar ou da colheita de frutas.

O DESPREZO PELO TRABALHO

As consequências universalmente exasperantes das sociedades escravocratas se agravaram na América Espanhola por fatores especiais.

Enquanto o mundo entrava na era da técnica e os valores econômicos começavam a prevalecer, a Espanha expulsava os judeus e os mouriscos, e os cristãos *'limpios de sangre'** repudiavam a atitude laboriosa para não ser confundidos com os infiéis. [14]

A partir do século XV, pelo menos, se enraíza na sociedade espanhola esse "desprestígio das tarefas intelectuais e técnicas, sempre suspeitas de semitismo".[15] Mesmo antes, "o processo de Reconquista trouxe, sobretudo em Castela, que assumiu desde o século X o peso fundamental da guerra anti-islâmica, o predomínio do estamento religioso e cavalheiresco".[16] Ou seja, o castelhano se habitua a que o essencial da vida seja guerrear e celebrar a missa (ou assistir a ela), mantidos os homens com o butim ganho na terra dos mouros (como mais tarde na América) e confiantes em ganhar melhor a vida pela audácia pessoal, arriscada e livre, do que pela inserção medíocre e laboriosa em uma sociedade estável e organizada.

Da mesma forma que os hispano-americanos, os espanhóis em seus momentos de sinceridade se reconheceram pouco inclinados ao trabalho metódico e, de acordo com seu humor, fizeram disso uma virtude ou um defeito:

> (São) penosas (todas as) ocupações impostas pela necessidade. Gravitam em torno de nossa existência, maltratando-a e esmagando-a, e o que mais nos atormenta (do trabalho) é que, ao preencher o tempo de nossa vida, parece que o tira de nós; em outras palavras, a vida empregada no trabalho não parece ser verdadeiramente nossa, a que devia ser; mas, ao contrário, é a aniquilação de nossa autêntica existência [...]. Até o ponto que quem trabalha faz isso com a esperança mais ou menos tênue de ganhar algum dia a libertação de sua vida, de poder a seu tempo deixar de trabalhar e começar a viver de verdade.[17]

Ninguém mais exemplar dessa atitude do que os conquistadores, dispostos aos maiores *trabalhos*, mas na esperança de evitar o trabalho; construindo, por exemplo, embarcações com madeira verde, sem outras ferramentas além

---

* "De sangue limpo". (N.E.)

de suas espadas, sem pregos, no calor e no desconforto da costa da Flórida ou da selva amazônica, com as naus em que fugiram da Flórida os sobreviventes da expedição de Hernando de Soto; ou a expedição de Orellana, que navegou o rio Amazonas pela primeira vez, e da qual diz o inca Garcilaso de la Vega:

> Gonzalo Pizzaro, tão grande soldado, era o primeiro a cortar a madeira, a forjar o ferro, a fazer o carvão e a fazer qualquer outro ofício, por inferior que fosse, para dar exemplo a todos os demais, para que ninguém se isentasse de fazer o mesmo.

Porém, tudo isso, sem dúvida, com a esperança, nada tênue, mas viva e ardente como uma fogueira, de ganhar com isso não só *um dia*, mas, *em um só dia*, a libertação da necessidade de trabalhar o resto de sua vida e poder "começar a viver" de verdade.

Esses traços do caráter espanhol se acentuam e se tornam monstruosos na sociedade escravocrata hispano-americana, servida por índios e negros, e onde só o fato de ter se transferido da Península Ibérica, de ter atravessado o mar, transformava cada espanhol em um *fidalgo*. Segundo Rosenblat[18], desde sua origem, no século XVI, a sociedade hispano-americana teria uma proporção de fidalgos, clérigos, bacharéis e outras pessoas "cultas" (quer dizer, não laboriosas) maior do que a existente na sociedade europeia da época; e, sem dúvida, uma quantidade considerável de aventureiros, soldados e *conquistadores*. Ao pisar na América, ou ainda antes, ao embarcar em Sevilha, todos eles se sentiam fidalgos, se não nobres. "Santa Teresa conta que um de seus irmãos, ao voltar das Índias, já não quis mais trabalhar a sua terra. Se nas Índias tinha sido senhor, voltaria à condição de lavrador na Espanha?"[19]

Ainda hoje, na América Espanhola, o cúmulo do trabalho é trabalhar "como um negro" ou "como um *cholo*" (índio). Somente a influência de outros países ocidentais, e sobretudo a influência norte-americana, ali onde influenciou nas atitudes de indivíduos ou grupos sociais, conseguiu modificar um pouco a atitude hispano-americana senhorial-escravocrata de desprezo pelo trabalho, ainda mais enraizada ao se desenvolver a partir de uma propensão prévia ao apreço pelo ócio e pela aversão ao trabalho, já existente na Espanha antes de 1492.

OS PIONEIROS DO TERCEIRO-MUNDISMO

A sociedade escravocrata não só é desumana, mas também antieconômica e profundamente incompatível com o espírito da revolução industrial, liberal e capitalista; e, sem dúvida, também com os ideais do humanismo, da liberdade e da igualdade engendrados pela sociedade industrial, liberal e capitalista. Por que nos causa estranheza que sociedades até ontem escravocratas continuem lastreadas pela resistência passiva ao trabalho; pelo prestígio absurdo do ócio do senhor; e por *ritmo de vida* de acordo com o qual o funcionário público que marcou uma reunião às três da tarde conosco pode chegar às cinco e meia ou não voltar ao seu escritório até o dia seguinte?

Com certeza, é muito interessante constatar como situações parecidas conduzem a explicações (ou autojustificativas) semelhantes, quando não idênticas. Em 1816, a jovem república norte-americana estabeleceu tarifas protecionistas para favorecer o desenvolvimento de sua nascente indústria contra a importação irrestrita de manufaturados ingleses. Os protecionistas mais inflamados foram homens da Virgínia e das Carolinas, que esperavam confiantes que o Sul, com algodão barato, mão de obra escrava e cursos de água abundantes para mover as máquinas seria um centro têxtil capaz de rivalizar com Manchester.

Porém, o Sul estava atrasado por causa da escravidão, da mesma forma que a América Latina. Foi na Nova Inglaterra, longe dos campos de algodão, que se desenvolveu uma indústria têxtil com a ajuda da tarifa protecionista, enquanto que o Sul teve que pagar mais pelos manufaturados procedentes agora do Norte, sem obter melhor preço pela matéria-prima que era o algodão. Em poucos anos, a partir de uma situação teoricamente inferior e desvantajosa, o Norte conseguiu se industrializar, enquanto que o Sul não encontrava em si mesmo capacidade senão para produzir cada vez mais algodão, com cada vez mais escravos, esgotando a terra e rebaixando o preço de sua monocultura.

Os sulistas ricos (mais ricos do que os nortistas ricos) falavam constantemente de fundar companhias de navegação e bancos, para não depender do transporte e do financiamento nortistas, mas invariavelmente acabavam investindo seus excedentes de capital em mais terras e mais escravos.

Menos de 15 anos depois de parlamentares sulistas (Calhoun e Lowdnes, da Carolina do Sul) terem sido os defensores mais eficazes das tarifas aduaneiras contra as importações procedentes da Inglaterra, o Sul começou a autojustificar seu fracasso com o mito de que o protecionismo fora uma invenção do Norte para enriquecer à custa do Sul, e as lideranças sulistas inflamavam seus eleitores (e preparavam a guerra civil) com a afirmação de que, de cada 100 fardos de algodão vendidos em Boston ou Nova York, 40 tinham sido "roubados" do Sul. Logo se chegou mais longe, afirmando-se que a acumulação de capital do Norte nos últimos anos do século XVIII e primeiros do século XIX havia sido alcançada despojando o Sul mediante manobras financeiras. Um escritor da época afirma: "Quando os sulistas veem as cidades florescentes da Nova Inglaterra, exclamam: somos nós que pagamos por tudo isso". Na mitologia assim cultivada, o Norte prosperava porque o Sul estava estagnado, e vice-versa. E, em 1860, o Sul foi à guerra firmemente convencido de que, *ao romper a dependência* que o amarrava ao Norte, não só prosperaria magicamente, mas os odiados ianques sofreriam instantaneamente um colapso econômico ao ficarem privados da fonte de matérias-primas e do mercado para seus manufaturados, representado pelo Sul.

Hobson, Hilferding e Lenin não tinham nascido, e os argumentos "terceiro-mundistas" já haviam sido inventados [...] pelos senhores de escravos sulistas!

NOTAS

1. "Suponhamos que um antropólogo 'comprometido' passe um tempo em um dos territórios libertados das colônias portuguesas e descubra que a realidade política, econômica e social permanece oculta em relação ao proclamado pelos responsáveis da revolução [...]. Deve então revelá-la ou ficar em silêncio? No primeiro caso, corremos o risco de estar a serviço da propaganda contrarrevolucionária".
2. Alfredo Chacón, "¿Qué es la cultura nacional?", em *El Nacional,* Caracas, 15 de fevereiro de 1975.
3. Existem índios selvagens e semisselvagens na Amazônia brasileira, peruana, venezuelana etc.; mas, ainda que não descuidados por aqueles que quiseram convencer os latino-americanos de que todos os nossos problemas se devem a termos sido *invadidos por estrangeiros* de 1492 em diante, obviamente estes representantes da Idade da Pedra não podem competir com antepassados míticos, como incas e astecas.

4. Bailey W. Diffie, "Estimates of Indian Population in 1492", em *History of Latin American Civilization,* editado por Lewis Hanke, London, Methuen & Co. Ltd., 1969.
5. A capital asteca.
6. "De uma maneira que reconheço como arbitrária, e a deploro, mas à falta de algo melhor, podemos admitir que Tenochtitlán-Tlatelolco tinha entre 80 e 100 mil habitações com 7 pessoas; ou seja, uma população de 560 a 700 mil habitantes." Jacques Soustelle, *La vie quotidienne des Azteques a la veille de la Conquête Espagnole,* Paris, Hachette, 1955.
7. *Op. cit.*
8. James A. Robertson, "The Transfer of Plants and Animals", em *History of Latin American Civilization,* editado por Lewis Hanke, Londres, Methuen and Co., 1969.
9. Friedrich Engels, *A origem da família, da propriedade privada e do Estado,* 1884.
10. Em *A Socialists Empire: the Incas of Peru,* Princeton, D. Van Nostrand Co. Inc., 1961.
11. Inspirada na primeira frase de *História de Roma,* de Mommsen: "A história de toda nação é um vasto sistema de incorporação".
12. Fazendeiro livre.
13. *Caciques* eram os chefes das tribos indígenas americanas. No moderno idioma da Espanha e da América Espanhola, também quer dizer "pessoa que, em um povoado ou comarca, exerce influência excessiva em assuntos políticos ou administrativos", e *caciquismo* é o nome que se dá à dominação exercida por esses chefes políticos rurais.
14. Ángel Rosenblat, "El Hispanoamericano y el trabajo", em *La Primera Visión de América y otros ensayos,* Caracas, Ministerio de Educación, 1965, p. 60.
15. *Ibid.*
16. *Ibid.,* p. 61.
17. José Ortega y Gasset, citado por Rosenblat, *ibid.,* p. 57.
18. *Ibid.,* p. 70.
19. *Ibid.,* p. 71.

CAPÍTULO 8

Mais algumas verdades

AS REPÚBLICAS AÉREAS

A confusão de ideias e emoções diversas, complementares ou contraditórias, verdadeiras ou falsas, associadas hoje à palavra *imperialismo* faz perder de vista que a Espanha, em trezentos anos de império na América, não diferenciou rigidamente *metrópole* de *colônias*, conseguindo transferir (ou, se preferirem, adaptar) sua cultura de forma orgânica e integral para as sociedades hispano-americanas. O conceito de "descolonização" — aplicável, por exemplo, na Argélia, onde os franceses continuam sendo europeus e *colonos*, e os árabes, os nativos; cristãos, os primeiros, muçulmanos, os segundos — não se aplica à América Espanhola. Madri enviava vice-reis, capitães-gerais ou intendentes, em um espírito de centralismo não muito diferente do vigente ainda hoje na nomeação de governadores de províncias da península espanhola e das Ilhas Canárias.* As diferenças, sem dúvida nada desprezíveis, residiam na necessidade de evangelizar, para então manter índios e negros escravos subjugados; e, na atividade econômica, predominantemente mineira e agrícola (e, em ambos os casos, escravocrata), com o consequente agravamento, na América

---

* A Espanha ainda hoje, embora na prática funcione como uma federação de "comunidades autônomas", é formalmente um Estado unitário, em que há concentração de poder no governo central. Os governos locais só exercem poderes que forem delegados pelo poder central. (N.E.)

Espanhola, da defasagem espanhola em relação às tendências de modernização e liberalização da civilização ocidental a partir do século XVI.

Em seus domínios da América, a Espanha não criou formas especiais de obscurantismo, repressão política e antiliberalismo contraditórias com suas próprias ideias, práticas e aspirações (como aconteceu com a França em seus esforços para manter o controle da Argélia), mas simplesmente estendeu às províncias espanholas da América o obscurantismo, a repressão política e o antiliberalismo característicos da sociedade espanhola da Contrarreforma.

Em contraste, os colonos ingleses da América do Norte possivelmente foram, ainda antes da independência das treze colônias, o grupo humano mais livre que já existiu; e livre, além disso (nas áreas da América do Norte destinadas a definir logo as aspirações e os valores dos EUA independentes, e a lhes impor definitivamente na guerra civil de 1860-65), da doença da escravidão.

Inclusive, pode-se afirmar que, desde o século XVIII, os habitantes da Nova Inglaterra, de Nova York, de Nova Jersey e da Pensilvânia eram mais versados na arte de exercer a liberdade do que os próprios ingleses.

Ao emigrar para a América, esses homens tinham se libertado dos vícios do feudalismo; da tutela nobiliária e eclesiástica; da falta de terras; das grandes desigualdades; das restrições mercantilistas à atividade econômica; dos prefeitos, dos sacerdotes, dos coletores de impostos, dos tiranetes de vilarejos; do recrutamento do exército e da marinha reais e do serviço obrigatório na marinha mercante. Além disso, tinham conseguido (pelo menos desde 1735) o direito de dizer e de imprimir o que quisessem, de se reunir em assembleias e de *se autogovernar*. A guerra de independência seria travada não para conquistar essas liberdades, pois já as tinham, mas para *mantê-las*.

Por tudo isso, para os norte-americanos, a decisão de se declararem politicamente independentes, ainda que angustiante, não significou um desgarramento espiritual nem uma ruptura dos costumes. Os EUA se tornariam independentes do vínculo político com a Grã-Bretanha, mas não contra a tradição política e cultural inglesa, a qual, ao contrário, desejavam *aperfeiçoar*. Na nova nação, todas as "cordas místicas da memória que fazem de uma coletividade humana uma unidade" (Lincoln) seguirão vibrando ao som de palavras extraídas do passado inglês: Magna Carta, a Rainha Virgem, a Revolução Gloriosa de 1688, a Declaração de Direitos, Drake, Wolfe, Marlborough, a Reforma, a Liberdade de Consciência etc.

Por outro lado, para os hispano-americanos, ter acesso à vida independente significou uma profunda crise moral, intelectual e espiritual; uma negação de si mesmos, tal como a Espanha os havia forjado; e um referir-se, para definir uma nova identidade, por um lado, a um passado mítico, pré-colombiano, "bom-selvagista"; e por outro, a ideias e práticas políticas completamente exóticas e que não estavam nem remotamente preparados para manejar. É, senão o começo ou o fundamento mais profundo, pelo menos a consagração daquela "mentira constitucional" da sociedade latino-americana de que Octavio Paz nos fala.

Após a perda de Primeira República venezuelana (1812), o jovem Bolívar faz a seguinte análise das causas da derrota:

> Os códigos que os nossos magistrados consultavam não eram os que podiam lhes ensinar a ciência prática de governo, mas os que formaram alguns bons visionários que, imaginando repúblicas aéreas, procuraram alcançar a perfeição política pressupondo a perfectibilidade da raça humana. De modo que tivemos filósofos como chefes, filantropia como legislação, dialética como tática e sofistas como soldados [...]. Porém, o que mais enfraqueceu o governo da Venezuela foi a forma federalista que adotou, seguindo as máximas exageradas dos direitos do homem, que, ao autorizá-lo a governar por si mesmo, rompe os pactos sociais e transforma as nações em anarquia [...]. Cada província se governava de forma independente; e, a exemplo delas, cada cidade pretendia ter poderes iguais [...], alegando [...] a teoria de que todos os homens e todos os povos gozam da prerrogativa de instituir à sua vontade um governo que os favoreça [...]. As eleições populares feitas pelos rústicos do campo e pelos intrigantes moradores das cidades (acrescentaram) um obstáculo a mais na prática da federação [...], porque os primeiros são tão ignorantes que votam de maneira mecânica, e os segundos, tão ambiciosos que tudo transformam em facção; por isso, na Venezuela, jamais se viu uma votação livre e correta, o que coloca o governo em mãos de homens já desafeiçoados da causa (da independência), já ineptos, já imorais".[1]

Seis anos depois, abrandado pelas durezas da guerra (e surpreso com as consequências, em diferentes regiões da América Espanhola, do colapso da ordem política anterior), Bolívar aconselhou (sem êxito) o Congresso venezuelano que desse à república uma constituição apropriada à sua história, à sua imaturidade, à sua sociologia:

> Nosso destino sempre foi meramente passivo, nossa existência política sempre foi nula, e nos encontramos com maior dificuldade para alcançar a Liberdade do que quando estávamos situados (antes de 1810) em um grau inferior ao da servidão [...]. A América recebia tudo da Espanha, que realmente lhe havia privado do desfrute e da prática (do autogoverno) [...]. Nós, o Povo Americano, submetidos ao triplo jugo da ignorância, da tirania e do vício, não pudemos adquirir nem saber, nem poder e nem virtude [...]. Um Povo ignorante é um instrumento cego de sua própria destruição: a ambição e a intriga abusam da credulidade e da inexperiência, (e) homens alheios a todo conhecimento político, econômico ou civil adotam como realidades o que são puras ilusões; tomam licenciosidade por liberdade; traição, por patriotismo; vingança, por justiça [...]. Um povo pervertido se alcança sua liberdade, rapidamente volta a perdê-la; porque em vão se esforçaram para mostrar que a felicidade consiste na prática da virtude, que o império das Leis é mais poderoso do que o dos tiranos, porque são mais inflexíveis, e tudo deve se submeter ao seu rigor benéfico; que os bons costumes, e não a força, são as colunas das leis; que o exercício da Justiça é o exercício da Liberdade [...]. Muitas nações, antigas e modernas, golpearam a opressão, mas são raríssimas as que souberam desfrutar de alguns momentos preciosos de Liberdade; em pouco tempo, recaíram em seus antigos vícios políticos: porque são os Povos, mais do que os Governos, que arrastam a tirania atrás de si [...]. Quanto mais admiro a excelência da Constituição Federal da Venezuela mais eu me convenço da impossibilidade de sua aplicação em nosso Estado. E, do meu ponto de vista, é um milagre que seu modelo na América do Norte subsista de maneira tão bem-sucedida e não seja alterado diante da primeira dificuldade ou perigo. Embora esse Povo seja um modelo singular de virtudes políticas e de ilustração moral, não obstante o fato de a Liberdade ter sido seu berço, de ele ter se criado na Liberdade e se alimentado de pura Liberdade, direi, ainda que sob muitos aspectos, que esse Povo é único na história do gênero humano. É um milagre, repito, que um sistema tão frágil e complicado como o federal possa ter de governá-lo em circunstâncias tão difíceis e delicadas como as do passado. Mas seja o que for desse Governo

com respeito à Nação (Norte) Americana, devo dizer que nem remotamente passou pela minha cabeça assimilar a situação e a natureza de Estados tão distintos como o Inglês Americano e o Americano Espanhol. Não seria muito difícil aplicar na Espanha o Código de Liberdade política, civil e religiosa da Inglaterra? Mas é ainda mais difícil adaptar na Venezuela as leis da América do Norte. *Do espírito das leis* (1748)* não afirma que estas devem ser próprias do Povo que as cria? Que é uma grande casualidade que as de uma nação possam convir à outra? Que as Leis devem ser relativas ao físico do país, ao clima, à qualidade da terra, à sua situação, à sua extensão, ao gênero de vida dos Povos? Referir-se ao grau de Liberdade que a Constituição pode permitir à Religião dos habitantes, às suas inclinações, às suas riquezas, ao seu número, ao seu comércio, aos seus costumes, aos seus modos? Eis aqui o Código que devemos consultar, e não o de Washington!".[2]

A capacidade de autoengano dos latino-americanos fica dramaticamente ilustrada pela maneira como fingimos nos dar conta do desespero clarividente de Bolívar, desde 1812, sobre as possibilidades reais de a América Espanhola só poder ser governada com mãos de ferro. E, 70 anos depois, ouviremos afirmação semelhante de outro dos heróis da América Espanhola, o cubano José Martí (1853-1895), que dirá:

"A incapacidade (de a América Espanhola governar a si mesma) não está [...] senão naqueles que querem administrar povos originais, de composição singular e violenta, com leis herdadas de quatro séculos de prática livre nos Estados Unidos, de dezenove séculos de monarquia na França. Com um decreto de Hamilton, não se interrompe o galope selvagem do cavalo de um vaqueiro. Com uma frase de Sieyès, não se desestanca o sangue coagulado da raça índia [...]. O governo deve nascer do país. O espírito do governo deve ser o do país. A forma de governo tem de estar em harmonia com a constituição própria do país".[3]

---

* Clássico da política escrito pelo Barão de Montesquieu (1689-1755). Afirma que, na república, quando o poder soberano emana do povo, tem-se uma democracia. Se o poder soberano emana de uma parte do povo, tem-se uma aristocracia. A obra também é conhecida por criar a teoria da separação dos poderes (Executivo, Legislativo e Judiciário) e seus mecanismos de controle mútuo. (N.E.)

Os caudilhos, os tiranos latino-americanos, não foram outra coisa que não a desforra da realidade histórica e sociológica em relação à tentativa de construir "repúblicas aéreas" sobre o fundamento herdado do Império Espanhol, iniciativa ainda mais insensata quando, entre o naufrágio do Império e o nascimento das repúblicas independentes, ocorreu o episódio terrível da guerra da emancipação.

O TRAUMA DA GUERRA DA EMANCIPAÇÃO

A América Espanhola não chegou a tais extremos de colapso institucional, guerra social e extermínio das antigas classes dominantes *criollas* como no Haiti, entre 1791 e 1804, mas grandes regiões não estiveram muito longe disso. E se a América Espanhola não estava pronta para a prática do autogoverno dentro da liberdade antes de 1810, muito menos estaria depois de 1824, após a derrota em Ayacucho, no Peru, do último exército leal ao rei da Espanha.

A guerra foi total, conduzida sem piedade, buscando a morte do inimigo, sem consideração pelos bens públicos ou privados. A Venezuela perdeu metade da população. O Uruguai mais ou menos a mesma coisa. Em *Facundo*, Sarmiento descreve a ruína em que ficou a república argentina em comparação à situação que havia alcançado o vice-reinado de Buenos Aires, em 1810. Em 1828, Bolívar escreveu que "Buenos Aires, Chile, Guatemala e México estão perdidos",[4] e, em 1830, que:

> A situação da América (Espanhola) é tão singular e tão terrível que não é possível que algum homem se deleite de conservar a ordem por muito tempo, nem em uma única cidade [...]. (Nunca) se viu [...] um quadro tão assustador como o que oferece a América (Espanhola) (e) mais para o futuro do que para o presente, pois quem teria imaginado que um mundo inteiro fosse cair em furor e fosse devorar sua própria raça como antropófagos? [...]. Esse caso é único nos anais dos crimes e, o que é pior, é *irremediável*.[5]

Os homens das classes populares foram desenraizados pelo recrutamento forçado. Os sobreviventes não voltariam a acatar outra autoridade que não fosse a dos chefes de guerra. Os *criollos* foram dizimados pela guerra, tanto em combates como em massacres. Em 1814, quase toda a população de Caracas fugiu, aterrorizada com as atrocidades cometidas pelo bando *realista* após desbaratar os exércitos *patriotas*. Esteban Palacios, tio de Bolívar, só regressou do exílio dez anos depois. Do Peru, o Libertador, que o tio acreditava morto ou definitivamente desaparecido, escreveu em tom elegíaco:

> Ontem soube que o senhor estava vivo e que vivia em nossa querida pátria [...]. Deve ter sentido o sonho de Epimênides: voltou de entre os mortos para ver a devastação do tempo inexorável, da guerra cruel, dos homens ferozes. Em Caracas, iria se encontrar com um duende que vinha da outra vida e veria que nada é o que foi. O senhor deixou uma família grande e bela: ela foi ceifada por uma foice sanguinária; o senhor deixou uma pátria nascente, que desenvolvia as primeiras sementes da criação e os primeiros elementos da sociedade; e agora a encontra toda em escombros [...], toda em memórias. Os viventes desapareceram: as obras dos homens, as casas de Deus e até os campos sentiram a destruição terrível dos tremores da natureza [...]. Os campos regados pelo suor de trezentos anos foram exauridos pela combinação fatal de meteoros[6] e de crimes. 'Onde está Caracas?', o senhor deve estar se perguntando. Caracas não existe mais [...]".[7]

Em 1800, Humboldt se admirou com a rapidez e a segurança com que uma carta podia chegar ao México a partir de Buenos Aires. Agora, durante mais de um século, as comunicações ficaram interrompidas, ou ao menos difíceis, entre regiões próximas de um mesmo país. No México, bandoleiros e assaltantes de estrada dominaram as zonas rurais até o último terço do século XIX, quando um tirano particularmente eficiente e implacável[8] teve a ideia de pôr os mais sanguinários a seu serviço, formando com eles uma polícia rural terrorista que garantisse ao seu governo o monopólio dos saques. Em todos os lugares, a estrutura produtiva e financeira, como havia chegado a ser, ficou em ruínas. O capital acumulado ficou destruído ou disperso. As minas ficaram inundadas. O gado foi dizimado pelos grupos armados. No Peru, em 1826, um observador inglês (talvez a região menos afetada pela guerra e durante menos tempo) disse que "os horrores da luta pela independência" deixaram aquela nação tão arruinada:

Que o aspecto do país é como se ele acabasse de sofrer um terremoto que deixou tudo devastado e em ruínas. As terras sem cultivo, os edifícios com necessidade de reconstrução, a população diminuída, o governo instável, um novo sistema legal ainda não estabelecido, o capital inexistente, assim como a tranquilidade; (e) ainda não há um plano básico para iniciar a recuperação".[9]

Esteban Palacios, tio e padrinho de Bolívar, foi apenas um dos inúmeros hispano-americanos que emigraram para as Antilhas, ou para mais longe ainda, apavorados com a guerra. O venezuelano Andrés Bello, junto com Bolívar, o mais ilustre dos hispano-americanos da geração da independência, não voltaria de Londres até 1829 (para onde a Primeira República venezuelana o tinha enviado como representante diplomático em 1810), e, então, não à sua pátria natal, mas ao Chile, país que começava a esboçar uma evolução política menos brutal e primitiva que a das demais repúblicas hispano-americanas e onde, assim, Bello poderia conseguir um trabalho de acadêmico, filósofo, historiador, gramático, legislador, crítico e jornalista, de acordo com seu temperamento e seus atributos. O médico José María Vargas, venezuelano da mesma geração, não se iludiu com a restauração da república em 1813 e, da prisão de onde os *patriotas* o haviam resgatado em um dos vaivéns da guerra, seguiu diretamente para a Grã-Bretanha. Ele viveu na Europa durante dez anos, aperfeiçoando seus conhecimentos médicos em Edimburgo, Londres e Paris. Em 1823, voltou para a América, mas não à Venezuela, e sim a Porto Rico, ilha onde a ordem imperial espanhola reinava em paz. Em 1825 (o mesmo ano em que Bolívar tomou conhecimento do regresso de Esteban Palacios a Caracas), animou-se a voltar à Venezuela, definitivamente livre da Espanha e, supôs Vargas, da guerra. Em 1835, sua eminência científica o levou à presidência da república, por capricho do caudilho sucessor, em Caracas, do poder de Bolívar, fragmentado após a renúncia do Libertador à presidência da Grã-Colômbia, em 1830.

No entanto, Vargas, civil e homem de ciência, seria rapidamente derrubado pelo primeiro de uma grande série de golpes de Estado militares que a Venezuela sofreu como república independente, e, simbolicamente, morreu no exterior, em Nova York, em 1854.

A HERANÇA DO MERCANTILISMO ESPANHOL

O monopólio, o privilégio e a restrição à livre atividade econômica, ou qualquer outra, são tradições profundamente arraigadas nos indivíduos das sociedades de origem hispânica. A Espanha proibiu o ingresso em seus domínios da América não só de todos que não fossem súditos do rei-imperador (o que não teria excluído flamengos, borgonheses, milaneses, napolitanos, sicilianos, tunisianos), mas também, em um primeiro momento, de espanhóis peninsulares não provenientes de Castela, Andaluzia e Estremadura. Com essas e outras medidas, a Espanha foi capaz de criar na América uma sociedade incrivelmente fechada. Na Nova Espanha (México), Humboldt encontrou *criollos* proeminentes, que desconheciam a existência de europeus que não falavam espanhol.

E aquilo que valia para pessoas, valia com mais razão (ou sem razão) para as mercadorias. Buenos Aires não teve direito a nenhum comércio marítimo até 1776, quando se tornou vice-reinado. Até aquele ano, as importações e as exportação daquela comarca atlântica estavam sob a jurisdição do vice-reinado do Peru, o que, na prática, significava que um carregamento procedente de Cádiz ou Sevilha com destino a Buenos Aires tinha de ir a Portobello, na costa oriental do Panamá, cruzar o istmo em lombo de mula, ser transportado pelo Oceano Pacífico até Lima e, dali, novamente em lombo de mula, passar a cordilheira do Andes por La Paz, até a planície e a costa do Oceano Atlântico. Quando essa obrigação implausível foi revogada, o preço dos artigos importados em Buenos Aires baixou de imediato a um terço do que era anteriormente e, pela primeira vez, as produções de couros e lã da província se tornaram viáveis para o comércio de exportação.

Para o espírito mercantilista espanhol retrógrado (que olhava para a Idade Média como modelo insuperável e não intuía nem aspirava ao capitalismo nascente), a atividade econômica privada era algo quase pecaminoso e, em todo caso, desprezível e propícia a ser dilapidada a cada curva da estrada e a cada trecho do rio. A *alcabala* permanente que ainda se encontra nas mais modernas estradas hispano-americanas demonstra a sobrevivência dessa hostilidade hispânica contra o livre trânsito de pessoas e mercadorias, de uma desconfiança contra tudo que não esteja admitido ou expressamente autorizado ou supervisionado (o que, na prática, quer dizer *atrapalhado* ou *impedido*) pelo Estado. Em contraste, o *roadblock* (bloqueio em estrada) anglo-saxão, que se estabelece provisoriamente em qualquer ponto de uma estrada quando, excepcionalmente, há necessidade de filtrar o trânsito, é o símbolo da atitude diametralmente oposta, segundo a qual o cidadão é naturalmente livre, e todo o tipo de restrição ao livre trânsito (assim como qualquer outra restrição a qualquer outra liberdade) necessita de uma justificativa especial e um procedimento legal não arbitrário.[10]

O mesmo representante consular inglês, mencionado anteriormente com relação às consequências para o Peru da guerra da independência, achava que, em 1826, o governo republicano do vice-reinado espanhol contradizia na prática suas declarações de fé no livre comércio:

> Em seu desejo de conseguir recursos, (este governo) concebe que a maneira mais rápida de obtê-los é sobrecarregar o comércio com impostos. Velhos preconceitos impedem conceber que as receitas de um Estado aumentarão de modo seguro e progressivo por meio do simples expediente de deixar que os comerciantes obtenham benefícios baixos, mas em transações numerosas; e (os peruanos) habituados com o fato de que as minas (trabalhadas por servos) rendiam uma riqueza que se supunha inesgotável, não se dão conta de que a única maneira de promover o aumento do comércio, da indústria, do capital e da população (e, portanto, das fontes de finanças públicas) é pondo em prática um sistema econômico liberal [...]. (Em lugar disso, vemos que) o comércio no Peru se encontrava em situação deplorável, por culpa de um governo que não imaginava outra maneira de aumentar sua receita senão impondo impostos altos sobre todos os artigos do comércio, os quais, portanto, apresentam preços exorbitantes. O sistema prevalecente põe todo tipo de dificuldades no caminho do comerciante honesto (*fair trader*), ao mesmo tempo em que (estimula) o contrabando.

Na América Latina, ainda hoje perduram e prejudicam seu desenvolvimento econômico atitudes e situações que obstruem a atividade econômica privada realizada de boa-fé. Ao mesmo tempo, estimulam e premiam os negociantes inescrupulosos, os traficantes de influência, os subornadores de servidores públicos e os fraudadores do fisco. Diante disso, a reação espontânea do governante herdeiro da tradição mercantilista hispânica é aumentar os controles, as restrições, as fiscalizações, sem se dar conta de que não existe nenhuma razão para que haja menor proporção de pessoal subornável entre os controladores do que entre os controlados, de modo que, com cada nova formalidade, com cada nova restrição, aumentam as probabilidades de corrupção e diminuem as possibilidades de desenvolvimento dos cidadãos sem recorrer a expedientes extraordinários, ainda que, para as gestões mais correntemente necessárias, e com muito mais razão para os assuntos que implicam investimento de dinheiro e expectativa de benefício. O funcionário venal terá interesse positivo na multiplicação de requisitos, licenças de exportação e importação, permissões especiais para tudo, exceto respirar e ver a paisagem. Essas obstruções serão, cada uma, a oportunidade de uma oferta ou de uma solicitação de suborno. E o funcionário honesto terá tendência de vacilação, quando não a de paralisia, por temor de que sua boa disposição para esse ou aquele projeto seja interpretada como fruto de uma transação obscura.

AS CIDADES PARASITAS

Sem estarem inclinadas nem preparadas para isso, as repúblicas hispano-americanas, sem dúvida, se viram forçadas, desde 1824, a se lançar no mercado mundial capitalista como exportadoras e importadoras.

Com o livre comércio, os maus governos e a possibilidade de negociar empréstimos, as importações tendem invariavelmente a superar em valor as exportações, e os gastos do Estado, as receitas fiscais, com o que se criam hábitos de irresponsabilidade financeira crônica, origem das inflações galopantes do século XX. Os orçamentos de gastos públicos são equilibrados liquidando-se bens nacionais, admitindo investimentos estrangeiros em condições leoninas e renegociando empréstimos em condições cada vez mais onerosas, não só pelas taxas de juros, mas pelas altíssimas comissões pagas aos banqueiros estrangeiros e pelo fato de o saldo líquido ser desviado com frequência para os bolsos dos negociadores e governantes.

A nova ordem econômica favorece o predomínio dos portos e das capitais (com frequência a mesma cidade, como nos casos de Buenos Aires, Montevidéu, Lima e Havana, e também de Caracas e Santiago do Chile, que não são portos, mas estão à curta distância do mar) em relação à hinterlândia, o que não faz mais do que confirmar uma tendência, já presente no Império Espanhol, de abrir um abismo cada vez mais profundo entre duas sociedades: a urbana comercial e a rural produtora, com esta última despojada sistematicamente em seus intercâmbios com a primeira. Desta forma, com certeza, agrava-se ainda mais uma característica da sociedade e da economia coloniais, moldadas da mesma forma para a exportação por intermédio das cidades supervisoras e exploradoras do campo e das minas trabalhadas pelos escravos subconsumidores. Só que agora a tendência se acelera e vai chegar, em cidades como Buenos Aires (o exemplo mais impressionante), a uma macrocefalia monstruosa. A sociedade urbana, parasita, "moderniza-se"; quer dizer, copia as atitudes europeias e norte-americanas, enquanto que nas zonas rurais perduram os hábitos e as atitudes semeados pelos conquistadores, colonizadores e frades espanhóis do século XVI.

A urbe estranha e aberrante, excrescência cancerosa às beiras de uma sociedade rural e atrasada que lhe é tributária, torna-se, pelo mesmo motivo, um dos temas da literatura e do pensamento latino-americanos. Para o argentino Ezequiel Martínez Estrada (1895-1965), um dos ensaístas hispano-americanos mais notáveis, Buenos Aires "absorve brutal e cegamente a riqueza do interior [...], come como todo gigante [...]. Alimenta-se da miséria e do atraso, da ignorância e da solidão".[11] O próprio Sarmiento, que não via civilização possível na América Espanhola, senão atraída de fora, fixada e logo difundida pelas cidades, não deixou de reconhecer que Buenos Aires:

> Afoga em suas fontes o tributo e a riqueza que os rios e as províncias têm que lhe trazer [...]. Sozinha, explora as vantagens do comércio estrangeiro; sozinha, tem poder e rendas. Em vão, as províncias lhe pediram que lhes deixasse passar um pouco de civilização, de indústria e de população europeia [...]. Porém, as províncias se vingaram, enviando-lhe no (tirano) Rosas muito da barbárie que sobrava a elas.[12]

Aqueles que conheceram Havana antes de 1960, e voltaram para lá depois, puderam constatar que, com Fidel Castro, a Cuba rural se vingou de sua cidade parasita; como, ainda mais drasticamente, a Camboja rural de Phnom Penh se vingou com o triunfo do Khmer Vermelho. Outras capitais latino-americanas conhecerão o destino de Havana ou de Phnom Penh? É possível. De qualquer forma, mesmo sem idealizar a hinterlândia hispano-americana, onde não reside nenhuma virtude especial, mesmo sem cair no telurismo fascistoide, mesmo afastando todas as tergiversações bom-selvagistas, é óbvio que as grandes capitais macrocéfalas concentram e exibem, a um nível escandaloso, os sintomas de desequilíbrio profundo, psíquico e estrutural, da sociedade hispano-americana.

São os habitantes dessas cidades, nascidos nelas ou imigrantes de zonas rurais, de cidades provinciais ou do estrangeiro, que, moldados por elas, exibem de forma crua (e, às vezes, até de forma arrogante) um não ter:

> "[...] raízes, nem na terra, nem no céu; um não sentir amor, simpatia ou afeto por nosso vizinho desconhecido [...]. Não sentir que somos um povo, uma missão, uma tarefa, um destino. (Ezequiel Martínez Estrada, *Exhortaciones*, 1957).

Os imigrantes europeus não hispânicos, por exemplo, que tanto contribuíram para o que há de mais valioso na América Espanhola, rendem menos aqui, eles e seus filhos, do que deveriam, porque não conseguem escapar da intuição do que significa se mudarem para cá, desenvolverem-se aqui. Se tivessem desembarcado nos Estados Unidos teriam sentido (como realmente sentiram outros homens em tudo iguais a eles, e de procedência semelhante: italianos, irlandeses, gregos, judeus da Europa Central ou russos etc.) que se incorporavam a um sistema sólido e viável; mais ao chegarem à América Espanhola vão se sentir desincorporados de suas sociedades de origem, "carentes de toda a disciplina interior, desarraigados de suas sociedades europeias nativas, dentro das quais viveram, sem se aperceber disso, disciplinados moralmente por (sua participação em) uma [...] vida coletiva, estabilizada e integral" (Ortega y Gasset); e, ao mesmo tempo, inseridos em um novo e distinto "sistema de incorporação".

Esse fato de os indivíduos não se sentirem parte de *um todo* e comprometidos com um destino coletivo que, para Ortega y Gasset, marca a decadência das sociedades hispânicas, na América Espanhola vai contagiar até os imigrantes procedentes de sociedades mais solidárias e mais bem estruturadas. E essa alienação e esse desapego, com suas consequências na forma de comportamentos não solidários, egoístas, serão tanto mais pronunciados quanto mais alto na escala social e cultural se encontre o habitante da América Espanhola.

Em correspondência com a observação tão aguda de Ortega, os precursores, os que deram o tom que logo viria a contagiar a todos os imigrantes posteriores, viessem de onde viessem, foram os conquistadores e os colonizadores espanhóis. Na base da pirâmide de castas que foi o Império Espanhol da América, não é de se estranhar que os índios, os negros e os *pardos* não tenham se sentido parte da sociedade, porque realmente não eram, exceto na medida em que a Igreja pudesse ter lhes feito supor, como afirma Octavio Paz, creio que excessivamente, que existia para eles um lugar de algum modo digno e de algum modo significativo na ordem cósmica cristã. Esse *proletariado interno*[13] não requeria maiores estímulos para se tornar, na primeira oportunidade (que viria com as guerras de independência), um potente fator de muito merecida desintegração, tremendamente virulento por estar inserido na parábola de decadência que vinha descrevendo a sociedade espanhola e, com ela, a sociedade hispano-americana.

No entanto, o que as castas inferiores do Império Espanhol da América, que se tornarão o *povo* das repúblicas independentes sucessoras desse império, não poderão conceber, por motivos óbvios, é sua desvinculação física do marco geográfico em que estão inseridas. Não poderá haver entre elas projetos de "indiano".* Nenhuma aldeia da Estremadura ou da Andaluzia os viu partir, nem espera seu regresso. Por outro lado, cada descobridor, cada conquistador, cada colono espanhol poderia ter sido um "indiano" em potencial. E, no topo da pirâmide, os vice-reis, os capitães-gerais, os intendentes etc., durante os 300 anos do império, e apesar do alto grau de homogeneidade que chegou a existir entre a metrópole e as províncias americanas, serão sempre os *peninsulares*: não nasceram, não foram educados, não vão gozar a aposentadoria e nem vão ser sepultados em terra americana.

Portanto, os *criollos* serão os descendentes daqueles que acabaram ficando na América quando teriam preferido voltar, ricos, para a Espanha. E mesmo hoje, quando um hispano-americano deixa de ser *povo* e, se já não é morador da capital, se muda para lá ou ali estabelece sua residência principal,

---

* Natural, mas não originário da América, isto é, das Índias Ocidentais. Diz-se também daquele que volta da América para a Europa rico. (N.E.)

não é que deixe de se sentir solidário (que nunca terá sido inteiramente) do tecido social, mas toma consciência de não estar irremediavelmente atado a esse tecido, de não estar *preso* (como o *povo* está) à sua circunstância social e geográfica. Habitará a paisagem e a sociedade como quem habita uma casa alugada, e ele mesmo se sentirá como um inquilino; quer dizer, como alguém que amanhã pode abandonar esse lugar *ou ser despejado*.

Em parte, esse desapego é constituído do egoísmo e individualismo hispânicos, em parte, do desprezo do "indiano" pelas "Índias", mas também em parte, pela experiência quase atávica de que, na sociedade hispano-americana, passa-se facilmente da "boa situação" (inclusive a participação no poder) ao ostracismo e ao exílio.

"COMO SE FÔSSEMOS ÚNICOS E ESTIVÉSSEMOS SOZINHOS"

Eternos exilados em potencial e, seja como for, exilados espirituais ainda que nunca chegassem a sofrer perdas (e um pouco menos em cada geração de "boa situação"), os membros dos grupos hispano-americanos dominantes normalmente retêm porção importante de si mesmos à margem da sociedade da qual fazem parte, sem se integrar totalmente a ela. E essa retenção pode ser de *bens* (propriedades ou contas bancárias no exterior), mas também de esforço, compromisso, autenticidade e civismo.

E esse egoísmo, esse se comportar "como se cada um de nós fosse único e estivesse só" (H. A. Murena) não é característica exclusiva (como se quis fazer crer) dos detentores de grandes fortunas mais ou menos mal obtidas (como os barões bolivianos do estanho, expatriados voluntários e parentes por matrimônio da "alta sociedade" europeia) ou dos ditadores que saqueiam o tesouro público e depois vão viver de seus saques em Miami, Madri ou Paris, mas matiza o comportamento de quase todos aqueles que conseguem alcançar uma situação de poder, em qualquer nível, e, sem dúvida, a atuação de grupos institucionais ou casuais, que podem definir e buscar interesses de grupo setoriais, tais como a Igreja, as Forças Armadas, as Universidades, os clãs regionais ou políticos (a esses últimos se dá o nome de *partidos*), os sindicatos, as federações empresariais, as associações profissionais etc.

Como nós, hispano-americanos, não somos monstros caídos de outro planeta, mas seres humanos movidos pelos mesmos estímulos que os demais, não desconhecemos outras sociedades — e, especialmente, as que não alcançaram ainda um grau satisfatório de integração ou as que começaram a declinar em sua força centrípeta —, fenômenos iguais ou parecidos de egoísmo individual, familiar ou de clã; porém, as latino-americanas são as únicas sociedades *ocidentais* que nasceram em processo de desintegração. Foi-nos negada a nacionalidade no sentido de sermos e nos sabermos grupos humanos comprometidos existencialmente uns com os outros e com o território que habitamos, parte de um processo que se projeta no tempo, para trás, antes de nosso nascimento, e para a frente, além de nossa morte. A única sociedade europeia moderna comparável (nesse sentido) às sociedades ibéricas (peninsulares ou americanas) é a italiana; e, por isso, foi um italiano que escreveu *O Príncipe*, esse manual para tiranos, esse compêndio de técnicas para recolher uma sociedade em migalhas e aprisioná-la na palma da mão, que é o que fizeram todos os caudilhos latino-americanos desde Rosas até Fidel Castro.

O tirano, se é eficiente, extrai uma altíssima remuneração (ao menos, em poder, mas, eventualmente, também em riqueza) para si e para seus sequazes, e obriga a todos os demais a trabalharem sem dar um pio sobre as remunerações que ele fixa, e que são, à parte de todas as controvérsias relativas à justiça da divisão, *arbitrárias*, da mesma forma sob Rosas que sob Fidel. Em circunstâncias distintas a essa solidariedade forçada imposta pelas tiranias, o que nós, latino-americanos, tentamos normalmente é extrair da soma de recursos de que a sociedade dispõe uma proporção superior à que, por direito, corresponderia à nossa contribuição. Na Venezuela, por exemplo, afirma-se que a Assistência Social existe, em primeiro lugar, para seu pessoal (médicos etc.) e só de modo acessório para os segurados. Com greves e pressões políticas (toleradas ou inclusive apoiadas por partidos desejosos de manter ou aumentar sua influência nas associações médicas e paramédicas), o pessoal de uma instituição tão crucial para o desenvolvimento de uma sociedade moderna conseguiu desestabilizar a proporção dos gastos que se investe em remunerações em relação à que se investe em serviços para os doentes. Além disso, não foi possível impedir que um número significativo de médicos fosse remunerado por horas que não pode materialmente cumprir, *enquanto mantém seu consultório particular e, possivelmente, uma cátedra universitária.*

AS UNIVERSIDADES E OS CLÃS UNIVERSITÁRIOS

O próprio caso das universidades latino-americanas também é deplorável. E pouco conhecido, já que, enquanto muito se falou nessas sociedades sobre as demandas que grupos de poder como as Forças Armadas realizam em seu proveito, as oligarquias econômicas e políticas silenciam a respeito de mecanismos idênticos quando jogam em favor de "boas causas". Provavelmente, sem exceção, as universidades latino-americanas (o que quer dizer, na prática, a aliança entre o clã de professores, o clã de estudantes universitários e os clãs políticos que vivem em simbiose parasitária com a instituição universitária) extraem das respectivas sociedades mais recursos do que devolvem à coletividade. Ivan Illich (em *Desescolarizar a sociedade*), com sua habitual ferocidade, desmontou o que poderíamos chamar de *racket** da educação escolarizada e argumentou que, na América Latina, as somas proporcionalmente imensas e opressivas que se investem nesse conceito só fazem perpetuar e aguçar as desigualdades sociais.

Parte da "mística" da instituição universitária latino-americana é sua *gratuidade*. Outra parte é sua *autonomia*, que consiste na eleição das autoridades universitárias por um *conselho* composto de professores e estudantes, no investimento arbitrário dos recursos que são transferidos do orçamento do Estado, e no fato de o recinto universitário ser uma *no man's land* (terra de ninguém) enquanto jurisdição policial *normal* (distinto de eventuais *allanamientos*,** quando a universidade é invadida pela força policial, mais ou menos justificadamente, e mais ou menos brutalmente).

No contexto latino-americano, na prática, a combinação desses fatores resultou na baixíssima *produtividade* das universidades, mesmo que essa produtividade seja medida em sua forma mais primitiva: horas de aula dadas realmente pelos professores, horas de aula realmente assistidas pelos alunos, número de repetentes e de formados em relação aos matriculados, e, sem dúvida, formados por especialidades em relação às necessidades reais da sociedade. E se dessas medições primitivas passa-se para outras mais refinadas, o quadro se mostra assombroso.

---

* Em inglês, no original. A palavra tem diversos significados: barulheira, estrépito, mamata, extorsão. (N.T.)

** É uma ordem judicial de entrada à força em uma propriedade alheia com fins de investigação. (N.E.)

Alguns dos defensores radicais da instituição universitária latino-americana baseiam seus raciocínios apologéticos, ou mesmo entusiásticos (conforme o grau de audácia), em seu suposto caráter "revolucionário"; porque os professores se proclamam revolucionários; e os estudantes se proclamam revolucionários. No entanto, mesmo deixando de lado o motivo bastante revelador de esses defensores terem interesses criados na universidade sob a forma de vantagens diretas (cátedras, bolsas de estudo, viagens, anos sabáticos, publicação imediata de livros medíocres, apoios financeiros especiais para projetos nem sempre acadêmicos, refúgio e base de operação inclusive para a ação armada subversiva, ao abrigo da extraterritorialidade implícita na autonomia universitária etc.), essa afirmação não resiste a uma análise, exceto dentro da proposição de que as sociedades latino-americanas devem sofrer um colapso completo antes que se possa fazer algo para melhorá-las.

Admitindo-se essa proposição, não restaria dúvida de que as universidades latino-americanas estão contribuindo até mais do que lhes corresponde para a asfixia dessas sociedades, ao desviar para si e esterilizar recursos escassos e que seriam muito mais bem empregados, por exemplo, na educação básica; ao utilizar o prestígio de fetiches da ciência e da cultura em propagar ativamente versões truncadas ou claramente falsas sobre as causas e os possíveis remédios das insuficiências da América Latina; ao estabelecer uma imensa iniciativa de cumplicidade tácita entre alunos e professores para se exigirem o mínimo possível mutuamente; ao não contribuírem grande coisa para a ciência e muitíssimo para a propaganda e para a mitologia; e ao estimularem os jovens a se dedicar a especialidades que são prestigiosas dentro do contexto e do clima da instituição universitária, mas de eficiência escassa ou nula para esses estudantes e para a coletividade, depois que se formam.[14]

Ou seja, se, para ser "revolucionária", uma instituição dependesse de sua contribuição para a piora e para a desintegração de uma sociedade, a universidade latino-americana o seria sem nenhuma dúvida. Porém, de acordo com esse critério (caso ele se sustentasse), também seria possível afirmar que a pornografia e as drogas são revolucionárias, e a ninguém ocorre exaltá-las como admiráveis, ou exigir que o Estado invista recursos cada vez maiores com o objetivo de torná-las grátis, à disposição de jovens entre 16 e 24 anos.

Pelo contrário, pode-se afirmar que, em essência, a universidade latino-americana constitui um dos bastiões mais importantes para a manutenção de privilégios tradicionais, além de ser um instrumento para a captação, por parte de um setor bem determinado, de mais recursos do que ele próprio dá em troca ao corpo social em seu conjunto. Por mais gratuita que a universidade possa ser, aqueles que entram nela (e sobretudo aqueles que saem dela *diplomados*) são quase todos de classe média e alta. As massas despossuídas, em cujo nome se defende a instituição universitária, praticamente não têm acesso a ela. Se os filhos dessas massas chegarem à universidade, será, salvo exceções, como funcionários de manutenção ou limpeza. Em geral, a universidade autônoma e gratuita não faz nenhum esforço para investigar a eventual capacidade de pagamento daqueles que a frequentam, de modo que o ensino superior (assim como, em grande medida, o médio e até o fundamental) se torna — ainda que custeado por toda a sociedade — um subsídio a setores da população cujo nível de vida, e, portanto, suas possibilidades de aproveitar os serviços educacionais gratuitos, está acima da média;[15] e os diplomas e os certificados que os filhos desses setores conseguem nos distintos níveis do processo educacional serão outros pretextos para o prolongamento de antigos privilégios ou a extensão de outros novos a seus detentores; e, ao mesmo tempo, sua carência será razão suficiente para bloquear o avanço econômico e social daqueles que, por serem pobres, não puderam se incorporar ao sistema. A chave do verdadeiro espírito segundo o qual esse sistema funciona é o desprezo com que, ainda a essa altura, encara-se todo o investimento na educação básica, o único nível em que um grande investimento e um grande esforço iniciariam uma tendência respeitável rumo à igualdade social e de oportunidades. No entanto, na competição pela divisão do bolo educacional, os verdadeiramente pobres, os verdadeiramente despossuídos, ainda que sempre invocados, não têm nada a dizer; e os "revolucionários" não dizem nada por eles e, sim, pelas universidades, origem de todos os "bacharéis" e "doutores" que ocupam cargos de direção na sociedade, aqueles que não podem senão abrigar um preconceito favorável à *Alma Mater* (universidade) que lhes entregou (grátis) esse papel que, pretensiosamente emoldurado e pendurado em seus escritórios e consultórios de médicos, advogados, engenheiros etc., certifica que o personagem ali mencionado pertence a uma associação, a um clã, a um grupo de poder e privilégios.

A universidade autônoma latino-americana não só contribui de modo insuficiente para a sociedade que a sustenta, como também não foi capaz de idealizar e propor (e muito menos pôr em prática) um novo modelo educacional global, ou pelo menos um novo modelo de ensino superior adaptado à realidade latino-americana. Nisso, é inclusive sublatino-americana, porque, entre nós, devido à desvinculação das diferentes partes do organismo social, algumas delas são audazes, experimentais e saltam à frente. Mas não a universidade, que segue rotineiramente o modelo europeu tradicional, a divisão por faculdades e escolas, as turmas anuais, a rigidez dos programas de estudos, as graduações sob o manto medieval.

E quase no dia seguinte da formatura, os estudantes deixam de ser ativamente contestadores, se é que alguma vez o foram; porque ser "revolucionário" em uma universidade latino-americana é mais ou menos tão heterodoxo e tão arriscado como ser católico fervoroso em um seminário irlandês. Por isso não é estranho que, uma vez fora do ambiente universitário, os formados mais astutos aspirem sobretudo a extrair benefícios excessivos da sociedade, baseados no fato de terem sido privilegiados com uma educação superior gratuita, de estarem munidos com um diploma, que, na América Latina, equivale aos títulos da pequena nobreza do Antigo Regime.

Por tudo isso, antes de serem revolucionárias, as universidades latino-americanas foram uma válvula de escape e uma maneira (excessivamente onerosa) de integrar forças centrífugas ao sistema político e social, sem que pareça, e que sem isso teriam maior virulência. Tradicionalmente, diversos dirigentes atuais ou potenciais de grupos políticos mais radicais satisfizeram sua ambição e sua vontade de poder em disputas por reitorias, direções de escolas e cátedras, na publicação por editoras universitárias de livros que ninguém compra e quase ninguém lê, e até na distribuição miúda de cargos não docentes.

Ao mesmo tempo, no processo de cooptação pelo qual se rejuvenesceram as oligarquias latino-americanas, obrigadas a pactuar, por um lado, com os caudilhos e, por outro, com as classes médias urbanas em ascensão, a universidade foi o lugar onde estas últimas puderam se expressar antes de poderem se integrar mais diretamente à estrutura de poder tradicional, "ortodoxa".

Dessa maneira, a universidade latino-americana foi o campo de formação de novo pessoal político, de "novos homens", e das estruturas partidárias correspondentes, que lhes serviram de veículo; ao mesmo tempo em que essa mesma universidade não cumpriu plenamente seu papel teórico de ser o campo de formação de novo pessoal administrativo, científico e técnico.

Essa última necessidade é suprida, em grau excessivo, pelas universidades estrangeiras, sobretudo norte-americanas, para onde as pessoas abastadas enviam seus filhos, tendo em vista a baixa qualidade acadêmica das universidades nacionais. De modo que a formação ideal de um jovem designado por seu nascimento a continuar uma tradição familiar de representação nos altos escalões da liderança latino-americana, ou de um aspirante *parvenu** a ingressar nesses altos escalões, é fazer seus estudos superiores básicos até o bacharelado, ou até o mal chamado "doutorado" (que é, em muitos casos, um título obtido sem grandes estudos e sem complicações nem pesquisas originais), de forma a se vincular *in situ* com sua geração, com a qual vai depois se encontrar em cada esquina da vida; e, em seguida, fazer uma pós-graduação nos EUA, onde receberá uma formação de alto nível necessária para se sobressair realmente, para levar vantagem sobre os simples filhos da classe média, e onde chegará — algo de suma importância — a dominar o inglês, língua sem a qual um homem de nossa época se sente desarmado, e não só na América Latina.

OS INTELECTUAIS

As universidades latino-americanas também servem de *modus vivendi* e de cenário de representação para uma proporção importante dos chamados *intelectuais*, uma espécie mais numerosa entre nós do que em sociedades mais bem compartimentadas. Já mencionei anteriormente que, na América Latina, passam por intelectuais todos os "letrados", como os advogados, os "secretários" de caudilhos, os autores do panfleto mais fino, os poetas de um único soneto, os autores de um único artigo, os plagiários de algum livro estrangeiro, e, sem dúvida, os escritores e jornalistas de verdade, os professores universitários, os artistas plásticos e os diplomatas, com todas as combinações possíveis dessas categorias.

Não por casualidade, mas por seus protagonistas serem "letrados" e, portanto, capazes de verbalizar suas próprias fobias e autojustificativas, e relacioná-las ou fazê-las corresponder sutilmente às do restante da classe

---

* Palavra francesa de tom pejorativo: pessoas que ascendem a classes sociais superiores àquela da qual provêm. (N.E.)

dirigente, o tema dos supostos "intelectuais" latino-americanos está mais cheio de falsidades e armadilhas do que quase qualquer outro. Além disso, todos os demais aspectos da deformação na interpretação da realidade passada e atual da América Latina. Os intelectuais foram e continuam sendo os encarregados de formular as apologias para todos os poderosos; foram e continuam sendo os *secretários* de todos os caudilhos; e eles mesmos fizeram parte, por algum aspecto, da estrutura de poder e da classe dominante, no sentido exato dessa expressão.

Observadores estrangeiros superficiais da América Latina costumam se espantar com a "grande influência" dos intelectuais na vida desses países; e encontram nisso um motivo para avaliar a América Latina como mais "espiritual", mais apreciativa da "cultura" (ecos de *Ariel*) do que as sociedades ocidentais exitosas e "materialistas". O que deslumbra esses observadores estrangeiros é que seus pares na América Latina (romancistas, ensaístas, poetas, artistas plásticos) estejam representados nos altos escalões governamentais, inclusive no Ministério de Relações Exteriores, em uma proporção em desuso em outros países. Contudo, em primeiro lugar, a qualidade da obra desses escritores, ou sua distinção acadêmica, é, na maioria das vezes, objetivamente medíocre. Muitos deles alcançaram proeminência, porque lhes coube atuar em sociedades pouco exigentes. Por outro lado, são membros *natos* das classes dirigentes de países onde há escassez de quadros e onde a auréola de "letrado" (e não uma dedicação exclusiva e rigorosa às letras) é extremamente vantajosa para contornar a imagem de um homem público. Muitos desses homens, que são, ao mesmo tempo ou sucessivamente, poetas, ensaístas, oradores, historiadores, filósofos etc., ao chegarem ao cargo de ministros ou embaixadores, alcançam o objetivo para o qual sua atividade "intelectual" foi apenas um degrau acessório.

É verdade que, na América Latina, existiram intelectuais e homens de ação surpreendentes, entre os quais os mais notáveis foram Bolívar e Sarmiento; e é verdade que existiram e existem intelectuais reflexivos, criadores e ensaístas admiráveis, como os argentinos Ezequiel Martínez Estrada, H. A. Murena, Jorge Luis Borges, Ernesto Sábato; os mexicanos Octavio Paz, Juan Rulfo e Carlos Fuentes; o guatemalteco Miguel Angel Asturias; o chileno Pablo Neruda; o uruguaio Juan Carlos Onetti; o venezuelano Arturo Uslar Pietri; o cubano Alejo Carpentier; os peruanos César Vallejo,

Luis Alberto Sánchez e Mario Vargas Llosa; o colombiano Gabriel García Márquez etc. (só para mencionar alguns contemporâneos). No entanto, a influência dos intelectuais e homens de ação foi sobretudo a de seus atos; é muito reduzida a irradiação da sensibilidade ou das ideias críticas e impopulares (porque também existem as conformistas e demagógicas) dos intelectuais reflexivos. Já existe, sem dúvida, uma linhagem de intelectuais genuínos, interessados em produzir obra séria, exigentes consigo mesmos e com a sociedade ao redor, não dispostos a se medir e a medir a América Latina com metros de 75 centímetros.

Todavia, não são muito numerosos e se desenvolvem com dificuldade e em meio a pressões (e tentações), com frequência, irresistíveis. E, mais abaixo, pulula uma fauna aproveitadora, oportunista, covarde e impotente, a qual, ao longo da história latino-americana, prosperou baseada no fato de ser um eco tardio das correntes da moda em outras latitudes. Assim, tivemos românticos atrasados, simbolistas atrasados, positivistas atrasados, freudianos atrasados e surrealistas atrasados; e, agora, temos marxistas atrasados.

Salvo as honrosas exceções de homens já muito idosos (e que, assim, adotaram o marxismo não agora, quando está na moda, mas quando era uma seita incompreendida, proscrita e ferozmente perseguida) ou de membros das novas gerações que poderiam ser situados na categoria de *intelectuais autênticos* e que demonstram essa característica por meio de seu comportamento e sua obra, a "nova onda" dos assim chamados "intelectuais" latino-americano aproximou-se do marxismo como os gatos da lareira: é o lugar onde, em suas áreas de atividade, sentem-se mais confortáveis consigo mesmos e dentro da sociedade.

Se o "intelectual" marxista não assume a filosofia que teoricamente professa, não se compromete em um ativismo político arriscado e verdadeiro (como muitos, é verdade, fizeram no período do "foquismo", quando os fatos obrigaram, e palavras pronunciadas superficialmente se tornaram obrigações de alto risco; ou como, na Argentina e no Chile a partir do último trimestre de 1973, onde anteriores e vagas afirmações de "esquerdismo" marcaram aqueles que as haviam proferido como vítimas do terrorismo "irregular" ou estatal de extrema direita), até os governos considerados direitistas e repressivos mostrarão a tendência de ser tolerantes e até indulgentes com esses promotores dóceis e puramente teóricos de uma cosmovisão que, por outro lado, gratifica intimamente todos aqueles que têm responsabilidade e poder de decisão na América Latina, já que nos liberta de nossa culpabilidade, de nossa frustração e de nossos complexos de inferioridade referentes à proposição infinitamente confortável de que todas as nossas insuficiências se devem a um demônio exterior chamado *imperialismo*, e que nossa redenção ocorrerá como um dom providencial, sem o nosso esforço particular, quando a *Revolução* chegar.

"Em meus altares não há santos, mas o mapa da América Latina. O guerrilheiro não é só o homem com o fuzil, mas o cidadão latino-americano que está lutando por sua terra desde a invasão europeia (de 1492) até agora", declara tipicamente um intelectual latino-americano (nesse caso, o pintor argentino Alfredo Portillos); e, para a nossa neurose coletiva latino-americana, essas palavras parecerão importantes e significativas, e, de qualquer forma, admiráveis; enquanto essas outras, de Luis Alberto Sánchez passarão despercebidas ou desprezadas: "Por religião, entende-se não somente se religar a Deus, mas se religar a qualquer ente ou ideia que substitua a nossa capacidade de explicar racionalmente o que nos acontece, (de modo que) o marxismo é tão ópio dos povos como o deísmo cristão".

No entanto, "enquanto chega a Revolução", os intelectuais filomarxistas latino-americanos não se sentirão obrigados a compartilhar a pobreza e as privações do povo em cujo nome falam, ou nem sequer levar uma vida frugal, rejeitando a parte que, como membros que são das classes dominantes latino-americanas, flui naturalmente para eles (ou que eles tomam), na divisão desigual e injusta dos recursos escassos de cada uma dessas nações. Ao contrário. Não terão (mais uma vez, salvo exceções) escrúpulos em fazer incursões fora de sua área de atividade normal nos meios artísticos, literários ou universitários e aceitar (ou negociar ativamente) cargos dentro do aparato administrativo e de poder desse Estado "pré-revolucionário", cuja subversão, por outro lado, propõem como indispensável. Tendo compreendido a história, sentem-se incorruptíveis. Os privilégios e até os luxos não podem ofuscar o fato de que, na batalha entre os anjos e os demônios, eles escolheram o bom lado de uma vez por todas.

NOTAS

1. *Memoria dirigida a los ciudadanos de la Nueva Granada por un caraqueño,* 15 de dezembro de 1812.
2. Discurso de Bolívar diante do Congresso venezuelano, em 15 de fevereiro de 1819, dia de sua instalação na cidade de Angostura, hoje Ciudad Bolívar.
3. José Martí, *Nuestra América,* 1891.
4. Carta a José Fernández Madrid, de 7 de fevereiro de 1828.
5. Carta ao general Rafael Urdaneta, de 16 de outubro de 1830.
6. Bolívar se refere ao terremoto de 1812.
7. Carta a Esteban Palacios, de 10 de julho de 1825.
8. Porfirio Díaz.
9. *British Consular Reports on the Trade and Politics of Latin America,* Londres, Royal Historical Society, 1940.
10. O desprezo pelos comerciantes e pelo trabalho é algo tão arraigado nas culturas hispânicas que o próprio Francisco de Miranda, embora tão lúcido quanto às vantagens da liberdade sobre o despotismo, não percebe a vinculação, no desenvolvimento das instituições políticas anglo-saxãs, por um lado, entre as garantias à propriedade privada e a estima pela indústria e pelo comércio e, por outro, os progressos da liberdade. Em 1784, durante sua estadia em Boston, diversas vezes teve oportunidade de acompanhar as sessões da Assembleia Legislativa do Estado de Massachusetts, e o espetáculo daqueles artesãos de origem humilde, ocupados, com alguma grosseria, em uma tarefa tão elevada, tão *nobre*, choca-se senão com a razão, ao menos com a sensibilidade hispano-americana de Miranda, escandalizado tanto pelas matérias — segundo ele, desprezíveis — discutidas na Assembleia, quanto por sua composição; o que não o surpreende, "se considerarmos que toda a influência é dada à propriedade por sua Constituição, os deputados não devem ser, em consequência, os mais sábios [...] nem outra coisa além de pessoas destituídas de princípios ou educação: um era *alfaiate* há quatro anos, outro, *dono de hospedaria*, [...] outro ainda, ferreiro etc. etc." (Francisco de Miranda, *Archivo, (Viajes, Diarios),* Caracas, Editorial Sur-América, 1929, Tomo I, p. 317). Na mesma Boston, Miranda encontrou em Samuel Adams a mesma repugnância (felizmente para os nascentes Estados Unidos, tão excêntrico quanto o jacobinismo de Adams) pela falta de *nobreza* da Constituição norte-americana: "A duas objeções que lhe propus a respeito da matéria, manifestou concordância comigo; a primeira foi, como, em uma democracia cuja base era a *virtude*, não se especificava lugar algum a ela, e, pelo contrário, todas as dignidades e o poder se davam à propriedade" (*Ibid.,* p. 314).
11. *La cabeza de Goliat.* Buenos Aires, 1940.

12. *Facundo*, capítulo I.
13. No sentido em que Toynbee usa essa expressão: "An alien underworld, a morbid affection (of society), a group estranged from a dominant minority, a social element which in some ways is 'in' but not 'of' any given society at any given stage of such society's history". ["Um submundo exótico, um distúrbio mórbido (da sociedade), um grupo alienado de uma minoria dominante, um elemento social que, de certa forma, está "em", mas não é "de" qualquer sociedade, em qualquer estágio da história dessa sociedade."]
14. Em uma entrevista que fizemos na televisão com líderes das "frações universitárias" dos quatro principais partidos políticos venezuelanos, na Universidade de Caracas, cada um deles censurou a hipertrofia relativa a duvidosas "ciências sociais" no modelo global do ensino superior e concordou com a necessidade de a universidade orientar os jovens para carreiras tecnológicas adequadas às necessidades reais do país, como engenharia de petróleo, petroquímica, metalurgia, agronomia etc. Nesse momento, perguntamos a eles por suas especialidades. Eram aspirantes a licenciaturas em sociologia, economia, psicologia e diplomacia!
15. Cf. Illich, Ibid.

CAPÍTULO 9

As formas de poder político na América Latina (I)

O CAUDILHISMO

O problema político da América Espanhola independente, expresso em sua forma mais simples e geral, foi que as diferentes repúblicas não conseguiram restabelecer um equilíbrio institucional em substituição ao que foi destruído junto com o Império Espanhol, entre 1810 e 1824. A segunda metade do século XX, com seus desafios peculiares, como, por exemplo, a revolução nas expectativas desencadeada pelo progresso nas comunicações; a suposta explosão demográfica causada por quedas bruscas nas taxas de mortalidade, principalmente infantil; e a virulência ideológica (e, além disso, por consequência, a potência militar e econômica) da cosmovisão "marxista-leninista-terceiro-mundista"; revelou a fragilidade de institucionalidades aparentemente consolidadas, como as do chamado "Cone Sul" (Argentina, Chile e Uruguai) ou da Colômbia.

Nos últimos 50 anos, o México foi o único país latino-americano que não teve mudanças de governo violentas, distintas das previstas por sua Constituição e provocadas por guerras civis ou golpes de Estado militares.

Em contraste (e mais "latino-americamente"), nesse mesmo país, a chefia do Estado mudou de mãos irregularmente 46 vezes no primeiro quarto de século de vida independente. Na Venezuela, ocorreram 50 guerras civis em menos de um século (entre 1830 e 1902). Uma delas, a chamada Guerra Federal, ou "guerra longa", entre 1850 e 1863, foi tão terrível e destrutiva como a

Guerra da Independência, meio século antes. Na Bolívia, desde 1835, houve mais de 150 guerras civis ou golpes de Estado; ou seja, uma média de mais de uma convulsão por ano.

Contudo, em condições parecidas, a sociedade repete formas semelhantes. Diante da arbitrariedade, da insegurança, da ausência de um marco jurídico e institucional estável e adequado, os seres humanos respondem buscando aconchego e amparo em um sistema piramidal de relações pessoais, com um tirano no topo.[1]

No vazio institucional que veio depois das guerras de independência, e que, na realidade, ocorreu desde o início dessas guerras, as sociedades hispano-americanas se fragmentam, se atomizam, e cada país, cada região e, inclusive, cada aldeia não terão pela frente mais paz do que a que um *caudilho* pode proporcionar.[2] Ou seja, surge na América Espanhola um feudalismo primitivo, ainda mais natural quando a economia agrícola organizada em fazendas as tornava células sociais potencialmente autônomas antes mesmo do colapso do Império Espanhol.

Em um primeiro momento, havia tantos caudilhos, tantos chefes de bandos armados com superioridade particular quanto a geografia permitia. No espaço de algum tempo, porém, essa multiplicidade de caudilhos locais foi sendo reduzida por homens fortes em escala regional. Finalmente, grandes caudilhos, *supercaudilhos* passaram a se dedicar ao extermínio dos caciques regionais, subjugando-os ou aniquilando-os, mais ou menos da mesma forma como os reis europeus medievais subjugavam ou aniquilavam os barões feudais.

A respeito dos supercaudilhos, Arturo Uslar Pietri escreveu: "Rosas, Páez, Porfirio Díaz, Juan Vicente Gómez foram produtos da terra, da tradição e da necessidade histórica. Representavam à perfeição — e aí reside o segredo de seu imenso e efetivo poder — a realidade de um mundo rural que havia rompido os laços com o Império Espanhol, para implantar instituições republicanas e liberais que não tinham nenhuma base em seu passado. O caudilho histórico foi a força autóctone que preencheu o vazio de poder. (A América Espanhola) produziu de fato [...] uma forma de organização (social) que conflitava com os ideais republicanos à europeia, mas que tinha correspondência profunda e estreita com (sua) estrutura econômica e social [...]. Por que e como surgiram homens como Porfirio, como Rosas, se não refletiam o sentimento, as inclinações e o íntimo da maioria de seus povos, se não eram, no conceito mais exato, intérpretes, representantes e personificadores do sentido coletivo mais forte existente para aquela hora?".[3]

Certamente, não há nenhuma novidade especial nessa interpretação. A seu modo, Bolívar já havia dito isso. Martí também. E muitos outros hispano-americanos repetiram, para assinalar, para lastimar *ou para justificar de forma interessada*. Esta última afirmação é que cria ambiguidade e provoca rejeição. Porque muito daqueles que se referiram a Bolívar[4] o fizeram para se autojustificar ou para justificar a seus chefes, a seus caudilhos. O ditador venezuelano Marcos Pérez Jiménez (1952-58) tinha como divisa uma frase de Bolívar: "O melhor governo é o que produz a maior soma de segurança social, a maior soma de felicidade possível", com a clara implicação de que o Libertador teria aprovado a suspensão das liberdades públicas na Venezuela em 1952, a prisão, a tortura, o exílio ou a morte dos opositores (e, além disso, o peculato, o cinismo) como preferíveis ao arriscado exercício da liberdade.

Em 1908, nas vésperas de seu ocaso, o supercaudilho mexicano Porfirio Díaz declarou: "Creio que a democracia é o único princípio de governo justo e verdadeiro; mas, na prática, só povos muito desenvolvidos podem desfrutá-la [...]. Aqui, no México, temos condições muito diferentes (das que permitiriam o funcionamento da democracia). Recebi o governo das mãos de um exército vitorioso, em um momento em que o povo estava dividido e sem preparo para o exercício da democracia. Ter sobrecarregado o povo de uma vez com a responsabilidade de se autogovernar teria tido como consequência o descrédito da democracia".[5]

Quando se tornou conhecido na América Latina, o positivismo causou júbilo entre todos aqueles para quem não bastavam Montesquieu e o Discurso de Angostura[6] para deixarem de se sentir desconfortáveis por terem optado pela última das três alternativas seguintes:

1. Opor-se de forma suicida a forças "telúricas" representadas pelos caudilhos.
2. Submergir na obscuridade do anonimato.
3. Escalar altas posições na sociedade como colaboradores dos caudilhos.

Em Comte, Taine, Renan, Le Bon e no próprio Marx, importantes intelectuais hispano-americanos encontraram argumentos não para fazer um diagnóstico científico, desapaixonado, desinteressado do fenômeno do caudilhismo, mas (tipicamente dentro do contexto cultural hispano-americano) para merecer ministérios e embaixadas.

Esses homens não se opuseram ao governo arbitrário, personalista, brutal, mas discutiram os méritos da tirania em relação a situações piores, tais como a guerra civil e a anarquia. Aqueles que, pertencendo ao mesmo grupo e acidentalmente não integrados ao aparato de poder, foram estigmatizados como lacaios dos caudilhos; e não resta dúvida de que foram e continuam sendo nesses lugares onde a figura do caudilho reaparece, transfigurada de acordo com os tempos, como agora mesmo em Cuba.[7] Outro admirador do *projeto* da Revolução Cubana, o uruguaio Angel Rama, hoje em dia um dos latino-americanos mais inteligentes e mais cultos, escreve: "O caudilhismo e a ditadura personalista são formas que marcaram a história da América Latina e que ainda continuam florescendo, muitas vezes mascaradas por uma terminologia aparentemente moderna, mas que apenas concede um arzinho universal e persuasivo a formas tão antigas quanto nossa história independente. Posso evocar minha surpresa ao ler *Revolução na Revolução?*, o panfleto de Regis Debray, e descobrir que, com o léxico de um aluno da *École Normale**de Paris, nos era restituída a fórmula do caudilhismo, coisa tão nossa que parecia impossível que se pudesse verter dentro das estruturas intelectuais subscritas pelo marxismo; mas que só provavam a continuidade do fenômeno e, o que ainda pode parecer mais desalentador para os intelectuais aferrados às teses nascidas na Europa, a demanda renovada que as sociedades do continente voltavam a apresentar por esse fenômeno, mesmo as que se proclamavam modernas ideologicamente, com o que voltávamos a comprovar que a realidade viva dos povos da América (Latina) continua sendo fiel, mais do que às ostentosas capitais na intrassociedade que preenche sua vasta área, às configurações personalistas onde todo o poder fica nas mãos de um homem providencial".[8]

Outro intelectual latino-americano, venezuelano e de uma geração anterior, o qual, entre outros méritos autênticos, teve o de ter convertido sua biblioteca pessoal na melhor da Venezuela antes de 1940, relata em suas *Memorias* o

---

* Uma das três grandes escolas superiores parisienses (as outras são a École Nationale d'Administration e a Polytechnique), criadas para formar quadros da administração, futuros altos funcionários do governo. (N.E.)

inferno que era a vida de sua região no final do século XIX. Depois de uma guerra civil, a vida dos habitantes tinha acabado de ser refeita quando eclodia um novo conflito que destruía tudo outra vez, como um furacão, arrasava os campos semeados, matava os homens e o gado. Como (sugere Pedro Manuel Arcaya, autor dessas *Memorias*) não ia ser preferível Juan Vicente Gómez, que governou de 1908 a 1935, um supercaudilho capaz de destruir, aterrorizar, exilar ou seduzir todos os subcaudilhos, de acordo com a melhor prática maquiavélica, e se manter no poder quase 30 anos, até sua morte?

De fato, não foi apenas na América Latina que, após situações de colapso da ordem institucional, seguidas de guerras civis prolongadas e cruéis, ocorresse uma grande paciência dos povos com o regime, invariavelmente de caudilhismo, que conseguisse finalmente estabilizar e restabelecer a ordem pública, sem que importasse muito sua filosofia política. Foi da mesma forma que a União Soviética suportou Stalin, e a Espanha, Franco.

Na América Latina, os supercaudilhos também foram os verdadeiros integradores de nossas precárias nacionalidades, ao conseguir a façanha de estabelecer uma rede de obrigações interpessoais recíprocas em todo o território; de criar pela primeira vez exércitos modernos, profissionais e centralizados, em vez de *montoneras* distritais ou regionais; de estender telégrafos que tornaram possível receber informações e dar ordens rapidamente; e de construir ferrovias por onde enviar tropas leais e bem armadas em um espaço de dias (em vez de meses), do centro aos extremos dos países.

De maneira que, sob certo ponto de vista, na escala de infortúnios possíveis, a Bolívia teve a pior sorte na América Latina. A esse país foi negado durante toda a sua história, até agora, produzir um caudilho verdadeiramente digno desse nome, um tirano duradouro, em vez de uma sucessão caleidoscópica de assaltantes fugazes do poder, cada um em sua breve passagem tão inescrupuloso e repressivo quanto os verdadeiros caudilhos, mas sem as virtudes pacificadoras, estabilizadoras e integradoras de longas tiranias como as de Rosas, Juan Vicente Gómez ou Porfirio Díaz.

Evidentemente, o exercício desse *caudilhismo eficaz* não foi bonito de se ver e muito menos de suportar. Em *Facundo*, Sarmiento relata que, entre 1835 e 1849, quase toda a população masculina adulta de Buenos Aires conheceu a prisão. Sistematicamente, sem motivo especial, Rosas mandava encarcerar grupos de dois a trezentos cidadãos escolhidos mais ou menos ao acaso; e, ao soltá-los, dois ou três meses depois, um número igual, menor ou maior os substituía nas masmorras por tempo igual, menor ou maior. O que fizeram? Nada. Simplesmente, era a pedagogia política do caudilhismo. Gómez conseguiu inspirar tanto medo nos venezuelanos que pôde agonizar tranquilamente, morrer em sua cama e ser enterrado com grandes honras, sem que ninguém se atrevesse a manifestar alguma emoção de alegria, muito menos agir, temendo que tudo fosse mais uma armadilha da velha raposa, que também tinha fama de bruxo e vidente. Apenas dois ou três dias depois do funeral, ocorreram as primeiras e tímidas manifestações de alívio; quase dois meses se passaram antes que surgissem problemas propriamente políticos; e, de qualquer forma, o sistema de poder construído por esse supercaudilho conseguiu se manter sem maiores problemas, sem dúvida pela atuação hábil e flexível de seu sucessor designado (o Ministro da Guerra), mas principalmente porque métodos de governo tais como pendurar os opositores pelos testículos ou executá-los (pelo menos uma vez) suspendendo-os pela mandíbula inferior transpassada por um gancho de açougue. Embora esses métodos tivessem sido abolidos radicalmente depois da morte de Gómez, deixaram quase todos os venezuelanos que chegaram à idade da razão em 1935 aterrorizados para sempre, diante do Estado e sua polícia.

OS CAUDILHOS CONSULARES

Os caudilhos hispano-americanos imediatamente posteriores à Independência, até o último terço do século XIX, aproximadamente, basearam seu poder na classe dos grandes fazendeiros, equivalentes, naquele contexto, a vassalos poderosos, com cuja fidelidade o tirano podia contar enquanto soubesse inspirar-lhes medo e garantir-lhes privilégios, mas de cujas fileiras poderiam sair e, de fato, saíam periodicamente, rivais ambiciosos, protagonistas das clássicas "revoluções", cuja imagem — de trágica que era a realidade, transformada em algo cômico e folclórico — constitui parte humilhante e proeminente da imagem externa da América Espanhola.

Contudo, a partir de certo momento, e principalmente depois da definição clara da vocação imperial norte-americana com a Guerra Hispano-Americana e o assunto do Panamá, durante mais de meio século, não poderiam ser caudilhos na América Latina aqueles que não compreendessem (e, ao mesmo tempo, os que compreendessem se tornavam praticamente inexpugnáveis) que, dali em diante, o principal componente do poder seria o apoio dos EUA.

Gómez seria um desses *caudilhos* consulares,[9] implicitamente delegados pelos EUA, mais ou menos como Herodes era rei na Judeia sob o protetorado de Roma.

Outro caudilho consular foi o mexicano Porfirio Díaz, que governou de 1876 a 1910, e que, de plena consciência, deu privilégios exorbitantes aos estrangeiros e aos seus investimentos, porque com isso promovia, ao mesmo tempo, a modernização e a unidade da nação mexicana (o que alcançou de modo razoável, e do qual o México se beneficia até hoje). Além disso, conseguiu algo muito mais fundamental para ele, como homem de poder que era: o apoio e até a proteção dos países de onde se originavam esses investimentos e, principalmente, dos EUA.

Por ter sido *cônsul* dos EUA no México durante muitos anos, Porfirio Díaz mereceu no final de seu governo que uma revista norte-americana fizesse uma entrevista aduladora,[10] em que se encontram resumidos de modo estranho e ingênuo, junto com aspectos positivos da gestão desse caudilho, dados sobre sua crueldade e detalhes repulsivos relativos ao seu entreguismo ao poder imperial estrangeiro. Para o jornalista norte-americano, "não existe no mundo figura mais heroica ou romântica que a desse Estadista-Soldado, cuja juventude aventureira supera a imaginação de Dumas, e cujo poder férreo converteu as massas mexicanas, limitadas à violência, à ignorância e à superstição [...], em uma nação estável, pacífica, progressista, que paga suas dívidas [...]. Governou a república mexicana com tanto domínio que as eleições se tornaram mera formalidade".

Antes de Porfirio, "nem a vida nem as propriedades tinham segurança". Sob Porfirio, "O México se colocou entre as nações pacíficas e úteis". Antes de Porfirio, existiam no México apenas duas pequenas ferrovias de poucos quilômetros de extensão. Agora, existem mais de 30 mil quilômetros de ferrovias, "quase todas com gerentes, maquinistas e condutores norte-americanos" (e, desnecessário dizer, de propriedade norte-americana). Antes de Porfirio, o correio era lento, caro, irregular, inseguro, transportado em diligências puxadas por cavalos, normalmente assaltadas por bandidos duas ou três vezes em uma viagem típica entre, digamos, a Cidade do México e Puebla. Agora existe um correio barato, seguro e rápido, cobrindo todo o território,[11] com mais de 2,2 mil agências. Antes de Porfirio, existiam poucas linhas telegráficas, de funcionamento duvidoso. Agora existem mais de 75 mil quilômetros de fios telegráficos, e, em relação à sua manutenção, "uma das primeiras medidas (Porfirio disse a Creelman) foi impor a pena de morte sumária (por dano ao telégrafo). Em casos de interrupção do serviço por cortes da linha, se o criminoso não fosse capturado, o comandante militar do distrito sofreria a punição em seu lugar. Se o corte ocorresse em terras de uma fazenda, o proprietário que não tinha impedido o delito (ocorrido em sua propriedade, portanto sob sua responsabilidade) seria enforcado no poste de telégrafo mais próximo (do corte da linha). Essas eram ordens militares [...]. Melhor derramar um pouquinho de sangue para evitar grandes derramamentos depois. (Além disso), o sangue derramado era sangue ruim; o sangue que salvamos é sangue bom".

Graças a Porfirio Díaz, prossegue Creelman, mais de 1,2 bilhão de dólares de capital estrangeiro foi investido no México; e, em 1908, o ritmo de novos investimentos alcançou a soma realmente incrível para a época de 200 milhões de dólares adicionais por ano. "As cidades brilham com luz elétrica e ressoam com bondes modernos. O idioma inglês é obrigatório nas escolas públicas (e) há 70 mil estrangeiros vivendo felizes e prósperos no México."

Porém, o mais notável e meritório de Porfirio Díaz, do ponto de vista dos EUA, era sua responsabilidade financeira. Ou seja, o pagamento pontual das dívidas externas mexicanas, algo a que os EUA davam grande importância no caso dos países latino-americanos adjacentes ao Canal do Panamá (já em construção em 1908), pelos motivos que vimos no Capítulo 2, a partir da seção "O 'Corolário Roosevelt'". Creelman relata que, quando o preço da prata — principal produto de exportação mexicano daquela época — baixou bruscamente, os assessores financeiros de Porfirio defenderam a suspensão do pagamento da dívida externa; "mas Díaz rejeitou a sugestão, considerando-a uma estupidez e uma desonestidade, e é fato que, durante anos, alguns dos principais funcionários deixaram de receber salários para que o México pudesse cumprir suas obrigações financeiras até o último dólar [...]. Esse é Porfirio Díaz, o homem mais ilustre do hemisfério ocidental".

Seria possível pensar que panegírico tão ousado poderia se dever mais à remuneração do que a uma opinião sincera do jornalista. Contudo, nesse caso, poderíamos também supor que Porfirio conseguiu subornar Eliju Root, secretário de Estado norte-americano, que chegou a dizer as seguintes palavras extravagantes sobre o ditador mexicano:

"Hoje em dia, de todos os seres humanos, o mais digno de admiração me parece o general Porfirio Díaz, presidente do México, (pelos) incidentes ousados, românticos e cavalheirescos de sua juventude; (pela) grande ação de governo realizada por sua sabedoria, valor e caráter; (por) sua personalidade, tão singularmente atraente [...]. Se eu fosse poeta, dedicaria uma ode a ele. Se eu fosse músico, comporia uma marcha triunfal para ele. Se eu fosse mexicano, sentiria que a lealdade e a devoção de toda uma vida não bastariam para agradecer as bênçãos que ele trouxe ao país. Como não sou poeta, nem músico, nem mexicano, mas apenas um norte-americano amante da justiça e da liberdade, e que vive com a esperança de ver seu influxo se fortalecer e conseguir se tornar invariável e perpétuo, considero Porfirio Díaz um dos grandes homens merecedores da adoração da humanidade."[12]

O poder dos caudilhos consulares, dos quais foram exemplos de menor nível, homens como Anastasio Somoza (Nicarágua) e Rafael Leonidas Trujillo (República Dominicana),[13] se retroalimentava. A nova riqueza originária das concessões a empresas estrangeiras e da atividade econômica direta ou indireta gerada por estas permitia-lhes remunerar melhor os oficiais e armar melhor os exércitos, pagar a dívida externa, enriquecer os fiéis. Porfirio, que levou o sistema à perfeição, dava tantas vantagens aos estrangeiros que isso por si só explicaria (e justificaria) em grande medida a subsequente xenofobia dos mexicanos. Em toda a América Latina, os EUA possuem acumulado um imenso caudal de má-vontade, em consequência de seu apoio a esses caudilhos consulares que tão cômodos foram aos norte-americanos em certo momento, mas ao preço de insuspeitos incômodos futuros, alguns já vistos e outros ainda por ver.

O "SISTEMA MEXICANO"

Os apologistas "positivistas" dos tiranos latino-americanos asseguravam (ou esperavam) que, após décadas de "paz, ordem e trabalho",[14] os respectivos países estariam finalmente prontos para a convivência pacífica e civilizada, para a democracia. Antes de Porfirio, por exemplo, o México enfrentou 60 anos de convulsões sangrentas. Depois de Porfirio (Creelman poderia ter concluído, e Root dizia esperar), haveria "justiça e liberdade".

Na realidade, a partir de 1910, o que ocorreu no México foi uma explosão de violência sem precedentes, e que nenhum outro país latino-americano igualou no século XX, momento em que os exércitos possuem tanto poder de fogo que uma guerra civil longa e generalizada se tornou praticamente impensável sem intervenção estrangeira.

No entanto, o México se arranjou para viver "em revolução" quase 20 anos, pois apenas os governos posteriores a 1929 recuperaram o controle de todo o território de forma satisfatória, quando diferentes facções *revolucionárias* se uniram em um partido único que primeiro se denominou Partido Nacional Revolucionário (1929), depois, Partido da Revolução Mexicana (1938), e que, desde 1946, tem o nome singular, mas apropriado, de *Partido Revolucionário Institucional* (PRI).

O chamado "sistema mexicano" foi objeto de críticas, porque se trata de uma democracia oligárquica, "dirigida", onde impera a corrupção administrativa; e porque existe nele uma grande dose de "mentira constitucional", de hipocrisia, de não correspondência entre o que se diz e o que se faz. No entanto, o governo mexicano não é tirânico. É apenas *forte*. Além disso, talvez a torrente de palavras, que encobre formas de governo essencialmente distintas do que dizem ser, constitui, junto a outras características associadas e complementares, um dos acertos fundamentais do PRI, chocante para alguns espíritos excêntricos, mas correspondente às exigências anímicas da América Latina, em geral, e do México, em particular.

Entre nós, a palavra é admitida com facilidade como substituta da ação. Produzimos milhões de discursos; milhões de artigos para jornais; milhares de programas partidários, de manifestos, de resoluções parlamentares ou de conselhos municipais, de pronunciamentos de assembleias estudantis e grêmios; milhares de leis e decretos; centenas de Constituições. O país latino-americano mais insignificante produziu mais tomos de leis e códigos do que a Grã-Bretanha.

Aqueles que não têm o poder que desejariam, encontram na retórica uma compensação psicológica para a impotência, tanto quando falam como quando escutam. É significativo que Juan Vicente Gómez — o caudilho latino-americano mais genuinamente satisfeito com seu poder, já que satisfaria sua ambição ser o senhor da Venezuela e não lhe interessava a representação social, nem o reconhecimento de seus dotes intelectuais, nem a projeção internacional — tenha sido um homem muito frugal em palavras, quase mudo. Na América Latina, o normal é que mesmo os homens mais poderosos dessas sociedades tenham uma consciência dolorosa de serem relativamente impotentes no âmbito internacional, e que mesmo eles busquem instintivamente preencher esse vazio com um rio de palavras. E com muito mais razão aqueles que se encontram em níveis inferiores da estrutura de poder.

Abaixo de certo escalão dessa estrutura, estão as massas latino-americanas, que não falam, mas que esperam que seus dirigentes falem por elas, e que, de modo manifesto, estão dispostas a dar um crédito excessivo a quem saiba formular hipóteses agradáveis, de maneira fluida e fácil, à nossa psicologia coletiva. Isso costuma dar lugar ao surgimento de grandes demagogos, do qual o mais notório foi Juan Domingo Perón.

O notável do "sistema mexicano" é ter feito da retórica (revolucionária) a protagonista permanente de um sistema de poder cujo ápice não é ocupado por um demagogo ou caudilho, mas por um *homem comum*, de forma obrigatoriamente *transitória*.

O PRI é um partido praticamente único, que não testa a vontade popular, mas a "interpreta" por meio de eleições rituais, nas quais monotonamente atribui a si mesmo mais de 90 por cento dos votos. Além disso, o presidente do México, chefe absoluto desse partido por seis anos, é um verdadeiro monarca, quase um ditador.* Os outros órgãos do poder público, como o Congresso e os Tribunais, são quase ornamentais e, de qualquer modo, dóceis ao presidente. Da mesma forma que as Forças Armadas, eterna ameaça à estabilidade dos demais governos latino-americanos. Os meios de comunicação, inclusive os impressos (e não só o rádio e a televisão), são diretamente controlados pelo governo ou reconhecem limites sutilmente oficiais ao grau de crítica independente admissível.[15] O setor privado da economia vive em simbiose com o governo e com o PRI, assim como os sindicatos e as ligas camponesas.

---

* O PRI elegeu presidentes no México ininterruptamente por cerca de 70 anos até 2000, quando foi eleito Vicente Fox, do PAN (Partido da Ação Nacional). Em 2006, a presidência ficou a cargo de Felipe Calderón, também do PAN, até que, em 2012, elegeu-se Enrique Peña Nieto, marcando o retorno do PRI ao poder após um hiato de 12 anos. (N.E.)

Realmente, o PRI conseguiu a façanha de englobar formal ou praticamente todos os interesses setoriais importantes da sociedade mexicana e, ao mesmo tempo, quase todos os matizes políticos, exceto a mais extrema direita, os liberais manchesterianos e a esquerda guevarista ou maoísta.[16] Isso não quer dizer que cada setor esteja totalmente satisfeito, ou que os problemas sociais tenham sido superados (os camponeses continuam sendo paupérrimos e continuam emigrando para as favelas miseráveis das cidades; milhões de índios continuam vivendo à margem da sociedade mexicana moderna), apenas que as transações intersetoriais são feitas em ordem e paz, dentro do PRI, assim como a distribuição do poder político.

Uma das características do "sistema", e quase certamente a chave fundamental de sua viabilidade e estabilidade, insólita na América Latina, é a proibição absoluta, e respeitada rigorosamente até agora, de que o presidente seja reeleito, ainda que seja todo-poderoso em seu mandato, e finalmente designe seu sucessor,[17] para, em seguida, deixar de ser presidente, praticamente desaparecer do firmamento político e ser substituído *totalmente* por um novo astro, que não admite (nem teme) rivais, nem eclipses, nem que ninguém mais brilhe com luz própria.

Como o Terceiro Estado de Sieyès, esse presidente-sol não era nada e vai ser tudo. Sua seleção como candidato do PRI (e, portanto, próximo presidente, sem sombra de dúvida) foi mantida em suspense, e ele mesmo teve uma conduta ritualmente discreta, quase apagada. Foi o "El Tapado". Em seguida, como candidato oficial fez uma campanha eleitoral formal, com todos os traços de um verdadeiro pedido de apoio popular, o que de forma apreciável realmente é, já que será nessa campanha que esse *homem comum*, até o dia anterior quase obscuro, será consagrado e se consagrará como a nova encarnação da retórica revolucionária, nacionalista, igualitária, anti-imperialista, terceiro-mundista, indigenista (bom-selvagista), favorável à reforma agrária, operária, etc., até a *apoteose* que será sua posse oficial, em perfeita coincidência com a morte política de seu antecessor.

Em um nível prático, de controle social hábil e de paciência e tolerância renovadas pelas forças sociais diferentes (e centrífugas, na América Latina) ante governos invariavelmente decepcionantes (como são, aliás, todos os governos), a não reeleição dos presidentes mexicanos significa que, a cada seis anos, são geradas, de modo justificado ou não, novas expectativas, novas oportunidades, reais ou imaginárias, para quase todos aqueles que de outra maneira poderiam se sentir tentados, conforme a tradição latino-americana, a buscar satisfação para suas ambições por meio de uma "saída" (assim é chamada) "não institucional" (como se diz). E a esclerose do poder, que no caso do porfirismo também desaguou na gerontocracia, é evitada.

De modo mais simples se poderia dizer que um grupo de aproveitadores do poder (o que se havia constituído em torno do presidente de saída, até suas ramificações mais remotas e capilares) encontra-se forçado, sem violência, como suavidade, a ceder lugar a outro grupo, que vai se constituir em torno do presidente que entra. Porém, um julgamento tão severo faria abstração injusta das notáveis conquistas do sistema político mexicano em um período (1929-1975) em que o restante da América Latina conheceu um leque de formas de governo muito menos estimáveis, e também verdadeiras tragédias como as ocorridas em Cuba e no Chile.

Há quem sustente que o sucesso do "modelo mexicano" não teria sido possível sem a justaposição geográfica com os EUA, espiritualmente incômoda (embora encontre alívio na retórica revolucionária), mas incentivadora de desenvolvimento econômico, por causa do massivo turismo norte-americano e pela exportação de produtos de cada vez maior valor agregado aos EUA, boa parte deles de fábricas de empresas norte-americanas, as quais, seguras de que o México deixará de se entender com os EUA mais ou menos tão provavelmente como a Finlândia com a URSS, consideram recompensador produzir no México, com mão de obra mais barata e com acesso privilegiado ao mercado norte-americano.[18] Essa vizinhança com os EUA também gera uma drenagem de pressão demográfica relativa à emigração clandestina para os EUA, transitória ou permanente. Segundo esse ponto de vista, teria sido esse "privilégio geográfico", operativo já sob o porfirismo, e restabelecido plenamente a partir de 1940, o que, ao calor da formidável expansão norte-americana do pós-guerra, tornou-se, para o México, um elemento importante e talvez decisivo de seu crescimento econômico e de sua estabilidade política.

O "PARTIDO" MILITAR

Segundo ficou dito, uma das conquistas mais notáveis do sistema político mexicano foi a neutralização eficaz dos militares, e isso em um mundo onde, com o poder das armas, a interferência dos soldados nos assuntos políticos cresce dia a dia, pelo que a América Latina já não possui a distinção duvidosa de deter o "recorde" mundial de *pronunciamientos** e juntas militares.

Na América Latina, a representação de generais como chefes de Estado tem duas etapas diferenciadas. Na primeira, os caudilhos, homens sem formação militar profissional, convertem-se pela força dos fatos em "generais" e chefes das Forças Armadas tais como existiam. Na segunda etapa, militares de escola chegam à chefia do Estado acidentalmente, pela posição hierárquica que alcançaram previamente dentro das Forças Armadas profissionais, e quando essas intervêm "institucionalmente". Agora, nos ocuparemos dessa segunda etapa, já que a primeira está englobada no fenômeno do *caudilhismo*.[19]

As primeiras Forças Armadas latino-americanas, forçosamente improvisadas, foram as das guerras de independência. Ao mesmo tempo, como sequela, sobreveio a desintegração, o colapso político: o caudilhismo. A partir da segunda metade do século XIX, com defasagens e casos excêntricos, os distintos países latino-americanos criaram exércitos regulares, os quais, inevitavelmente, gravitaram desproporcionalmente ao redor do processo político. Em uma sociedade não integrada, indisciplinada, centrífuga — sem uma classe dirigente digna desse nome; com classes médias primeiro inexistentes e, depois (conforme surgiam) desorientadas, atemorizadas e céticas; e massas populares excluídas de todo o sentimento de participação no poder (ou nem sequer na *sociedade*, constituindo um *proletariado interno*) — as Forças Armadas profissionais conseguiram transplantar modelos estrangeiros menos defeituosos (ainda que sempre imperfeitos) que outras instituições latino-americanas. Tiveram a vantagem de se dedicar *profissionalmente* a cultivar valores e atitudes, e a alcançar objetivos nada característicos da

---

* Mais comum na Espanha, em Portugal e na América Latina no século XIX, é uma forma de rebelião militar, na prática um golpe de Estado, em que um setor das Forças Armadas declara publicamente sua oposição ao governo vigente, na tentativa de derrubá-lo. (N.E.)

sociedade latino-americana, como disciplina, unidade, *esprit de corps*, transmissão organizada e eficiente de instruções precisas e pragmáticas. Nos últimos anos, também se descobriram ou se supuseram mais bem preparadas que muitos civis em áreas distintas da profissão militar, que seriam incorporadas aos chamados Altos Estudos Militares. De qualquer forma, os institutos militares de ensino superior ficaram livres dos vícios e da desordem habituais na universidade autônoma, e foram os únicos que mantiveram e, na realidade, melhoraram os níveis de desempenho acadêmico em meio ao naufrágio das universidades civis "nanterrizadas"* pelo castro-guevarismo. Além disso, não foi raro que os diplomados nas Academias Militares agregassem estudos universitários "civis" aos seus estudos propriamente castrenses, e que também se tornassem sociólogos, médicos, advogados, psicólogos, antropólogos etc.

Em sua profissão, está previsto como obrigação que nunca deixem de estudar, se é que querem ascender; e ainda que condicionados em suas perspectivas e enfoques pelas tradições e preconceitos próprios de seu ofício, também é verdade que os "jogos de guerra" que devem imaginar e conduzir, levam os mais inteligentes entre eles a um conceito estratégico dos problemas. De modo que sem serem diferentes nem melhores que os demais latino-americanos, seu treinamento e os problemas teóricos que são propostos em seus estudos, em todos os níveis, mas sobretudo ao nível do Estado Maior, os induzem a considerar a política em um contexto mundial.

Além disso, são uma confraria internacional. Para seus cursos de aperfeiçoamento, frequentam os institutos norte-americanos, europeus ou de outros países latino-americanos, ou o centro de táticas antissubversivas que os norte-americanos mantêm na Zona do Canal, no Panamá. Nesses lugares ou nas reuniões do Tratado Interamericano de Assistência Recíproca, trocam ideias e confrontam experiências de forma sistemática e em confiança, sem a justificada prevenção com que se consideram entre si os membros de diferentes nacionalidades de outros clãs latino-americanos menos solidários.

---

* Adjetivação nascida na Universidade de Nanterre, nos arredores de Paris, que, no final do movimento estudantil de Maio de 1968, transformou-se na universidade mais avançada, até mesmo revolucionária, dentro do sistema universitário francês. "Universidade aberta" que possibilitou a pessoas sem os pré-requisitos formais (segundo grau completo) frequentar cursos de nível universitário. A estrutura de Nanterre (cursos, métodos didáticos etc.) foge totalmente ao usual na França. (N.E.)

Seria possível afirmar que, uma vez profissionalizadas e institucionalizadas, as Forças Armadas de cada país latino-americano (exceto o México) foram, na prática, um partido político a mais, ainda que, obviamente, de natureza diferenciada; e também um partido "de reserva", uma última alternativa que entrou em funcionamento quando o estamento político civil não foi capaz de superar uma crise ou de proporcionar a liderança para as forças realmente presentes.[20] Nessa hipótese, os exércitos intervieram de uma forma que pode ser chamada de "institucional" (em vez de "não institucional", como costumam dizer) toda vez que foi necessário, para restabelecer, por vias excepcionais, um equilíbrio perdido; ou para, ao contrário, limpar o terreno e abrir caminho a uma distribuição de poder nova e diferente.

Em 1945 e 1949, a Venezuela ofereceu exemplos de ambos os casos. Em 1945, o sistema de poder desse país se encontrava estagnado pela insistência continuísta da oligarquia herdeira do controle do Estado que Juan Vicente Gómez exerceu por tanto tempo. Essa oligarquia não percebeu que, com o fim da Segunda Guerra Mundial, não era possível continuar asfixiando as ideias e as aspirações da nova classe média e continuar mantendo passivos e dóceis os operários e os camponeses, agitados, naquele momento, pelos dirigentes apristas vindos daquela classe média (e da província) e formados na universidade.

Uma intervenção das Forças Armadas, ocorrida naquela conjuntura, deu ao partido aprista venezuelano (Ação Democrática) a oportunidade de chegar ao poder e empreender um ambicioso programa de reformas sociais, econômicas e institucionais. Porém, três anos depois, de modo inábil, a Ação Democrática conseguiu se isolar politicamente, fazendo todos os demais setores do país sentirem que a afirmação de sua hegemonia os colocaria em perigo, pois desaguaria em um sistema monopartidário com os defeitos do "sistema mexicano" e sem suas virtudes. Uma nova intervenção militar eliminou essa ameaça imaginária ou verdadeira e, onze anos depois, a Ação Democrática voltou ao poder muito mais madura politicamente e capaz, naquele momento, de criar um novo sistema de poder, não esmagadoramente hegemônico, e, assim, estável, apesar de essa segunda oportunidade ter coincidido com o fenômeno, profundamente perturbador para o aprismo, da Revolução Cubana.

Uma variante muito interessante, porque demonstra a capacidade das Forças Armadas profissionais de se diferenciarem de seus representantes, ocorre quando uma nova intervenção militar derruba um ditador a quem um golpe anterior havia entronizado, e que esqueceu sua condição de "representante das Forças Armadas" para imaginar a si mesmo investido de caudilho e *senhor* das Forças Armadas. Quando ocorre essa situação, costuma ser a oportunidade para que os militares retornem aos quartéis e deixem a representação política direta aos *outros* partidos, aos partidos civis, por meio do restabelecimento das liberdades públicas e da convocação de eleições.

Na medida em que sejam defensáveis essas hipóteses, expressas aqui de forma necessariamente superficial e esquemática, sua validade plena teria de ser limitada a um período entre meio século e três quartos de século, desde a formação dos exércitos profissionais até o grande divisor de águas que é a Revolução Cubana. Desde então, sem dúvida, os militares latino-americanos revisaram a definição do que constitui uma crise capaz de pôr em perigo a unidade e até a existência das Forças Armadas, consideradas por eles como uma combinação de instinto de clã (e de preservação) e de convicção doutrinária aprendida como fundamento e núcleo da nação. Com a experiência de Cuba, onde as Forças Armadas foram dissolvidas e seus oficiais, julgados em um clima de circo romano e condenados à morte ou à prisão, os demais exércitos latino-americanos começaram a perceber implicações de crise institucional não só nos clássicos "vazios de poder", mas também em atos (ou omissões) de governo, que, ao seu juízo, poderiam conduzir a situações posteriores, nas quais fosse demasiado tarde para evitar que a instituição militar fosse implicada e afetada por um colapso generalizado do sistema.

Seria possível traçar um paralelo entre essas "novas Forças Armadas" e a "nova Igreja", desta, analisamos a evolução no Capítulo 6. Os exércitos latino-americanos, assim como a Igreja, ainda que com muito menos refinamento *e* em relação a situações regionais e não a uma visão ecumênica, começaram a considerar, com espírito de "jogo de guerra", o problema de como sobreviver, enquanto instituição, em um novo contexto político mundial, que em outros lugares (isto é, Cuba) produziu situações incontroláveis e irreversíveis. A Igreja pode ser sinuosa e flexível, cortar seus compromissos com causas que poderiam se perder de maneira irremediável, e inclusive estabelecer contatos de alto nível com o "inimigo", negociar de potência a potência; também pode permitir, e até sutilmente estimular, aventuras e explorações individuais em território alheio, brincadeiras e alvoroços com "a revolução", em que padres "nova onda" se identificam com setores radicais, sem que isso comprometa a

Igreja, que pode desautorizá-los, sancioná-los e até excomungá-los a qualquer momento. Porém, as Forças Armadas não têm essas opções, não podem se permitir essas ambiguidades. Se atuam, têm de ser institucionalmente, como um todo, assumindo de forma clara e mais plena do que nunca, funções de liderança nacional, com todos os riscos, mas também com todas as opções que podem se distribuir em um leque que vai desde o "modelo brasileiro" até o "modelo peruano".

O MODELO BRASILEIRO

Em troca de ideias[21] com civis do mais alto nível intelectual e, ao mesmo tempo, não protagonistas e nem sequer participantes secundários do caótico processo político posterior ao desaparecimento do caudilho civil Getúlio Vargas (que se suicidou em 1954), e marcado pela total irresponsabilidade fiscal e insana taxa de inflação correspondente, os militares brasileiros formaram, muito antes de 1964, sua própria ideia de quais deveriam ser os caminhos para conduzir o Brasil ao futuro de grandeza que sempre fora proclamado, mas sempre em vão, a ponto de provocar a piada cruel segundo a qual o Brasil foi toda a vida o "país do futuro" e continuaria sendo invariavelmente. Entre as conclusões dessa reflexão, incluía-se a de que, pelo menos nessa etapa de sua história, o Brasil cometeria uma grande tolice confrontando os EUA em benefício de terceiros; e que estes veriam com bons olhos e ajudariam, na América do Sul, o surgimento de um grande poder econômico e militar amistoso, capaz de servir de polo estabilizador e de centro irradiador de influência econômica e política antissoviética, aliviando os norte-americanos, pelo menos parcialmente, de suas preocupações estratégicas nessa região do mundo. Governado de modo eficiente e com uma política exterior *ad hoc*, o Brasil poderia, assim, sem a oposição dos norte-americanos e, pelo contrário, com sua ajuda ativa, aspirar ao papel de grande potência e baluarte do Ocidente no sul do hemisfério americano, e inclusive, no final das contas, estender essa influência à costa ocidental da África e também a Moçambique, de fala portuguesa, no Oceano Índico.

Nesse contexto, convém recordar o que foi mencionado nas primeiras páginas deste livro a respeito da impossibilidade de incluir o Brasil em generalizações relativas à América Latina. Nenhum outro país latino-americano pode sequer conceber essa vocação de grande potência mundial. Ao mesmo tempo, o Brasil é claramente um país com muitas semelhanças com o resto da América Latina, tanto por sua origem ibérica, como por certos paralelismos e coincidências em seu desenvolvimento histórico e sua idiossincrasia coletiva. A política civil brasileira é um dos aspectos em que existe menos afinidade, menos compreensão, menos simpatia, menos informação em outros países latino-americanos. O que Getúlio Vargas, Juscelino Kubitschek, Jânio Quadros ou João Goulart fizeram, cada um em seu mandato, podia parecer distante e pouco ou nada relevante em Caracas, Lima ou Buenos Aires. No entanto, compreendeu-se imediatamente em todo o seu imenso alcance, e principalmente por outros militares latino-americanos, a circunstância de que, com a queda de Goulart em 1964, pela primeira vez, no século XX, um exército latino-americano rejeitou explicitamente se comprometer a realizar eleições em uma data futura, assumindo o poder com uma intenção distinta da de resolver uma crise e restaurar em um prazo razoável, e até fixado de antemão, uma vida política "normal", ainda que essa normalização passasse, em uma primeira etapa, pela conversão mediante eleições mais ou menos manipuladas do general presidente *de fato* em presidente *constitucional*.

O segundo elemento novo e singular foi a intenção dos militares brasileiros, rápida e firmemente demonstrada, de "desativar" de maneira irrevogável, todo o alto pessoal civil anteriormente dirigente, criando assim um hiato, uma ruptura nessa área de liderança nacional, uma espécie de cordão sanitário político entre o passado e o futuro.

Em terceiro lugar, o governo militar "revolucionário" brasileiro empreendeu a extinção implacável do pró-sovietismo como atividade política explícita ou clandestina, e até como influência intelectual significativa (por exemplo, nas universidades).[22]

Em quarto lugar, esses militares e seus assessores civis (os "tecnocratas", como os economistas Roberto Campos e Delfim Neto) amadureceram um plano de recuperação econômica não exclusivamente — nem mesmo preferencialmente — privatista, como se afirmou de forma interessada e como se acreditou de forma errada. Pelo contrário, foi muito estatista no sentido de prever o fortalecimento do já poderoso e extenso setor público da economia e um intervencionismo dirigista voltado ao controle da inflação, estimulando e garantindo a poupança e atraindo investimentos estrangeiros capazes de gerar exportações.

Onze anos depois, o plano político e econômico da chamada "Revolução" brasileira, planejado por homens que pensaram os problemas a fundo e em sua totalidade, pode ser qualificado de exitoso, principalmente dentro dos parâmetros latino-americanos.[23]

Em sua gestão financeira e de fomento ao crescimento econômico, o governo militar alcançou, *grosso modo*, os objetivos que traçou, pelos caminhos e com os métodos que previu. Um grande programa de construção de estradas tornou ou está tornando acessíveis o interior e todas as fronteiras. A expansão, até o revés sofrido em 1974 pela quadruplicação do preço do petróleo (que o Brasil importa em proporção considerável), situou-se, ano após ano, próxima ou acima de dez por cento ao ano. A inflação foi controlada e finalmente estabilizada a um nível ainda muito alto (20 a 25 por cento ao ano), mas previsível, "administrável" e, de fato, administrada por meio de um sistema de ajuste de preços, salários, créditos e juros bancários digno de estudo e admiração em uma época em que 20 por cento de inflação anual deixou de ser uma anomalia sul-americana. As universidades foram impulsionadas, melhoraram seu desempenho e modificaram sua orientação em favor de carreiras científicas e tecnológicas.

Ao mesmo tempo, a resistência violenta e desesperada da extrema esquerda marxista-leninista-terceiro-mundista ao decreto de sua extinção política foi esmagada com métodos semelhantes aos empregados pelos mais brutais caudilhos; e ainda que, a partir de 1971, o governo possa ter relaxado a repressão, não achou possível (ou não quis) desmantelar um aparato policial que se tornou sistematicamente arbitrário e torturador. Aliás, em nossa época, só um governo repressivo, seja qual for sua linha ideológica, pode, como fez o Brasil, gerar um crescimento econômico explosivo e uma acumulação de capital acelerada com um severo achatamento do poder aquisitivo da maioria. Entre 1964 e 1969, os salários reais dos trabalhadores brasileiros de menor renda diminuíram em mais de 30 por cento, enquanto a renda média dos graduados universitários, no mesmo período, cresceu em 50 por cento. Sem dúvida, isso também foi previsto e planejado antes do golpe militar de 1964, e constitui parte fundamental do plano global do que veio a ser conhecido como o "modelo brasileiro".

O PERONISMO

A impossibilidade de ministrar semelhante e brutal remédio à sociedade argentina, muito menos dócil por ter alcançado previamente níveis muito mais altos de cultura e consumo, pelo fato de a Argentina, como coletividade, ter perdido a grande ilusão de possuir um grande destino (ao contrário do Brasil) e de ter sido sacudida e profundamente marcada pelo populismo fascista de Juan Domingo Perón, os militares argentinos fracassaram no objetivo de imitar seus colegas brasileiros, o que tentaram sob a chefia militar do general Juan Carlos Ongania, desde 1966 até 1970. No último ano, o governo de Ongania, justamente por não ter conseguido adaptar o "modelo brasileiro" à Argentina, foi substituído por outro governo militar; mas, este, "constitucionalista". Isto é, do tipo que na América Latina age com a intenção e o objetivo de devolver a responsabilidade direta da condução do Estado aos políticos profissionais, que, nesse caso, iniciou o processo que desaguou, em setembro de 1973, no retorno de Perón como presidente constitucional da república argentina.

Por ter sido comprovadamente, de todos os pontos de vista, o mais exitoso país hispano-americano, a Argentina revela, em sua profunda crise, a dificuldade da nossa cultura de superar seus fardos e suas neuroses peculiares, e, em particular, seu complexo de inferioridade por ter cabido a nós compartilhar o "Novo Mundo" com os EUA, e sermos, até agora, a tábua (relativamente) fracassada do díptico da grande aventura americana.

Entre todos os países latino-americanos que admitiram como uma evidência a superioridade da sociedade norte-americana, e, ao mesmo tempo, concluíram pela conveniência de tentar transferir para a América Latina os recursos do êxito político, econômico e social norte-americano, nenhum mais do que a Argentina admitiu o primeiro mais a fundo (explícita ou implicitamente), ou tentou o segundo mais a sério, considerou-se mais apto para consegui-lo, e, de fato, pode crer ter se aproximado até quase tocá-lo. Já mencionei como a Constituição argentina "clássica" de 1853 se assemelha tanto à dos EUA que os juízes argentinos poderiam adotar a jurisprudência norte-americana para interpretá-la. Também houve a cópia da política de imigração aberta e a ampla acolhida de investimentos europeus para financiar a infraestrutura de uma grande produção agropecuária, a distribuição de terras, a construção de ferrovias, frigoríficos e portos. Houve o impulso, sem paralelo na América

Latina, da educação popular. E houve, premiando tudo isso, um impressionante auge econômico e cultural que, em 1910, no centenário da independência, fazia a Argentina parecer mais um país europeu do que latino-americano, descolado completamente do atraso e da desesperança do resto da América Latina e até (no conceito dos próprios argentinos) *superior aos* EUA.

No entanto, as mesmas formas externas não chegaram a produzir essências iguais. No meio século que vai de 1860 a 1910, aproximadamente, que é o de seu grande desenvolvimento e também de suas grandes ilusões, a Argentina conseguiu se assemelhar aos EUA, mais ou menos como as plantas de estufa se parecem com as que crescem silvestres em outro solo e em outro clima.

A estufa argentina, o ambiente artificial em que os argentinos (e os demais latino-americanos) supunham que estava crescendo o prodígio de um "Colosso do Sul" capaz de rivalizar com os EUA, era uma "democracia oligárquica", controlada rigorosamente por minorias cultas em aliança com grandes *estancieros* (fazendeiros), que se tornaram multimilionários com o auge da pecuária e da exportação de carne em navios de novo modelo chamados "frigoríficos".

Porém, o crescimento da planta político-social-econômica argentina transbordou ou quebrou os vidros dessa estufa, e, submetida ao clima ambiente, a democracia oligárquica se transformou (com o sufrágio universal) em uma democracia caótica, insincera, contraditória, demagógica, ineficiente, incapaz de superar o sectarismo e a desintegração hispano-americanos, e muito menos de conduzir a campanha da etapa de acumulação do capital para a de uma redistribuição da riqueza e do poder, a um "novo contrato". Os EUA responderam à grande crise de 1929 com o "New Deal" de Franklin Roosevelt, em 1933. A Argentina, depois de uma série de convulsões, que começaram com um golpe militar em 1930, não encontrou outra resposta ao mesmo desafio que o "justicialismo", de Juan Domingo Perón, em 1945.

Nos EUA, o fascismo também teve repercussão; mas, nas condições norte-americanas, não passou de uma tentação minoritária. Roosevelt, que, diga-se de passagem, foi a encarnação da capacidade de renovação política da sociedade norte-americana, regulamentou o capitalismo desenfreado, abriu caminhos e deu garantias a um sindicalismo de longa trajetória, arraigado, vital e basicamente solidário (e não adversário ou desapegado) da sociedade norte-americana em sua totalidade.

Na Argentina, o fascismo acabou se tornando ainda mais tentador do que o 4 de junho de 1943 (data do golpe militar do *Grupo de Oficiales Unidos*, do qual fazia parte o coronel Perón, que regressara apenas dois anos antes de um estágio longo nas divisões alpinas do exército italiano), que era um projeto político não só radicalmente divergente da ilusão perdida da Argentina de conseguir encontrar seu destino imitando a democracia norte-americana, mas também *antinorte-americano, antidemocrático, anticomunista, populista e nacionalista*,[24] o que vinha a ser uma combinação providencial e perfeita para um país frustrado em suas ilusões de se igualar aos EUA e, simultaneamente, necessitado de uma adaptação política a grandes mudanças sociais e econômicas que vinham ocorrendo e que a guerra tinha acelerado.

A partir de 1939, a indústria argentina teve um rápido desenvolvimento, forçada pela impossibilidade de importar manufaturados europeus ou norte-americanos durante a guerra, e também estimulada ativamente pelo Estado, com apoio creditício e político. Em 1943, havia mais trabalhadores empregados na indústria (com a esmagadora maioria concentrada em Buenos Aires) do que na pecuária e na agricultura. Era a circunstância propícia para o surgimento de Juan Domingo Perón, que não foi o único militar latino-americano seduzido pelo fascismo, mas foi o único que, por atuar na Argentina e por ter a dose necessária de audácia e talento político, poderia se mostrar fascista, inclusive em um aspecto do fascismo (e do nazismo) que hoje se prefere esquecer: o autêntico arrasto popular, em certas condições, relativo à combinação virulenta entre uma demagogia populista veemente (e disposta, uma vez alcançado o poder, a se concretizar em medidas verdadeiramente favoráveis aos trabalhadores industriais quanto ao seu bem-estar material, ao seu nível de renda e ao *estilo* de governo) e um nacionalismo grosseiro e chauvinista.

Na direção do Departamento Nacional do Trabalho (um cargo de nível subministerial, que outros desdenharam), Perón se dedicou, desde junho de 1943, a fomentar o fortalecimento dos sindicatos existentes e a criar outros. Além disso, instaurou um mecanismo de controle que dava privilégios aos sindicatos favorecidos pelo Departamento de Trabalho (quer dizer, por Perón). No caso das disputas trabalhistas, o Diretor de Trabalho (logo convertido em Ministro do Trabalho e da Previdência Social e Vice-Presidente da República) demonstrou estar disposto a se pronunciar invariavelmente em favor dos trabalhadores. Como comentou um dirigente sindical: "Enfim, há um servidor que não só não é aliado dos patrões, como também nos ouve, resolve os nossos problemas e até nos aconselha a como nos defendermos". No coração do governo, Perón se tornou porta-voz fixo do setor laboral industrial, sugerindo reformas em seu favor, planos de habitação, saúde, previdência social etc. Em dois anos, tornou-se o homem mais poderoso do governo militar. Seus colegas oficiais ficaram irritados. Em outubro de 1945, Perón foi destituído e preso.

Nesse momento, Evita Duarte entrou na história. Era uma atriz de segunda ou terceira categoria, amante de Perón e a qual, nessa circunstância crítica, demonstrou uma autêntica capacidade de liderança, ao conseguir mobilizar uma imensa manifestação de trabalhadores (os *descamisados*), que ocuparam o centro de Buenos Aires até que Perón saiu da prisão convertido em chefe indiscutível de uma nova situação política (17 de outubro de 1945). Um dos seus primeiros atos foi se casar com Evita. Em seguida, lançou sua candidatura presidencial às eleições previstas para fevereiro de 1946, à frente de um novo partido que, em um primeiro momento, recebeu o nome de *Laborista* e cuja plataforma política era uma versão do fascismo mussolinista referente à pátria argentina.

A Igreja apoiou Perón porque ele deu a entender que, na "nova Argentina", haveria uma aliança estreita entre a religião católica e o Estado, em contraste com o secularismo livre-pensador da ralé radical-liberal-marxista sob cuja influência o país estivera confundindo seu destino. O embaixador norte-americano também ajudou, por acaso, ao manifestar de forma pública, chocante e intervencionista o desagrado de seu governo pela ascensão de um notório simpatizante do Eixo nazifascista. Realizadas as eleições, o triunfo de Perón foi legítimo, esmagador, indiscutível. Ganhou a presidência por ampla margem, e o partido peronista obteve dois terços da Câmara de Deputados e todas as cadeiras do Senado, exceto duas.

Juan Domingo Perón assumiu o controle da Argentina em um momento em que o país havia acumulado um superávit de recursos e reservas monetárias por causa das exportações em rápida ascensão, sem contrapartida comparável em importações durante os cinco anos da guerra mundial. Em essência, Perón se dedicou a liquidar esse superávit e, além disso, criou um déficit em um período de tempo surpreendentemente curto, estimulando uma explosão consumista e uma expansão de atividades econômicas agradáveis para o orgulho nacional argentino, mas improdutivas; e também nacionalizando empresas de serviços (como as ferrovias) que, sob a administração privada (e estrangeira) tinham sido lucrativas; mas, depois de estatizadas e oneradas com novos e crescentes custos, logo se tornaram deficitárias. Os salários e outros benefícios dos trabalhadores industriais foram aumentados por decreto, sem nenhuma relação com a produtividade, ao mesmo tempo em que diminuía o desempenho real da economia argentina em seu conjunto. Os setores geradores de riqueza da economia, que continuavam (e continuam) sendo basicamente as atividades agropecuárias, foram castigados com impostos pesados (na pior tradição mercantilista hispânica), para financiar o aumento dos salários reais dos trabalhadores industriais e, ao mesmo tempo, um projeto disparatado de autarquia industrial. Em geral, toda a estrutura de custos e preços da economia foi desorganizada artificialmente para dar satisfações imediatas, psicológicas e materiais, aos "descamisados".[25] Isso explica a imensa e duradoura popularidade de Perón entre os trabalhadores sindicalizados de Buenos Aires, onde, até hoje, um lindo dia de primavera é "um dia peronista".

No entanto, desde então, a Argentina se tornou praticamente ingovernável. A grande crise enfrentada pela presidente Isabel Perón em junho e julho de 1975, e da qual não se refez jamais o seu governo, teve sua origem básica na enésima tentativa de um governo argentino "pós-peronista" de tirar o país do irrealismo econômico em que Juan Domingo Perón o mergulhara em seu governo entre 1946 e 1950.

Evita Perón morreu em 1952, e, com seu desaparecimento, seu viúvo deu a impressão de ter perdido uma parte indispensável do que era, sem sombra de dúvida, um carisma compartilhado. Ainda que de origem genuinamente popular, o "justicialismo" (como a partir de certo momento Perón decidiu chamar sua "ideologia") teve, desde o princípio, como todo fascismo, um espírito repressivo, vulgar, obscurantista. Naquele momento, tornou-se brutalmente policialesco e intimidatório. O principal jornal argentino (e um dos maiores, em todos os sentidos, da língua espanhola), *La Prensa*, de Buenos Aires, foi fechado por sua oposição ao governo. A administração pública chegou a extremos inéditos de corrupção, ajudada nisso pelo estatismo e pelo intervencionismo que tornaram impossível desenvolver alguma atividade econômica importante sem contar com a "proteção" do governo. A inflação galopante começou a reverter os prévios progressos espetaculares da renda real dos trabalhadores industriais urbanos, e o próprio ultranacionalismo que

Perón estimulou voltou-se contra ele quando quis melhorar a economia, gravemente comprometida, mediante acordos de exploração e extração de petróleo com companhias estrangeiras. A Igreja já havia se colocado contra ele. As Forças Armadas lhe deram as costas de modo decisivo quando alguns amigos de Perón começaram a falar — não se sabe se a sério ou de forma irresponsável — da possibilidade de críarem brigadas armadas peronistas, paramilitares, semelhantes aos SS nazistas.[26] Estava viva na memória dos militares argentinos a forma como Hitler domou e decapitou as Forças Armadas alemãs. Em setembro de 1955, um golpe militar afastou Perón, sob o pretexto de que seu governo havia chegado a extremos intoleráveis de corrupção administrativa. Os "descamisados" fizeram algumas manifestações fracas em favor do ditador derrubado. A palavra de ordem era lamentável: "Ladrón o no ladrón, queremos a Perón" ("Ladrão ou não ladrão, queremos Perón"). Mas a máquina sindical irresponsável que Perón tinha edificado no poder continuou existindo, poderosa; e o próprio Perón, do exílio, aplicou-se diligentemente a cultivar a ambiguidade e a estimular entre os grupos mais diferentes a expectativa de que cada um poderia contar com sua preferência quando chegasse o momento.

VINHO VELHO EM GARRAFA NOVA

Entre os que morderam a isca de forma imperdoável, estavam os marxistas, incluindo os comunistas ortodoxos, mas sobretudo, a partir de 1959, os castristas e os guevaristas, que chegaram a ver em Perón uma espécie de messias — pelo fato de Perón ter sido antinorte-americano, e os EUA, antiperonistas — e, em Hector Cámpora, seu profeta, o que exigia ignorar ou esquecer tanto os feitos de Perón no governo, entre 1946 e 1955, como seu itinerário de exilado, do Paraguai de Stroessner à Venezuela de Pérez Jiménez (com uma escala no Panamá, onde conheceu María Estela — "Isabelita" — Martínez), à República Dominicana de Rafael Leonidas Trujillo, à Espanha de Franco, onde se estabeleceu definitivamente depois de 1960.

Em 1973, quando as Forças Armadas argentinas acabaram se convencendo (ou foram convencidas por Perón, que seguramente lhes deu garantias) de que a única saída para a crise política crônica em que o país se debatia seria permitir a participação do peronismo nas eleições, o obscuro Cámpora recebeu de Perón, em Madri, a missão de representá-lo em uma corrida que estava decidida antes da largada. No dia de sua posse, em 25 de maio de 1973, o presidente Cámpora surgiu no balcão da Casa Rosada[27] ladeado pelos presidentes Allende, do Chile, e Dorticós, de Cuba. Abaixo, na praça, cartazes diziam: "Chile, Cuba, o povo lhes saúda". Centenas de marxistas latino-americanos menos conhecidos que Allende e Dorticós afluíram para Buenos Aires como a uma nova Meca; e, naquela mesma noite, estiveram entre a multidão que cercou a prisão de Villa Devoto até que a primeira medida do novo governo foi decretar a liberdade incondicional de centenas de protagonistas da luta armada clandestina, guerrilheiros, *montoneros* (peronistas de esquerda), membros do Exército Revolucionário do Povo (guevaristas) que estavam presos ali.

Tendo Cámpora cumprido sua missão específica, que era assegurar a transição entre o governo militar e o regresso de Perón, retirou-se de cena, assumindo de passagem toda a responsabilidade por qualquer "fraqueza" ante os guerrilheiros marxistas que durante muitos anos desafiaram o poder militar. Em outubro, novas eleições deram a presidência diretamente a Perón, com 62 por cento dos votos (Cámpora recebera 52 por cento). Três meses depois, durante uma entrevista coletiva na Casa Rosada, uma jornalista "peronista de esquerda", de 29 anos, chamada Ana Guzetti, de modo surpreendente, fez a seguinte pergunta ao presidente Perón: "De que forma o governo enfrentará a ação de grupos parapoliciais que estão assassinando membros de organizações revolucionárias?". Sem dissimular sua raiva, Perón respondeu: "A senhora pode comprovar o que acaba de dizer?". "Os assassinatos recentes de militantes populares e operários o demonstram, senhor presidente", Guzetti insistiu.

Ali mesmo, diante dos jornalistas, Perón deu instruções para "abrir um processo judicial contra a senhorita". "Senhor presidente, sou militante peronista", Ana Guzetti respondeu. "Eu a felicito. Você finge muito bem", concluiu Juan Domingo Perón. Pouco depois, o jornal *El Mundo*, para o qual Ana Guzetti trabalhava, foi fechado pelo governo sob a acusação de "estimular atividades guerrilheiras", e a jornalista ficou definitivamente desempregada quando, posteriormente (e com Perón ainda vivo), outro jornal foi fechado, *La Calle*, por motivos de "segurança do Estado". O esclarecimento definitivo da atitude de Perón para aqueles que tinham se iludido de que, em Madri, ele tinha percorrido o caminho que ia do fascismo ao marxismo, teve lugar em um comício no qual Perón rejeitou expressamente os *slogans* escritos nos cartazes erguidos pelos montoneros e pelos membros do ERP, que abandonaram a manifestação em sinal de protesto.

Esses detalhes são oportunos para deixar claro que a Aliança Anticomunista Argentina (AAA), organização terrorista de direita, teoricamente clandestina, mas a qual se supõe, com indícios de certeza, ter vínculos com a polícia, não é uma criação "pós-peronista" de José López Rega (homem de confiança e astrólogo do velho Perón e, em seguida, eminência parda da presidente Isabel Perón — até sua destituição em julho de 1975), segundo se quer agora fazer crer em uma tentativa de salvar — para uso futuro — a figura e a memória de Perón (e de Evita), mas que cabe totalmente dentro das coordenadas do demagogo brutal e inescrupuloso que foi Juan Domingo Perón, um dos mais perniciosos falsos heróis da história latino-americana.[28]

NOTAS

1. É por isso que os países comunistas reinventaram o caudilhismo, lá chamado de "culto à personalidade".
2. Segundo o dicionário: "Chefe de bando armado".
3. Arturo Uslar Pietri, "El caudillo ante el novelista", em *El Nacional*, Caracas, 11 de maio de 1975.
4. Ou inclusive a Miranda, que, por não ser um caudilho, mas um militar europeu profissional e um *philosophe* do Iluminismo, levou ao fracasso a Primeira República venezuelana, em 1812. "Barulho. Essas pessoas só sabem fazer barulho", afirmou o Precursor, derrotado e decepcionado pela distância existente entre suas ilusões incubadas nos EUA, na Inglaterra e na França e aqueles grupos pobres de peões e *criollos* excitados, que não conseguiam se pôr de acordo. As críticas de Bolívar à Primeira República (ver seção "O diagnóstico de Bolívar", no Capítulo 3) referem-se, com uma roupagem retórica adequada aos seus destinatários, ao que Miranda classificou de maneira simples e direta como *barulho*.
5. Porfirio Díaz em entrevista ao jornalista norte-americano James Creelman, *Pearson's Magazine*, março de 1908.
6. De Bolívar, mencionado na seção "O diagnóstico de Bolívar", no Capítulo 3.
7. Em 1974, um amigo escritor que foi e, até certo ponto, continua sendo admirador da Revolução Cubana, confessou-me em particular que, cada vez que foi a Cuba desde

1960, ficou mais aterrorizado com o ressurgimento, na prática, de mecanismos de exercício de poder personalistas, arbitrários, piramidais, perfeitamente reminiscentes do mais obscuro e medíocre da vida política (e social) da Espanha do século XIX. Os próprios cubanos sussurram que são governados pelo "sociolismo".

8. Angel Rama, "Una remozada galería de dictadores", em *El Nacional,* Caracas, 10 de junho de 1975.
9. *Cônsul*: "Pessoa autorizada por um Estado estrangeiro para proteger as pessoas e os interesses dos indivíduos da nação que o nomeia", *Diccionario de la Real Academia Española*, terceira acepção.
10. A entrevista para James Creelman já mencionada.
11. Sem dúvida, um exagero.
12. Eliju Root, citado por Creelman, *Ibid.*
13. De Trujillo, Franklin Roosevelt, mais escrupuloso (ou prudente) que Root — que, com veemência o exortava a retirar o apoio norte-americano a Trujillo por este ser um *son of a bitch*, limitou-se a responder: "Tem razão, mas é *nosso son of a bitch*".
14. *Slogan* de Juan Vicente Gómez.
15. Em relação aos meios de comunicação de propriedade privada, o governo mexicano dispõe de diversas formas de persuasão indireta. Por exemplo, o monopólio de importação e fabricação de papel-jornal.
16. Nos últimos anos, os estudantes universitários deram dores de cabeça ao "sistema"; mas, como em outros países latino-americanos, esse inconformismo estudantil costuma se diluir quando os jovens se diplomam, dispersam-se e se dedicam, cada um, a perseguir sua ambição individual.
17. Existe certa resistência por parte dos politólogos mexicanos em admitir que seja assim. Fazem a observação, aliás óbvia, de que há limites para a vontade do presidente, que, por exemplo, não poderia tentar, como o governador Wallace, do Alabama, ser sucedido por sua mulher. Porém, por mais voltas que sejam dadas ao assunto, quase invariavelmente aquele que foi Ministro de Governo (do Interior) é designado candidato pelo PRI; e, se o presidente alimenta as esperanças de outros ministros, é certamente para não fechar por completo suas próprias opções e não iniciar uma transferência prematura de poder. Além disso, não se deu o caso de que o candidato não fosse membro do gabinete do presidente de saída, que, assim, ao nomear seus ministros já, por meio disso, fez uma primeira seleção de pré-candidatos.
18. O México não ingressou na Organização dos Países Exportadores de Petróleo (OPEP) para não ficar automaticamente excluído das vantagens que uma nova Lei de Comércio Exterior, aprovada pelo Congresso dos EUA, estende aos assim chamados "países em desenvolvimento", exceto os países-membros da OPEP.

19. O *comandante* Fidel Castro reproduz o primeiro desses dois mecanismos, o que é um dos indícios, entre outros, de que sua figura se torna mais compreensível se for situada dentro da perspectiva do caudilhismo latino-americano.
20. "O militarismo (latino-americano) não é culpa dos militares [...]. É culpa de nossos movimentos políticos (civis) [...] que não souberam interpretar as nossas pátrias e criaram vazios, e esses vazios são preenchidos pela única instituição organizada existente nos países da América Latina." Carlos Andrés Pérez, presidente da Venezuela, entrevista coletiva concedida na Cidade do México, em 22 de março de 1975.
21. Na Escola Superior de Guerra.
22. É isso que foi qualificado de "fascismo" brasileiro, já que, no vocabulário marxista-leninista-terceiro-mundista, são fascistas todos os regimes que reprimem o pró-sovietismo, sejam quais forem suas outras características, enquanto que jamais será fascista, por mais repressivo, militarista e chauvinista que seja, um governo de algum modo se prestasse a contribuir para o progresso da estratégia soviética global.
23. Pelo menos tanto quanto se pode considerar exitoso o "sistema mexicano". Aliás, não carece de interesse a adoção pela "Revolução" brasileira de uma alternância obrigatória na presidência da república, obviamente inspirada no bom resultado que essa prática teve no México.
24. Também *anti-intelectualista* em um país onde os intelectuais sustentavam uma posição internacionalista ("cosmopolita", como se diz agora) e aliadófila, por serem quase todos admiradores das democracias liberais ocidentais ou da URSS.
25. Entre outras consequências adversas irreversíveis, a política econômica peronista estimulou a tendência, sempre excessiva nas sociedades hispânicas e, principalmente, hispano-americanas, de abandono da atividade agropecuária produtiva pelas atividades industriais, comerciais e de serviços da cidade. Assim, Buenos Aires se agigantou, tornou-se mais "cabeza de Goliat" (cabeça de Golias).
26. Milhares de oficiais da SS tiveram acolhida amistosa na Argentina peronista, entre eles, Adolf Eichmann. Convém não esquecer que nem sequer o componente antissemita está ausente do fascismo peronista, para o qual a Argentina está contaminada por diversos fatores "cosmopolitas" e, sobretudo, pela importante população judaica. Em maio de 1975, a revista peronista *El Caudillo* publicou a seguinte incitação "poética" ao *pogrom* (na Rússia czarista, pilhagens, agressões e assassinatos cometidos contra uma comunidade ou minoria, sobretudo a judaica, com a aprovação das autoridades): "Hoje tudo deve ser destruído. / Às nove da noite é uma boa hora para isso. / Convoca-se para destroçar os redutos inimigos. / Quando arder verão que é a sério. / Que o fogo se confunda com os gritos, os gritos com a noite, / a noite com a fumaça, a fumaça com o bairro, / as chamas com as chamas. / Sejamos o fogo. / O mundo só recorda o brutal e o grande. / Sejamos essa brutalidade e essa grandeza. / Para cada usurário

correndo apavorado, / existe uma recompensa prometida. / Levar / Archotes, / Socos-ingleses, / Correntes, / Estopas, / Canos, / Garrafas, / Armas de fogo, é claro, / As obras em construção próximas proverão / os habituais e tradicionais tijolos. / Que subam as pedras. Voem. Velozes, vivazes. / Que mil tijolos pairem sobre o céu. / Que cada um busque seu respectivo objetivo. / Que todos cumpram sua trajetória aérea, / passando através das vidraças, / derrotando os cristais. / Que os tijolos tomem a palavra [...] / Os (judeus) que morrem de medo — sem que ninguém os toque — / valem o dobro. / Recomenda-se empilhar nas esquinas / as barbaridades contemporâneas que pretendem ocupar / o lugar da arte. / Não confundir as fogueiras. Não misturar. / Que haja estilo nisso. / Que cada coisa arda por si [...] / Mostremos generosamente nosso ódio múltiplo e multicolor. / Abramos passagem ao nosso ódio branco e preto. / Fogo e fogo. / Ergamos nosso ódio todo vermelho. / Esse ódio magistral para expulsar os mercadores do templo, / para que não voltem mais a entrar por nenhum lado [...] / Eles sugaram o nosso sangue / e nos exauriram. / É justo que paguem com sangue. / Cercar o bairro (judeu). Ninguém sai sem aviso prévio, / Agitem-se mil bastões, sangrem mil cabeças. / Os livros bastardos se queimam à parte. / Deixar inscrições explicativas nas imediações / para que as pessoas saibam. / Que fique tudo devastado. / Depois nos juntaremos [...] / Quando amanhecer, reunir-se nas esquinas, / Dar vivas à Pátria, / cantar em coro canções de esperança. / Arrumar-se um pouco. / Formar colunas. / Respirar fundo. / Volver".

27. O palácio presidencial argentino, em Buenos Aires.
28. Em 29 de abril de 1975, com Perón já morto, Ana Guzetti foi sequestrada, aparentemente pela AAA. Pensou-se que ela nunca mais seria vista, viva ou morta, e com razão: desde o final de 1973, na Argentina, ocorreram mais de 500 assassinatos ou desaparecimentos de militantes de extrema esquerda (e, em contrapartida, ocorreram um número também elevado de assassinatos, sequestros e outros atos terroristas protagonizados pela extrema esquerda, que estava novamente na clandestinidade; assim como o surgimento de um "foco" guerrilheiro na província de Tucumán, cerca de 500 quilômetros ao norte de Buenos Aires). Contra todas as expectativas razoáveis, Ana Guzetti apareceu viva. Seus sequestradores se contentaram em apenas maltratá-la.

CAPÍTULO 10

As formas de poder político na América Latina (II)

OS DEMOCRATAS NA CONTRACORRENTE

A América Latina não careceu de dirigentes políticos e, inclusive, de governantes que estimaram, em seu justo valor, as ideias e as conquistas da revolução liberal. Sua fama muito menor que a dos caudilhos, dos demagogos e dos tiranos é sinal do pouco apreço que o mundo tem pelos dirigentes moderados. Ao comentar a transgressão feita por Trajano da recomendação deixada em testamento por Otávio aos seus sucessores (defender as fronteiras do Império sem tentar estendê-las), Gibbon observa, em sua obra *Declínio e queda do Império Romano*, que, enquanto a humanidade se empenha em aplaudir com mais generosidade e recordar muito mais seus destruidores do que seus benfeitores, a sede de glória militar seduzirá sempre aos governantes. Da mesma forma, pode-se dizer que, enquanto acharmos digno de atenção e admiração — e até romântico — o senhor da vida e da morte, e ainda mais (em nossa época) quando ele deixa de lado todo o tipo de escrúpulos e práticas políticas civilizadas que faz em nome da "Revolução", e, em comparação, acharmos pouco "estimulantes" os democratas chamados com desdém de "reformistas", serão mais numerosos no mundo os candidatos que imitam Stalin do que aqueles que vejam como modelos Léon Blum, Clement Atlee ou Walther Rathenau; estarão mais "na onda" Fidel Castro ou Perón do que Rómulo Betancourt, Eduardo Frei, Rafael Caldera ou Carlos Andrés Pérez.

Tanto assim que o leitor europeu começará por perguntar quem são esses homens, dos quais provavelmente nunca ouviu falar, e que são, de fato, os mais recentes e estimados entre os democratas "reformistas" que exerceram poder político na América Latina. Frei (presidente do Chile de 1964 a 1970) e Caldera (presidente da Venezuela de 1969 a 1974) são os dois dirigentes democratas-cristãos mais importantes do hemisfério ocidental. Betancourt (presidente da Venezuela, de 1945 a 1947 e de 1959 a 1963) e Pérez (presidente da Venezuela de 1974 a 1979 e de 1989 a 1993) são sociais-democratas ou, mais exatamente, apristas.

Após a morte de Juan Vicente Gómez, em 1935, Rómulo Betancourt (atualmente em sua sétima década de vida)* se dedicou a criar o partido *aprista* venezuelano, a Ação Democrática, que nos últimos 30 anos no poder, na oposição ou na clandestinidade, dominou a política e definiu as metas da nação venezuelana, e, em um grau razoável, impulsionou o país à sua concretização. Ainda que atraído na juventude pelo marxismo-leninismo, Betancourt logo achou muito mais apropriadas para a América Latina as teses de Víctor Raúl Haya de la Torre.[1] Assim como Haya, Betancourt rejeitou, por ser aviltante e também impraticável, a obediência servil exigida dos comunistas ortodoxos pelo *Komintern*, sem consideração nenhuma pela diversidade das culturas e das situações regionais e locais, e sem outra bússola que não a definição imperial pelos comunistas russos da "linha" a adotar em cada situação. Em um país como a Venezuela de 1935, sem proletariado industrial e governado por uma oligarquia feudal aliada ao poder norte-americano, um Partido Comunista ortodoxo e obediente a Moscou seria tão exótico com um urso polar nos trópicos, e se descobriria impotente e desconfortável mais ou mais da mesma forma. Talvez chegasse o dia em que as análises e as previsões do marxismo-leninismo poderiam ser aplicadas na Venezuela. No entanto, e em todo o futuro previsível, a única maneira (inclusive *marxista*) de tentar estimular *reformas* desejáveis e avanços elementares, seria a formação de uma ampla aliança de camponeses, operários, intelectuais, profissionais liberais, universitários, estudantes, empresários de espírito moderno etc.; ou seja, de todos aqueles que poderiam ter o desejo ou o interesse de contribuir com a modernização de uma sociedade que permanecia basicamente rural e feudal, mas que estava, ao mesmo tempo, começando a se agitar pelo trauma (e o

---

* Rómulo Betancourt faleceu em 1981, aos 73 anos. (N.E.)

estímulo) da presença em seu interior de um setor industrial (o petrolífero) exótico, dinâmico e moderno, dirigido por e para estrangeiros.

O petróleo e a maneira pela qual ele estava sendo explorado constituíam o escândalo supremo da Venezuela de Juan Vicente Gómez e imediatamente pós-gomecista; e o petróleo também seria a chave destinada a abrir o futuro do país. Dessa maneira, a plataforma política da Ação Democrática propunha uma rejeição ao regime de *concessões* por meio do qual as empresas estrangeiras (norte-americanas e anglo-holandesas) tinham todas as vantagens e um virtual controle sobre a economia e a vida dos venezuelanos. Betancourt e a Ação Democrática não propunham uma nacionalização imediata, que sabiam ser utópica; mas, em 1943, quando o Congresso aprovou uma nova (e melhor) lei do petróleo, sustentaram que, mesmo com as melhorias introduzidas, os lucros e as prerrogativas das empresas concessionárias continuavam sendo excessivos.

A ordem política pós-gomecista desmoronou repentinamente em outubro de 1945. Havia se sustentado pela invalidez política do país depois de 27 anos de tirania terrorista e pela situação peculiar criada pela Guerra Mundial contra o Eixo nazifascista. Os aspectos mais repressivos e primitivos do *gomecismo* tinham sido descartados, mas a ala "liberal" da mesma oligarquia rural-militar mantinha rígido controle do sistema de poder político e econômico. No entanto, sob essa aparente calmaria, os oficiais jovens das Forças Armadas profissionais criadas por Gómez se agitavam de impaciência (e de ambição). Em 1945, entraram em contato com a Ação Democrática, considerando o jovem partido *aprista* (fundado oficialmente em 1941, após muitos anos de existência clandestina ou embrionária) como a única força política importante e não comprometida com a estrutura de poder existente e que se propunham a varrer.

Inicialmente, Betancourt se negou a se comprometer com um golpe de Estado militar. Junto com outros altos dirigentes da Ação Democrática, tratou de obter do governo um compromisso firme de reforma constitucional, que desaguaria, relativamente em curto prazo, em eleições presidenciais e parlamentares por sufrágio universal. Quando o governo respondeu com desdém, amadureceu o cenário para sua queda, que ocorreu pouco tempo depois.

Rómulo Betancourt se tornou presidente provisório, e Juan Pablo Pérez Alfonzo, futuro promotor da Organização dos Países Exportadores de

Petróleo (OPEP), virou Ministro de Comércio e Indústria, cargo sob cuja responsabilidade, entre ocupar-se do preço e abastecimento do feijão e da espessura ideal dos preços, *também* estava a supervisão da indústria do petróleo. Porque, de forma reveladora, um país que, em 1945, tinha chegado a ser o terceiro produtor mundial (atrás dos EUA e da URSS) e o primeiro exportador, nem sequer possuía um ministério especializado em petróleo e continuava dependendo das empresas estrangeiras concessionárias para suas estatísticas petrolíferas e outras informações básicas sobre o setor.

Em novembro de 1973, em consequência do aumento de quatrocentos por cento no preço do petróleo, o *New York Times* publicou um perfil de Pérez Alfonzo, onde se relatava como tinha sido esse venezuelano aprista, e não algum xeique árabe ou imperador persa, que havia originado esse cartel de exportadores, que tantas notícias negativas mereceu nos países compradores de petróleo, mas que, na realidade, não fez mais do que demonstrar de maneira irrefutável que a principal riqueza de um grupo de países pobres e atrasados tinha sido, durante mais de meio século, comprada a preço vil pelos países mais adiantados e ricos do mundo, em um comércio que também serviu de forma muito importante para estimular as economias avançadas, sem uma contrapartida justa para os territórios nominalmente donos de uma matéria-prima preciosa, relativamente escassa e também esgotável.[2]

O *New York Times* personalizava o assunto de modo bastante jornalístico, mas, dessa forma, de maneira muito insuficiente. Pérez Alfonzo não significaria nada se não estivesse inserido no projeto político concebido no México, em 1924, pelo peruano Víctor Raúl Haya de la Torre, e executado na Venezuela, a partir de 1945, pelo partido Ação Democrática. Entre 1959 e 1973, a Venezuela conseguiu, primeiro, convencer os outros países exportadores de petróleo a agirem de comum acordo e, depois, a irem construindo juntos vias de ação conjunta eficazes, permitindo que, no momento apropriado, um grupo de países atrasados, fracos e pequenos enfrentasse as grandes potências do Ocidente e o Japão pela primeira vez na história. Enquanto isso, os comunistas latino-americanos, entusiasmados com a Revolução Cubana, denunciavam, com mais violência do que nunca, o projeto aprista e seus protagonistas (Haya de la Torre, Betancourt, Carlos Andrés Pérez etc.) como "traidores e lacaios do imperialismo", e se lançavam à luta armada, ao terrorismo urbano e ao "foquismo" guerrilheiro. Para a Venezuela (ou para qualquer outro dos países que integram a OPEP), a única política virtuosa tinha sido, desse ponto de vista, não defender os preços do petróleo, mas iniciar e se comprometer com processos capazes de levar as economias ocidentais à interrupção do fornecimento de petróleo. E se isso, ao acontecer, provocava, previsivelmente, reações retaliatórias econômicas, mas também, eventualmente, militares, melhor ainda. Não se tratava de criar um, dois, três, muitos Vietnãs na América Latina e no mundo? Mecanismos de negociação, de comércio e, dessa maneira, de contínua cooperação e *interdependência* entre países "terceiro-mundistas" e capitalistas avançados, como a OPEP, só podiam ser invenções desprezíveis de "traidores da História", mais ou menos como as iniciativas de organização sindical destinadas a conseguir melhorias nas condições de vida dos trabalhadores, e não apressar o *Grande Dia* da *Greve Geral*.

Durante alguns anos, as empresas de petróleo multinacionais e os países que eram grandes importadores de petróleo riram da OPEP. Porém, de repente, em 1973, tudo se pôs a favor do cartel dos exportadores. O que fora um (falso) mercado de compradores, com todas as vantagens do lado dos países que eram grandes importadores (que podiam, pelo preço artificialmente baixo do petróleo bruto, até obter maiores receitas fiscais do petróleo refinado que os países exportadores, impondo altos impostos internos ao consumo de gasolina e outros derivados sem deprimir a demanda), revelou ser, na realidade, de um dia para o outro, um mercado de vendedores. De repente, ficou claro que o petróleo vinha sendo sistematicamente subvalorizado na fonte, sem levar em conta sua condição de recurso natural não renovável, nem a curva de aumento desenfreado da demanda (justamente pelo preço artificial muito baixo), nem a relação insustentável de preços baixos do petróleo com os maiores custos (e disponibilidade muito limitada) de outras formas de energia.

Para a Venezuela, a nova situação significou a demonstração de ter estado mais bem atendida por Rómulo Betancourt e pela Ação Democrática do que Cuba por Fidel Castro e pelo Partido Comunista. Naquele momento, a nacionalização da indústria de petróleo venezuelana — muito mais importante em termos estratégicos e de resgate de soberania econômica do que a expropriação das usinas de açúcar, de propriedade norte-americana, feitas por Fidel — tornou-se possível sem uma "vietnamização".[3] Dessa maneira, deixou os comunistas naturalmente insatisfeitos, eles que nunca viram na eventual nacionalização um objetivo econômico e de soberania, mas um objetivo político de atrito e ruptura entre a Venezuela e os EUA, e de demonstração da impossibilidade de melhorar a situação de qualquer país latino-americano, exceto servindo, em uma etapa prévia e terrível, de ajuda para a Revolução Mundial.

RÓMULO BETANCOURT, O "ANTI-FIDEL"

Em 10 de janeiro de 1959, quando Fidel Castro entrou em Havana, Rómulo Betancourt acabava de ser eleito presidente da Venezuela, após dez anos de exílio. Em 1948, o primeiro governo da Ação Democrática fora derrubado pelos mesmos oficiais jovens que abriram o caminho do poder em 1945. Esses majores e capitães (agora coronéis) analisaram sua ingenuidade política. Sentiram que o perspicaz Betancourt os havia manipulado; que eles tinham corrido os riscos e que a Ação Democrática conseguira ocupar todo o poder. Ficaram alarmados com as medidas reformistas apristas. Os sindicatos brotaram como cogumelos e se comportavam agressivamente. Assim como os militantes da Ação Democrática e, por extensão, a população civil, o "populacho", a "chusma", os "negros". Estava-se perdendo o respeito e o temor que um uniforme militar inspirara automaticamente desde o limite mais distante da memória do homem até 1945. Afinal de contas, esse Rómulo Betancourt não tinha sido, não seria, um comunista disfarçado? Ou, pelo menos, seu verdadeiro projeto não seria consolidar uma hegemonia monopartidária na Venezuela por tempo indeterminado, como a do PRI mexicano?

Ao mesmo tempo, a maneira democrática de dirimir conflitos abertamente e em liberdade — na rua, no Congresso (cujos debates eram transmitidos por rádio) ou nos meios de comunicação —, nunca bem aclimatada na América Latina (onde degenera facilmente em denúncias truculentas, muito mais destinadas a provocar a intervenção militar contra o governo do que a corrigir vícios ou esclarecer a opinião pública), terminou por afligir além do imaginável uma sociedade que durante 50 anos só havia conhecido a mordaça imposta pelo caudilhismo.

Betancourt fora apenas o quarto presidente civil em toda a história venezuelana.[4] Dos três anteriores (todos antes de 1892), dois foram derrubados por golpes militares. O quinto presidente civil, sucessor imediato do presidente provisório Betancourt, recebeu, em 1947, três quartos dos votos na primeira eleição por sufrágio universal, direto e secreto, que tinha ocorrido no país. Tratava-se de um intelectual, o romancista Rómulo Gallegos, designado candidato pela Ação Democrática justamente para simbolizar a rejeição ao passado e a abertura para um futuro distinto. Mas Gallegos não era político. Supunha que, sendo o Presidente da República pelo ofício comandante em chefe das Forças Armadas, um golpe militar significaria uma traição da qual seu Ministro da Guerra não seria capaz.

Quando o golpe ocorreu, uma das suas prioridades era a morte de Rómulo Betancourt, que, não obstante, conseguiu escapar de seus assassinos, asilar-se em uma embaixada e partir para o exílio. Seu prestígio e o da Ação Democrática se mantiveram apesar de uma obstinada repressão de dez anos. Em 1958, quando as liberdades públicas foram restabelecidas pelas mesmas Forças Armadas, irritadas com a incompetência política e as pretensões de caudilhismo de um ditador militar que tinha perdido de vista seu papel de representante da instituição castrense, Betancourt e a Ação Democrática atenderam à convocação de eleições e facilmente as ganharam, em dezembro de 1958.

Entre essa vitória eleitoral e a posse do agora presidente constitucional Rómulo Betancourt, em fevereiro de 1959, Fidel Castro ocupou o primeiro plano não só hemisférico, mas mundial, pela primeira vez no caso de um líder latino-americano. Em Fidel, a América Latina e o mundo (inclusive os Estados Unidos) saudaram de modo unânime, inicialmente, um herói autêntico, um social-democrata revolucionário, um Davi guerrilheiro que tinha derrotado o Golias-Forças Armadas, um reformista radical católico, um jovem Hércules capaz de limpar as estrebarias de Áugias da corrompida política cubana.

Betancourt permaneceu cético. Conhecera Fidel durante seu exílio, em Havana, quando o cubano era terrorista universitário, idealista e corajoso, mas também aventureiro eególatra. Agora era necessário estar atento às viradas, imprevisíveis, que, sem dúvida, Fidel daria no poder.

De fato, não passaram muitos meses sem que a recém-restabelecida democracia venezuelana ficasse presa entre um fogo cruzado. De um lado, estavam os velhos inimigos da democracia e da liberdade no Caribe, dos quais o mais astuto e o mais cruel era Rafael Leonidas Trujillo, ditador dominicano; do outro, os castristas venezuelanos, muitos deles dentro da própria Ação Democrática, seduzidos pelo romântico Fidel, conquistados pelo seu incomum desafio ao poder imperial norte-americano, prontos a renunciar a via social-democrata, reformista e *aprista*, e a se lançar pelos atalhos revolucionários e expeditivos aparentemente abertos e indicados por Fidel e Che Guevara.

Tipicamente, Trujillo não fez rodeios e foi direto ao assunto. Proporcionou aos inimigos venezuelanos de Betancourt e da Ação Democrática os meios para a realização de um atentado contra o presidente venezuelano em junho de 1960. A detonação de uma potente carga de explosivos posta no caminho do carro presidencial matou no ato o general-chefe da Casa Militar, que ia acomodado no assento dianteiro do lado direito. O presidente, que ia acomodado no assento traseiro do mesmo lado, sofreu a concussão previsível, e também graves queimaduras nas mãos ao se esforçar para abrir a porta travada do carro em chamas. Betancourt recusou tranquilizantes que o fariam adormecer ou se acalmar, negou-se a ser hospitalizado e exigiu, ao contrário, ser levado diretamente do hospital onde foi atendido para o palácio presidencial. Duas horas depois do atentado, estava no palácio, dirigindo-se ao país por rádio e tevê, com as mãos envoltas em ataduras, falando com dificuldade através dos lábios inchados pelas queimaduras, mas com evidente controle de si mesmo e da situação.

Aqueles que engoliram a propaganda comunista a respeito da suposta truculência do governo venezuelano dessa época devem saber que os autores do atentado, capturados, não sofreram maus-tratos, foram devidamente julgados e condenados a penas relativamente leves. O regime da detenção foi tão indulgente, que um deles pôde fugir saltando de uma janela. *Dez anos depois, nenhum deles continuava preso*, com penas reduzidas por bom comportamento ou por medidas de indulto ou anistia.[5]

Ainda que no extremo oposto de tudo o que representava Rafael Leonidas Trujillo na política do Caribe e da América Latina, os comunistas venezuelanos eram, em 1960, ainda muito mais antibetancouristas e contrários à Ação Democrática (isto é, antiapristas) do que sempre tinham sido. Sua motivação era um remorso ardente. Paralisados por uma obediência servil de 30 anos à ziguezagueante ortodoxia soviética, não viram em Fidel, antes de 10 de janeiro de 1959, mais do que um aventureiro pequeno-burguês, pois as "loucuras" de Fidel entravam em contradição com a linha *frentista* desenterrada por Moscou desde 1955.[6] Em contraste, eles foram um modelo de moderação no intervalo entre janeiro de 1958 e a eleição de Betancourt, defensores ardentes da democracia e fomentadores de um candidato "progressista" (um almirante, presidente provisório após a ditadura militar) a quem supunham manipulável para metas limitadas e aprovadas pela URSS.

Naquele momento (1959-60), deram-se conta de que talvez tivessem deixado passar uma oportunidade única de capturar o Estado venezuelano nos meses imediatamente seguintes a janeiro de 1958, quando, se tivessem agido com audácia, poderiam ter liderado uma coalizão "progressista" amorfa, adversa a todo o processo eleitoral democrático, mais ou menos como Fidel nos meses imediatamente seguintes a janeiro de 1959. Nunca será possível saber se, depois dessa situação, os comunistas venezuelanos poderiam ter estabelecido uma "ditadura do proletariado", como Fidel fez um ano depois em Cuba; mas, com amargura, pensavam que deveriam ter tentado. Naquele momento, tratariam de compensar a cautela extemporânea lançando-se na aventura "foquista", em uma imitação servil de Fidel, que, ansioso por desencadear um processo revolucionário geral na América Latina, e consciente do valor estratégico insuperável da Venezuela petrolífera, ajudou-os com tudo o que pôde: armas, dinheiro e até o envio de uma expedição de guerrilheiros venezuelanos treinados em Cuba e reforçados por veteranos de Sierra Maestra.

Essa aventura, deplorada agora por todo mundo, inclusive por seus protagonistas, custou à Venezuela uma virtual guerra civil, com incontáveis combates sangrentos e atentados terroristas, tanto nas cidades como em algumas zonas rurais escolhidas como "focos" guerrilheiros, além de duas rebeliões importantes, no período de cinco semanas, em duas bases navais, lideradas por oficiais que tinham havia muito tempo uma militância comunista secreta ou foram seduzidos pela Revolução Cubana.

Em consequência, Betancourt teve de empregar grande parte de seu tempo e esforço de cinco anos de governo para manter viva a democracia venezuelana, para o que teve de enfrentar não só a violência interna, mas também uma iniciativa internacional de descrédito vasta e difamatória, que o apresentou ante a opinião pública mundial como o "anti-Fidel" (o que certamente era) e como um monstro repressivo e um lacaio dos norte-americanos (o que certamente *não era*), justamente por Betancourt e a Venezuela (em concordância com as teses apristas) representarem uma abertura latino-americana progressista potencialmente viável e, ao mesmo tempo, não submetida ao plano estratégico soviético elaborado pelo Segundo Congresso da Internacional Comunista em 1920.[7]

Essa campanha foi especialmente virulenta na França, sensível por suas próprias razões ao encanto de uma revolução — a cubana — que vinha sublinhar os limites do poder mundial dos EUA e, ao mesmo tempo, a ambiguidade da boa consciência "anticolonialista" norte-americana; e isso em um momento em que era recente a humilhação francesa na Indochina, e estava em vias de liquidação o sonho da *Argélia Francesa*. De *L'Aurore* e *Paris-Match* até *L'Express, Le Monde* e *Les Temps Modernes*, e, sem dúvida, *L'Humanité*,* Fidel e Che Guevara foram percebidos como vingadores dessas humilhações (de modo absurdo pela direita, mas a direita é, por definição, visceral e não racional), vistos com simpatia (pelos "homens de boa vontade", vítimas de sua própria preguiça mental e da má ou interessada informação), ou saudados com entusiasmo (com lógica, por todos aqueles que supõem que o mundo se aproxima um pouco mais da felicidade com cada revés norte-americano e com cada êxito da política exterior soviética) como os apóstolos da fundamental revolução antinorte-americana na América Latina. Em 1964, ao recusar o Prêmio Nobel, Jean-Paul Sartre achou justo e necessário incluir em sua renúncia dirigida à Academia Sueca uma referência aos heroicos guerrilheiros (comunistas) e ao terrível governo (social-democrata) da Venezuela, que tinha cometido o pecado de, primeiro, resistir à tentação de se declarar solidário em palavras e atos com a Revolução Cubana (como fez o também social-democrata Allende, por vaidade e fraqueza de caráter, muito mais tarde, com muito menos desculpa e com as consequências que estão à vista), e, depois, defender-se de um ataque insurrecional tão injusto quando o fato de a Venezuela ter acabado de inaugurar uma etapa de liberdades, reformas populares e medidas de soberania econômica, como, por exemplo, a promoção da OPEP, o término definitivo da prática de dar

---

* *L'Aurore* (jornal) e *Paris-Match* (revista): conservadores de direita; *L'Express* (revista): centrista; *Le Monde* (jornal) e *Les Temps Modernes* (revista): de esquerda; *L'Humanité* (jornal): porta-voz oficial do Partido Comunista Francês. (N.E.)

concessão petrolífera a empresas estrangeiras e a criação de uma empresa de petróleo nacional, destinada a ser, 15 anos depois, um dos fatores que permitiu a nacionalização total da indústria, atualmente cem por cento propriedade do Estado venezuelano.

Ao final do governo de Betancourt, essa insurreição havia fracassado. As eleições de 1963 deram novamente o triunfo a um candidato da Ação Democrática (Raúl Leoni), e as seguintes (1968) ao candidato do principal partido de oposição, o democrata-cristão Rafael Caldera.

Cinco anos depois (1973), uma avalanche de votos ganhos em uma campanha eleitoral exemplar colocou os apristas venezuelanos novamente no poder, na figura do atual presidente Carlos Andrés Pérez, que foi Ministro do Interior de Rómulo Betancourt nos momentos mais duros e amargos da insurreição castro-comunista 12 anos antes; e que, na ocasião, fora atacado com qualificativos mais apropriados a um Pinochet (ou a um Fidel, mas que este não receberá, pelo fato de que suas violações aos direitos humanos, maiores e de muito mais longa duração que as do ditador chileno, terem sido realizadas em nome da Revolução).

Em mãos de Pérez, o projeto aprista venezuelano está chegando à sua maturidade, com total respeito das liberdades públicas, na plenitude da receita financeira da indústria do petróleo transferida ao controle nacional (quadruplicada graças à OPEP), em meio a elogios da imprensa soviética e de [...] Fidel Castro! O realismo (ou se preferirem, o cinismo) dos comunistas os faz julgar que os mártires mortos, como Allende, têm seus usos, mas muito mais interessantes são os governantes vivos, e muito mais quando demonstraram, como os sociais-democratas venezuelanos, que não é fácil levá-los ao sacrifício inútil ou contraproducente, ao suicídio.

A "EXPERIÊNCIA" CHILENA

"O Chile [...] conseguiu criar, em 150 anos de vida independente, certos valores homogêneos que eram mais ou menos compartilhados pela grande maioria da nação. Valores que se inculcavam ao chileno desde criança, no seio da família, no ensino fundamental e médio, no serviço militar, na burocracia [...], na vida social. Esses valores configuravam um pano de fundo do pensamento próprio do povo chileno, que atravessava classes sociais e regiões econômicas a um nível não conhecido em outros países (latino-americanos).

"(No Chile), foi sendo criada uma consciência histórica compartilhada pela *alma nacional*. Sem dúvida, todos os chilenos estavam convencidos de pertencer a um grande país, com uma raça homogênea, uma educação rigorosa e ampla, uma convivência de tolerância pelas ideias que já durava cerca de 150 anos e que, salvo pouquíssimas exceções, não vira interrompida a sequência democrática de seus governos. O parlamento funcionava desde o início da independência e era um dos mais antigos do mundo. Chegava-se às posições de poder pela via eleitoral, e isso dava legitimidade às decisões. A educação chilena tinha prestígio; alimentou-se no início da república com eruditos vindos de outros países, como Andrés Bello, Sarmiento, Humboldt, Courcell-Seneuil e muitos outros [...]. A educação básica e secundária se beneficiou de educadores alemães, franceses, ingleses e espanhóis. As forças armadas se estruturaram sob orientação alemã e, depois, norte-americana, e a marinha recebeu instrução britânica. Em resumo, o país foi inteligente para se abrir ao exterior e receber o progresso cultural do Ocidente.

"O chileno era patriota, inteligente, culto, corajoso, hábil negociador, tinha senso de humor, possuía grande habilidade para assimilar o novo e, principalmente, respeitava a Constituição e as leis. Respeitava as ideias religiosas alheias. Por sua consciência cívica, os chilenos se sentiam orgulhosos de serem chamados de os *ingleses* da América Latina."[8]

Essa citação é digna de menção por diversas razões, das quais vale a pena sublinhar pelo menos duas: em primeiro lugar, é um anúncio fúnebre. O Chile *foi* assim durante 150 anos (até 1970), mas esse Chile morreu de modo irremediável, e é espécie extinta, como indica o tempo pretérito dos verbos que o autor utiliza; aqueles chilenos capazes de convivência, tolerantes em relação às ideias (inclusive religiosas, como o marxismo) dos demais, respeitadores das leis, com senso de humor e todas as outras virtudes raras na América Latina, e que antes eram tão gerais como hoje são sua ausência.

Em segundo lugar, o mais notável e espantoso é que, quem faz essa evocação elegíaca do Chile que foi e já não é mais, seja um dos principais protagonistas do processo político que acabou com tudo isso em três anos (1970-73). Porque Gonzalo Martner foi nada menos que o Ministro do Planejamento durante todo o governo de Salvador Allende, que recebeu como presidente o país descrito por Martner e deixou, ao desaparecer, o país que Pinochet governa atualmente.*

Evidentemente que, em geral, o testemunho de Martner tenta demonstrar que essa tragédia não foi em absoluto culpa de Allende e de seus colaboradores, entre eles, em lugar de muito destaque, o próprio Martner, mas que foi provocada pela resistência "injusta" e "perversa" de *outros*, os opositores internos e externos à tentativa de converter o Chile em um país comunista a partir de um triunfo eleitoral precário e dentro das limitações do poder presidencial, que não foram concessões generosas de Allende, como se alega, mas que derivavam justamente dessa tradição chilena de institucionalidade democrática pluralista e de respeito à lei que Martner, por outro lado, reconhece de modo tão honesto e sincero (e *chileno*).

No entanto, como observou Jean-François Revel, exatamente em relação à tragédia chilena, "um estadista digno desse nome não pode se surpreender que os inimigos se oponham a ele", e não pode dizer: "aqueles a quem me propus destruir, não me apoiaram".[9] Os mesmos "progressistas" europeus e norte-americanos que estigmatizaram Rómulo Betancourt e Carlos Andrés Pérez, de 1959 em diante, porque esses sociais-democratas apristas latino-americanos não se deixaram arrastar nem se vencer política ou militarmente por aqueles que queriam "fidelizar" (e "vietnamizar") a Venezuela, que aplaudiram o social-democrata aprista Allende por "se jogar ao castrismo" muito mais tarde, quando havia muito menos justificativa, *e menos no Chile do que em qualquer outra parte da América Latina*, para semelhante submissão às pressões, aos slogans e à intervenção ativa de uma aventura política comparativamente primitiva, geograficamente remota e, para a época (1970), infinitamente menos virulenta e prestigiosa, porque maculada por mais de dez anos de implacável ditadura personalista e de entrega à estratégia soviética mundial.

Salvador Allende não foi eleito presidente do Chile por uma maioria absoluta do voto popular. Recebeu apenas 36,2 por cento dos votos, contra uma porcentagem um pouco menor (34,9 por cento) para Jorge Alessandri, candidato conservador, e 27,8 por cento para Radomiro Tomic, candidato democrata-cristão.[10] No Chile, quando nenhum candidato obtinha a maioria absoluta, a Constituição não previa um segundo turno de votação popular

---

* Augusto Pinochet governou o Chile entre 1973 e 1990. (N.E.)

entre os candidatos favorecidos com as duas primeiras minorias (como na França); era o Congresso que deveria decidir a eleição. Em 1970, os democratas-cristãos poderiam, sem violar a letra e o espírito da Constituição chilena, aliar-se com os congressistas para eleger Alessandri como presidente, como os partidários de Chaban-Delmas preferiram tornar Giscard D'Estaing presidente antes de abrir caminho para François Mitterand, candidato favorecido com a primeira minoria nas eleições presidenciais francesas de 1973. Afinal de contas, tanto o sistema constitucional francês como o que imperava no Chile em 1970 têm em comum a intenção de conduzir, no melhor espírito democrático, a soluções de consenso, de compromisso, de contrato. E, no Chile, em 1970, um desenvolvimento aprimorado dessa previsão constitucional foi proposto por Alessandri aos democratas-cristãos. De longe, Eduardo Frei era o líder democrata-cristão mais influente, representativo e aceitável não só para a maioria de seu próprio partido, mas para a maioria dos chilenos. Em 1970, não pudera se apresentar novamente como candidato porque a Constituição chilena impedia a reeleição imediata do presidente de saída. E Tomic fora considerado muito à esquerda pelos conservadores, que também viram no esquerdismo de Tomic, não distinto demais das proposições *teóricas* de Allende, a oportunidade de conseguir com Alessandri a primeira minoria para um candidato próprio, o que esteve a ponto de acontecer. Frustrada por muito pouco essa possibilidade, e, com o Chile em risco, se o Congresso preferisse Allende a Alessandri como presidente, entrariam para governar junto com ele homens implacáveis, dispostos a enterrar a democracia chilena, apesar de terem recebido votos de apenas pouco mais de um terço dos eleitores. Alessandri propôs aos democratas-cristãos um acordo político perfeitamente de acordo com a letra da Constituição, e, inclusive, com o espírito *inteligente, hábil negociador e britânico* que Gonzalo Martner reconhece que, até então, tiveram seus compatriotas não desviados pelo marxismo. A proposta de Alessandri era simplesmente a seguinte: se no Congresso os democratas-cristãos unissem seus votos aos dos conservadores e o elegessem presidente, Alessandri renunciaria de imediato, criando uma situação em que Frei (agora possível candidato em novas eleições populares), com toda a certeza, venceria Allende com mais de 50 por cento dos votos.

A recusa dessa fórmula pelos democratas-cristãos chilenos (após deliberações angustiantes) é uma responsabilidade histórica gravíssima, pois foi a última oportunidade *para eles* (Allende teria outras, que, por sua vez, não aproveitou) de evitar a tragédia que, algum tempo depois, iria se desenvolver.

Eduardo Frei fizera um governo bom e estimado, plenamente de acordo com a tradição progressista e civilizada da democracia chilena. Sabia que devia sua eleição, em 1964, em boa parte, ao apoio dos conservadores, que, na ocasião, se abstiveram de lançar candidato próprio pelo temor de abrir caminho ao frentismo marxista de Allende. No entanto, Frei não se deixou deter por isso e executou um programa que só pode ser qualificado de aprista,[11] *chilenizando* a indústria de extração e refino de cobre (ou seja, nacionalizando-a em 51 por cento), iniciando uma reforma agrária vigorosa e bem concebida, e propondo uma política de fomento e diversificação industrial e de melhor distribuição de renda. Seu governo foi muito radical para o gosto da direita chilena, mas muito moderado para a esquerda de seu próprio Partido Democrata Cristão, liderado por Tomic e marginalmente influenciado pela Revolução Cubana (em setores que dissidentes formaram um grupo político próprio e apoiaram Allende nas eleições de 1970). Essas objeções contraditórias são um indício adicional da orientação política correta dada por Frei ao Chile, na conjuntura política chilena, latino-americana e mundial entre 1964 e 1970.

Justamente pelas diferenças de Tomic com Frei, e pelo desejo sempre presente nas comunidades políticas de se livrarem da dominação de quem foi chefe durante muito tempo, a Democracia Cristã chilena acabou recusando a oferta de Alessandri. Mal foi divulgado o resultado da votação popular, e o próprio Tomic tomou a iniciativa de forçar o processo que acabaria por levar Allende à presidência, correndo para a casa do candidato marxista para felicitá-lo diante dos fotógrafos e dos jornalistas, como se Allende fosse já o vencedor indiscutível. Frei não podia agir com firmeza, contrariando Tomic, porque esse gesto seria interpretado como uma pretensão de beneficiar a si mesmo, e por causa da decência, habitual até então na política chilena, algo assim equivaleria à sua negação como líder respeitado. Finalmente, o máximo que se conseguiu quando o Congresso decidiu pela eleição de Allende, foi condicionar os votos da Democracia Cristã em favor da adoção de uma reforma constitucional que protegesse as liberdades de expressão, educação e religião, e que garantisse a não interferência do Poder Executivo nos assuntos militares. No Chile, ninguém jamais pensou que essas garantias fossem expressamente necessárias. Sua novidade demonstra até que ponto havia consciência de que Salvador Allende estava comprometido, senão consigo mesmo, com os elementos *castristas* e *guevaristas* da Unidade Popular, em tentar transformar a sociedade democrática — de acordos, de valores compartilhados, homogênea, tolerante e respeitosa de ideias alheias que existia de fato no Chile até 1970 (segundo reconhecem até alguns partidários de Allende, como Martner) — em uma sociedade marxista-leninista, inspirada, de maneira geral, no modelo cubano.

Ainda então, Allende poderia ter salvo o Chile e salvo a si mesmo, se aproveitando da vitória de Tomic sobre Freire na questão do aprimoramento da eleição presidencial no Congresso — com tudo o que isso significava de apoio tácito da Democracia Cristã ao projeto de mover a sociedade chilena de forma importante rumo a um socialismo democrático, entre 1970 e 1976 —, o novo presidente poderia ter feito um acordo com os democratas-cristãos baseado nas coincidências teóricas (importantes) entre sua própria plataforma eleitoral e a de Tomic. Isso teria provocado algumas deserções na extrema esquerda da Unidade Popular (mas também na direita da Democracia Cristã). Por outro lado, Allende certamente não teria sido saudado internacionalmente como "revolucionário". Pelo contrário, nesse caso Allende teria tido que suportar insultos e alegações de "traição à causa do proletariado" e de "entreguismo ao imperialismo", semelhantes às que os venezuelanos Rómulo Betancourt e Carlos Andrés Pérez ouviram entre 1960 e 1963. Possivelmente, Allende teria tido de sofrer e reprimir igualmente surtos de violência, como os que o governo social-democrata venezuelano teve de enfrentar nos anos mencionados. Porém, Salvador Allende estaria vivo, e com ele, a democracia chilena e o mundo nunca teriam ouvido falar do general Pinochet.

O CULTIVO DA DISCÓRDIA

A recusa arrogante, categórica e impensada à clara possibilidade de um entendimento com a Democracia Cristã demonstra que Allende, por sua própria vontade ou por vaidade e fraqueza de caráter, que o tornaram instrumento de forças chilenas e internacionais implacáveis ("um, dois, três, muitos Vietnãs"), assumiu a presidência chilena, não para dar continuidade à tradição democrática e reformista desse país, acentuando-a, mas para tentar realizar uma ruptura social e institucional, uma *revolução*. No Chile, fora habitual que, ao assumir o governo, o novo presidente estendesse a mão àqueles que não tinham votado nele, enfatizando sua condição, dali em diante, de "presidente de todos os chilenos". Allende começou rompendo essa tradição, declarando que ele, por seu lado, não seria presidente de todos os chilenos, mas que inspiraria suas ações na premissa de existirem, no seio da sociedade chilena, conflitos de classe *irreconciliáveis*.

E, de fato, desde o primeiro momento, Allende optou por empregar diretamente, ou tolerar, táticas de confrontação classista e diversos outros meios dirigidos a "conscientizar" o povo no sentido de agravar deliberadamente a luta de classes,[12] o que realmente conseguiram, mas *todo o povo chileno*, de um extremo a outro do leque social. Em três anos de governo da Unidade Popular, 40 por cento dos chilenos chegaram a acreditar e a afirmar apaixonadamente que os 60 por cento restantes eram um obstáculo perverso e desprezível para o progresso e a felicidade da nação, e isso, sem dúvida, criou uma situação de grande "conscientização classista" naqueles 40 por cento. Contudo, também os 60 por cento em questão chegaram, de modo muito justificado, a um grau agudo de compreensão antecipada de seu destino de "insetos" (Lenin) ou de "larvas" (Fidel) se, de fato, a sociedade chilena chegasse a ser "revolucionada" irremediavelmente pela Unidade Popular.

Dessa maneira, explica-se por que o Chile descrito por Martner tenha se tornado o Chile irreconhecível, que apoiou majoritariamente com júbilo e alívio o golpe de Estado de setembro de 1973; e que ainda, em grande medida, não maior pela sombria torpeza política do governo militar, prefere Pinochet às alternativas que estavam implícitas na continuidade do governo de Allende. Porque a Unidade Popular teve um só (e perverso) êxito, que foi convencer *todos* os chilenos da fatalidade da tese marxista sobre a impossibilidade de conciliar os conflitos de classe e a consequente necessidade de uma parte da sociedade tentar destruir, pela raiz, os valores, as crenças e o estilo de vida das outras partes. Só que esse roteiro pode resultar no sentido inverso ao previsto pelos marxistas, e as vítimas designadas (e, em primeiro lugar, os oficiais das Forças Armadas) agirem "preventivamente", em "legítima defesa", convertendo-se em algozes.

Ninguém, exceto o próprio Allende e seus colaboradores, pode ser culpado por semelhante e trágico desenlace. Toda a retórica pró-allendista chilena e internacional, entre os anos 1970 e 1973, e muito mais as análises *post-mortem*, promove a tese de que a Unidade Popular atuou de forma tolerante, democrática, quase ingênua, e que foi vítima de sua própria e exemplar paciência, tolerância e respeito à legalidade, contra inimigos inescrupulosos e diabólicos. Porém, não houve, na parte da verdade que há nisso, nenhuma concessão, mas unicamente a necessidade, imposta pelas instituições e tradições chilenas, de a Unidade Popular proceder tortuosamente em sua desafortunada intenção de transformar o poder limitado da presidência, gradualmente, por etapas, em uma ditadura marxista-leninista; nem o comportamento do governo de Allende foi tão inocente *desde o primeiro dia*.

Os esforços de Allende para se manter o máximo possível dentro da letra (mas de atuar o máximo possível fora do espírito) da legalidade não eram de princípios, mas claramente destinados a manter o apoio ou pelo menos a neutralidade das Forças Armadas, enquanto as bases da democracia chilena eram erodidas por vias praticamente extralegais. Certamente, esse taticismo legalista de Allende era compreendido (ou inspirado) e apoiado pelo Partido Comunista. No entanto, por outro lado, foi *sempre* francamente contestado por outros integrantes da Unidade Popular, incluindo alguns dirigentes do próprio Partido Socialista, do qual Allende era líder nominal, entre eles, o secretário geral e verdadeiro chefe do partido (Carlos Altamirano), os quais, junto com os ultraesquerdistas Movimento de Esquerda Revolucionária (MIR), Vanguarda Organizada do Povo (VOP) e Movimento de Ação Popular Unido (MAPU), defendiam abertamente, dentro do governo, a preparação para a inevitável guerra civil, única capaz de assentar as bases de um poder verdadeiramente revolucionário. Na intimidade (como revelou imprudentemente Régis Debray, em 1971),[13] o próprio Allende admitia que suas diferenças com Fidel Castro e Che Guevara eram apenas táticas, pelo fato de a peculiar situação chilena exigir um respeito transitório à "legalidade burguesa".

De todas as explicações dadas quanto à degradação sistemática dessa legalidade, em contradição com a propaganda segundo a qual o governo da Unidade Popular teria sido um modelo de correção democrática, nenhuma tem mais autoridade do que a oferecida pelo ex-presidente Eduardo Frei para a União Mundial da Democracia Cristã.[14] Nesse relato, Frei assinala que a Unidade Popular foi e permaneceu minoria durante todo o tempo no parlamento, nos municípios, nas organizações de bairro, profissionais e camponesas; e, em 1973, havia perdido sua maioria anterior nos principais sindicatos industriais e mineiros, inclusive entre os mineiros de cobre (que é a principal riqueza chilena). Pelo voto popular, o máximo que a coalizão allendista alcançou foi 43 por cento no primeiro semestre de 1973, "apesar de (o governo) ter exercido uma intervenção não conhecida na história chilena, e ter utilizado toda a máquina do Estado, enormes recursos financeiros e pressão [...] que chegou até (a) violência, (além de) uma fraude comprovada posteriormente de pelo menos de 4 a 5 por cento dos votos, pois os serviços públicos, entre outras (práticas fraudulentas) falsificaram milhares de carteiras de identidade".[15]

Apesar de ser minoria, para tentar levar o Chile à ditadura, os partidários de Allende "aplicaram as leis de modo distorcido ou as atropelaram abertamente, desconhecendo (até) os tribunais de justiça. Cada vez que perdiam uma eleição nas organizações sindicais, camponesas ou estudantis, desconheciam o fato e criavam uma organização paralela ligada ao governo, que recebia proteção oficial, enquanto as organizações eleitas legitimamente eram perseguidas [...]. Nessa tentativa de dominação, chegaram a propor a substituição do Congresso por uma 'Assembleia Popular' e a criação de 'Tribunais Populares', alguns dos quais chegaram a funcionar [...]. Da mesma forma, pretenderam transformar o sistema educacional (e convertê-lo) em um processo de conscientização marxista".[16]

Frei continua descrevendo a resistência que essas coisas logo encontraram por parte de uma maioria dos chilenos, e que foi expressa pelos partidos políticos de oposição, sindicatos e outras organizações de base, imprensa, associações profissionais etc. A Igreja, depois de fazer um esforço de neutralidade e até de cooperação institucional com o governo, comparável (e paralelo) ao das Forças Armadas, achou finalmente inadmissível o projeto de pôr a educação formalmente a serviço da ideologia marxista.

A Corte Suprema de Justiça, *por unanimidade de seus membros*, censurou o Poder Executivo por desrespeitar sistematicamente as decisões dos tribunais. A auditoria fiscal do Estado rejeitou inúmeros atos e decisões do Executivo por ilegalidades. Durante três anos, uma maioria do Congresso acumulou reclamações do Poder Legislativo contra o Executivo, que culminaram depois que reformas constitucionais foram aprovadas e o presidente Allende se negou a promulgá-las e persistiu nessa atitude apesar de o Poder Judiciário ter dado razão ao Legislativo no conflito.[17]

No segundo semestre de 1973, não restava dúvida, afirma Frei, de que o governo minoritário da Unidade Popular estava decidido a implantar uma ditadura totalitária no Chile e estava dando todos os passos para alcançar essa situação: "Os partidos do governo já não ocultavam suas intenções. O secretário geral do Partido Socialista intimava abertamente os soldados e marinheiros a desobedecerem aos seus oficiais e os incitava à rebelião, (assim como) os outros partidos do governo,[18] de uma maneira tão insensata, que até o próprio Partido Comunista [...] manifestou seu desacordo com eles, (ainda que) [...] a posição do PC [...] não divergisse quanto aos objetivos, mas apenas em relação à tática a seguir.[19]

"A esse quadro, acrescentam-se dois fatos [...] determinantes:

1. Instaurado o governo, convergiram ao Chile milhares de representantes da extrema esquerda (violenta) da América [...]. Tupamaros do Uruguai, guerrilheiros do Brasil, da Bolívia, da Venezuela e de todos (os outros) países [...]. A embaixada de Cuba se transformou em um verdadeiro ministério, com um quadro de pessoal tão numeroso que era superior [...] a todo o quadro que o Chile possuía no Ministério das Relações Exteriores em 1970 [...]. Homens conhecidos no continente por suas atividades guerrilheiras ocupavam de imediato cargos na administração (pública) chilena, mas dedicavam seu tempo, muitos deles, ao treinamento paramilitar e instalavam escolas de guerrilha em áreas do território nacional em que nem sequer as Forças Armadas podiam ingressar.

2. A importação acelerada (e clandestina) de armas de todo tipo, não só automáticas, mas pesadas — metralhadoras, bombas de alto poder explosivo, morteiros, canhões antitanque de modelos avançados —, e todo um aparato logístico de comunicações, de telefonia, clínicas médicas etc.; todos os equipamentos de procedência checa ou russa, que o exército chileno jamais teve. Que democracia pode resistir a essa situação?"[20]

Obviamente nenhuma, e a resposta à pergunta retórica de Frei é que a democracia chilena estava condenada a morrer, de uma maneira ou de outra, desde o momento em que o partido de Frei e Tomic rejeitou a proposta de Alessandri e votou no Congresso para eleger Salvador Allende presidente em 1970.

DA DESTRUIÇÃO DA ECONOMIA
À DESTRUIÇÃO DA DEMOCRACIA

Apenas grandes acertos de política econômica poderiam tornar toleráveis para o Chile os abusos políticos que o governo da Unidade Popular não parou de cometer. No entanto, justamente o que mais chamou atenção nesse governo foi sua inépcia administrativa.

Frei deixara o Chile em dia com seus compromissos internacionais, acumulara 500 milhões de dólares em reservas (nível *sem precedentes no Chile*) e pudera prescindir de todo o endividamento externo nos últimos anos de governo, exceto para investimentos de capital. De súbito, essa situação se deteriorou com o simples anúncio de que a Democracia Cristã votaria no Congresso para eleger Allende como presidente. É perfeitamente razoável atribuir essa deterioração econômica, *anterior* à posse de Allende, à Unidade Popular, já que não pode ser qualificada como imprevisível — mas computada como um dos tantos e tão elevados custos de mudança da sociedade rumo ao projeto marxista — qualquer retração da atividade econômica *capitalista* provocada pela declaração de que um governo vai, a partir de uma data próxima, perseguir essa atividade até extingui-la.

As primeiras medidas econômicas de Allende foram um aumento geral dos salários, um congelamento de preços, a manutenção artificial do valor da moeda e uma elevação considerável do gasto público, este último destinado em grande parte à aquisição de empresas privadas pelo Estado. Esse processo de estatização de empresas foi realizado de modo acelerado e por diversos caminhos. A bolsa de valores estava em pânico, de maneira que o governo conseguiu comprar o controle de muitas empresas pelo preço nominal. Outras, cujas ações não estavam à venda no mercado aberto de valores, foram acossadas com greves destinadas a justificar a intervenção do Estado sob o pretexto de recolocá-las em funcionamento. A agricultura conheceu um processo análogo de asfixia da atividade econômica privada. E, evidentemente, a mineração de cobre, principal indústria chilena e fonte de praticamente todas as divisas estrangeiras, foi expropriada (os 49 por cento que ainda eram de propriedade estrangeira) e colocada sob administração estatal.

O saldo dessas medidas foi um aumento súbito do consumo, tanto de produtos nacionais como de artigos importados, a preços artificialmente baixos (na realidade, *subsidiados* pelo Estado), pela alta paridade arbitrária do escudo chileno, sustentada ao custo de uma hemorragia das reservas internacionais. Naturalmente, o efeito inicial foi de euforia. O emprego aumentou e, por um momento, também a produção (embora nunca a *produtividade*). Os salários reais subiram cerca de 30 por cento.

Contudo, esse *mini-boom* da economia chilena nos primeiros meses de 1971 se baseou apenas na liquidação de haveres, na dissipação de riquezas acumuladas anteriormente. No segundo semestre desse primeiro ano de governo, a desproporção entre custos e preços, junto com a estagnação ou o declínio da produção industrial e agropecuária em termos absolutos, desaguou inevitavelmente na escassez, no desabastecimento e no surgimento do mercado negro. A balança de pagamentos passou de um superávit de 91 milhões de dólares em 1970 (último ano do governo de Frei) a um déficit de 315 milhões de dólares, em 1971. Em novembro, após um ano do governo de Allende, o Chile teve de se declarar insolvente e pedir uma moratória para sua dívida externa.[21] Um mês depois, o valor artificial do escudo começou a desmoronar, pelo fato de o Banco Central chileno, já sem reservas, não poder sustentá-lo, e muito menos contra a inundação de papel moeda circulante (cem por cento de aumento no primeiro ano) com que o governo havia financiado seus programas.[22] O investimento de capitais privados, nacionais e estrangeiros, reduziu-se a zero. O do Estado, dirigido principalmente para a estatização dos meios de produção já existentes, não agregou praticamente nada à capacidade real da economia. Em sua maioria, os chilenos mais qualificados estavam então claramente contra o governo ou pelo menos desconcertados e desmoralizados; muitos optaram por abandonar o país (por exemplo, 26 por cento de todos os engenheiros).

A gravidade da crise econômica gerada por Allende se revelaria pouco depois, quando explodiu a inflação, no começo artificialmente contida, enquanto, na realidade, aumentavam as pressões contra a já precária moeda chilena. Entre junho e dezembro de 1972, o índice de preços dos artigos de consumo se multiplicou por quatro;[23] e dobraria novamente (por outro lado, guardando cada vez menos relação com a realidade do mercado) antes da queda de Allende. Em setembro desse mesmo ano (1972), a produção industrial começou a cair em termos absolutos e continuou caindo cada mês até o fim. No terceiro trimestre de 1973, a produção agropecuária chegou a ser 25 por cento menor do que fora antes de Allende chegar ao poder.

O governo da Unidade Popular teve a expectativa de que, ao transferir para o Estado a posse das minas de cobre, aparecessem magicamente "superbenefícios" que as empresas multinacionais tinham ocultado. Na realidade, a administração estatizada não só foi gravemente ineficiente, como também teve de responder às expectativas dos mineiros de participar, com lucros que supunham merecer após décadas de propaganda marxista nesse sentido, do maior nível de consumo sem maior produtividade, que foi o traço originalíssimo da "via chilena para o socialismo".[24] O governo fez um esforço tardio (maio de 1973) para limitar os aumentos salariais dos mineiros ao aumento do índice de custo de vida, mas o resultado foi uma greve desastrosa de dois meses e meio e uma grande manifestação de mineiros em Santiago.

Em outubro do ano anterior (1972), a primeira greve dos caminhoneiros (qualificada de "*lockout* empresarial" pelo governo; mas, na realidade, consequência do desespero real de milhares de donos de um ou dois caminhões pelo projeto governamental de criar uma empresa estatal de transporte destinada a aniquilá-los) significou a primeira crise grave da experiência marxista chilena. Essa greve funcionou como detonador para a nova "consciência de classe" dos chilenos que estavam em desacordo com o rumo do país sob a Unidade Popular. Rapidamente se converteu em uma vasta paralisação nacional de taxistas, motoristas de ônibus, lojistas, médicos, enfermeiras, dentistas, pilotos de avião, engenheiros e até camponeses. A Democracia Cristã, recuperada das ilusões "tomicistas", deu grande apoio ao protesto — sobre o qual se assegura que teve intervenção da CIA —, com a ajuda financeira dos caminhoneiros; o que é perfeitamente provável, assim como o suposto apoio financeiro da mesma fonte aos jornais de oposição a Allende, e que o governo considerava asfixiar economicamente pela diminuição e pelo futuro desaparecimento da publicidade oficial. No entanto, essas intervenções, imperdoáveis, não tinham sido senão a contrapartida de outras intervenções estrangeiras, de sinal oposto, assinaladas por Frei em sua carta a Mariano Rumor. Justamente o mais reprovável da experiência marxista chilena foi criar um clima de guerra civil propício a todas as baixezas, e isso em um país que fora modelo da maior correção possível na atividade, nunca muito santa, que é a política.

De qualquer forma, o governo foi derrotado e teve de admitir, como condição para o fim da paralisação, a participação de militares em cargos-chave do ministério. Com essa concessão, Allende ganhou uma trégua de alguns meses, que ainda então podia ter usado para corrigir o rumo, mas que não aproveitou, na esperança de que os partidos da Unidade Popular conquistassem maioria absoluta nas eleições parlamentares de março de 1973. Porém, com todo o oportunismo (e até a possível fraude) que Frei denuncia, a Unidade Popular só conseguiu obter 44 por cento dos votos, e, assim, desapareceu a esperança de Allende conseguir uma maioria no país ou no Congresso.

Nessa conjuntura, o Partido Comunista era partidário de consolidar o que fora obtido, de dar o conhecido passo atrás para salvar um dos dois dados "para a frente". Porém, novamente Allende foi arrastado pelos elementos arrogantes, equivocados e irresponsáveis do Partido Socialista e do MIR, do MAPU e da VOP. Apenas dois dias depois da derrota eleitoral, o governo anunciou a já mencionada reforma educacional, destinada a erradicar do Chile todas as escolas não controladas diretamente pelo Estado e a transformar a educação básica em um instrumento de doutrinação marxista. Previsivelmente, semelhante plano desencadeou uma tormenta política. Pela primeira vez, a Igreja Católica manifestou oposição pública a uma medida proposta pelo governo de Allende. Milhares de estudantes se manifestaram nas ruas das cidades. Os altos chefes militares, que saíram do ministério após as eleições, tornaram público seu desacordo. Allende precisou adiar a medida. Contudo, sua sorte e a da democracia chilena já estavam lançadas. Em 29 de junho, houve uma primeira tentativa, desajeitada e isolada, de rebelião militar, rapidamente sufocada pelas próprias Forças Armadas, sem o disparo de um único tiro. Contudo, Allende, de modo insensato, já tinha recorrido à rádio e à tevê, exortando os trabalhadores a reagir ocupando todas as empresas. Em um só dia, a quantidade de empresas industriais importantes sob controle do Estado passou de 282 a 526, e a produção e a produtividade sofreram uma brusca queda adicional.

Em julho, irrompeu outra greve de caminhoneiros, que ia se manter até o colapso final do governo, em setembro. Ainda antes desses novos choques, a economia chilena havia chegado a uma taxa de inflação de 323 por cento ao ano. Novamente, Allende nomeou generais para ministérios-chave, mas sem outra expectativa do que a de neutralizar o Alto Comando das Forças Armadas, na espera de não se sabe o quê. Ou talvez se soubesse: em 7 de agosto, o serviço de inteligência naval informou ter frustrado um complô para sublevar a Marinha em Valparaíso e em Concepción (as principais bases navais do país), acusando formalmente de instigadores da frustrada insurreição Carlos Altamirano, secretário geral do Partido Socialista; Oscar Garretón, líder do MAPU; e Miguel Henriques, líder do MIR; e exigiu a suspensão da imunidade parlamentar dos dois primeiros, que eram senador e deputado, respectivamente. Em 9 de setembro, dois dias antes da queda de Allende, Altamirano admitiu publicamente a veracidade da acusação contra ele, mas se justificou alegando a legitimidade de "conscientizar" os marinheiros contra as opiniões reacionárias de seus oficiais. No outro extremo da hierarquia militar, o governo não tinha parado (com promoções de oficiais supostamente simpatizantes e aposentadorias ou marginalizações de outros oficiais supostamente hostis) de tentar dividir e politizar as Forças Armadas, que, até 1970, foram incomparavelmente as mais rigorosas na América Latina em respeito e subordinação ao poder civil.[25]

DEMOCRACIA E MARXISMO-LENINISMO

Os acontecimentos no Chile que culminaram com a queda e morte de Salvador Allende tiveram repercussão mundial porque se quis ver neles a prova de que a liberdade é um obstáculo para a reforma das estruturas econômicas e sociais em favor da maioria, e uma demonstração de que o sistema democrático não é sincero, porque admitiria a participação da *opinião* marxista no debate político democrático, mas negaria a possibilidade do exercício de um *poder* marxista ganho pelos votos, dentro dos mecanismos da democracia. Contudo, essa interpretação é falsa e consegue seu efeito por uma audaciosa troca de papéis entre o culpado e a vítima. No Chile, o que ficou provado *mais uma vez* é algo mais do que sabido: a incompatibilidade do marxismo-leninismo com a democracia.

Por sua própria natureza, a democracia é um sistema em que o poder está repartido, fragmentado, disperso. A democracia se apoia no postulado, explícito em todas as constituições democráticas, de que o poder não deve jamais estar concentrado, e também na premissa de que as opiniões, os interesses e até os preconceitos das minorias são respeitáveis. O espírito democrático é dúbio. Por princípio, admite que tanto os poderes públicos como a maioria que lhes delegaram a soberania não por isso terão razão em tudo e o resto da sociedade não terá nenhum direito. De modo que a arte de governar os povos democraticamente consiste em que o governo não coloque em risco a coletividade por nenhuma via irrevogável, enquanto não existir um consenso praticamente unânime sobre a conveniência de bloquear para sempre todas as outras opções para a sociedade.

Pelo mesmo motivo, e de maneira fundamental, a democracia pressupõe a possibilidade de uma suficiente harmonização dos interesses antagônicos dos indivíduos e das classes sociais. A democracia não cai na tolice de sustentar que não existem antagonismos sociais e inclusive tensões que mereçam ser denominadas *lutas de classes*, mas supõe que são reconciliáveis em uma medida que seja, apesar de tudo, infinitamente preferível à guerra civil ou à tirania. Em consequência, os democratas sinceros se esforçam para conciliar os conflitos sociais, para arbitrar contratos que, sem ser perfeitos, ou sem satisfazer por completo as partes antagônicas, excluam o ódio e a intolerância como motivador dos atos dos indivíduos e dos grupos, preservem a sociedade desse "juízo de Deus" que é a violência, com sua consequência de vitória certa do mais forte e de opressão ou extermínio também certos dos fracos.

Em contraste, o marxismo-leninismo sugere exacerbar os conflitos sociais e a luta de classes por todos os meios possíveis (que foi o que o governo fez no Chile entre 1970 e 1973), até o dia em que, abolida a propriedade privada, fonte supostamente exclusiva de todos os conflitos, desapareçam as classes sociais, e, com elas, a necessidade de toda coação, já que, teoricamente, não existirão mais (não serão mais *possíveis*) antagonismos de qualquer gênero.

Até esse dia mítico, quando lobos e cordeiros viverão juntos, como no Paraíso antes da Queda, toda reconciliação será uma traição, e todo arranjo pacífico que não seja uma astúcia tática será um atraso na marcha majestosa e inexorável da história rumo à sua solução.

Diversos homens, muito deles respeitáveis, acreditaram e continuam acreditando firmemente nessa fábula; e, entre eles, aqueles que determinaram o comportamento de Salvador Allende na presidência do Chile. A democracia, que é antidogmática, compreende que certos espíritos sejam propensos a essa visão apocalíptica e messiânica da história; e também considera que essas ideias, disseminadas pacificamente, possam ser estimulantes para a melhoria da sociedade. Além disso, a democracia admite, como obrigação de princípio, que os defensores dessas ideias possam chegar ao poder, por meio de eleições, se convencerem um número suficiente de eleitores para que lhes favoreçam com seus direitos de voto. E isso aconteceu no Chile, com a ressalva de que Allende teve apenas uma maioria relativa, e que para conseguir sua eleição pelo Congresso fingiu aceitar limites ao seu poder ainda mais estritos do que os muito claros que a constituição democrática de seu país já previa.

Contudo, o paradoxo insolúvel é que os marxistas-leninistas sinceros (ou os socialistas democráticos dedicados aos marxistas-leninistas, que foi o que Allende acabou sendo) não enxergam nessa situação nada mais do que uma vantagem tática que se precisa explorar para conquistar *todo* o poder, e, em nenhum caso, um mandato para administrar e melhorar o sistema que lhes delegou *uma parte do poder.* Se eles se conformarem em exercer o poder que legitimamente lhes é incumbido, estarão se contradizendo e estarão se traindo, pois esse poder democrático é, por sua própria natureza, limitado e pacífico, e eles requerem um poder totalitário e belicoso. De acordo com eles, o triunfo eleitoral democrático e o poder político democrático terão que ser *superados* para ser alcançada uma soma de poder e uma inexpugnabilidade no poder que resultam totalmente irreconciliáveis com a democracia. No entanto, se calcularem mal a correlação de forças reais, como ocorreu no Chile, acabarão liquidando a democracia (que é o que propunham), mas não em proveito de suas ideias, mas para abrir caminho a uma ditadura de outro sinal.

Em seguida, virão as queixas amargas e os protestos de fé democrática, mais esses últimos não são sinceros, e a amargura é a de quem perdeu a guerra, e não de quem buscou a paz. Porque, de uma vez por todas, Lenin deu a visão marxista-leninista quando, em seu exemplar de Clausewitz, ao lado da famosa frase segundo a qual a guerra é a continuação da política por outros meios,[26] escreveu de próprio punho que o que ocorre é o contrário; ou seja, a política é que é a continuação da guerra por outros meios, única situação que, de acordo com ele, a sociedade conhecerá até o advento do milênio marxista.

NOTAS

1. Ver a seção "Haya de la Torre e a APRA", no Capítulo 5.
2. A única crítica remotamente racional ao preço atual do petróleo é que poderia ser muito alto em função do interesse de longo prazo dos países exportadores, por estes terem chamado a atenção dos países que são grandes importadores sobre a dependência excessiva de sua economia em relação a uma energia antes subvalorizada e de origem estrangeira. No entanto, é óbvio que sem a OPEP não teriam surgido essas preocupações pelo bem-estar em longo prazo dos países exportadores de petróleo, referentes ao dia hipotético em que haverá menos demanda (ou não haverá uso, segundo a tese mais radical) por sua riqueza natural, que terá sido substituída pela energia nuclear etc. Os países da OPEP poderiam responder com as palavras de Lorde Keynes: "Em longo prazo, todos estaremos mortos". Por outro lado, parece altamente improvável que o petróleo perca valor, já que possui usos muito mais interessantes na indústria petroquímica do que energético, e o problema *em longo prazo* é muito mais de conservação e uso ideal desse recurso natural não renovável, para o qual não existe, na melhor ortodoxia econômica, melhor prescrição que os preços altos.
3. Foi sancionada em agosto de 1975, quando o Congresso venezuelano aprovou o projeto de lei de nacionalização proposto pelo presidente Carlos Andrés Pérez, dois meses antes.
4. À parte de interinidades insignificantes de homens sem poder; representantes ocasionais de caudilhos.
5. Também estavam em liberdade em 1970 (e hoje são deputados ou senadores, diretores de jornais, dirigentes de partidos legais e de associações e sindicatos, professores universitários, artistas e escritores laureados etc. sob o governo aprista de Carlos Andrés Pérez) os líderes da insurreição castro-comunista contra o governo aprista de Rómulo Betancourt. Por outro lado, foram fuzilados milhares, exilados centenas de milhares e continuam presos *dezenas de milhares* de cubanos anticastristas, e, entre eles, homens como Huber Matos, herói de Sierra Maestra, condenado a 30 anos de prisão por discordar do pró-sovietismo de Fidel.
6. Ver seção "Os países comunistas", no Capítulo 5.
7. Ver seção "As Teses da Terceira Internacional", no Capítulo 5.

8. Gonzalo Martner, *Chile, mil días de una economía sitiada*, Caracas, Faculdade de Economia da Universidade Central, 1975, pp.178-179.
9. "Faut-il se taire?", *L'Express*, no 1.215, 21 a 27 de outubro de 1974, p. 54.
10. Seis anos antes, o democrata-cristão Eduardo Frei recebeu 57 por cento dos votos populares contra 38,5 por cento para Allende, candidato por uma coalizão socialista-comunista já em 1964.
11. Os democratas-cristãos chilenos ou venezuelanos deveriam fazer ou tentar fazer uma demonstração convincente de que os governos democratas-cristãos que a América Latina conheceu — o de Frei, no Chile, e o de Caldeira, na Venezuela — tiveram diferenças *fundamentais* (e não apenas superficiais, de estilo; e casuais, pela personalidade dos líderes) com o aprismo. Os dirigentes democratas-cristãos da América Latina têm uma origem social diferente da dos dirigentes apristas: são quase invariavelmente de classe média alta; educados em colégios católicos, possuem melhor formação acadêmica (correspondente à sua origem social mais elevada); descobriram sua vocação política não sob a influência de Marx e da Revolução Mexicana, mas orientados por sacerdotes inteligentes, lendo as encíclicas sociais dos papas e escritores católicos como Maritain e Mounier; e propõem como objetivo de sua ação política o acesso milenarista a uma sociedade de solidariedade cristã e a um coletivismo não impositivo e maldefinido que denominam "propriedade comunitária". No entanto, no governo, não fizeram outra coisa além de propor medidas reformistas e de afirmação latino-americanista praticamente idênticas às propostas por Haya de la Torre desde 1924. Recentemente, compartilham inclusive com os sociais-democratas apristas atitudes de franca simpatia com aspectos (pelo menos retóricos) do marxismo-leninismo-terceiro-mundismo, pois, tendo começado na juventude a ver em Marx pouco menos do que uma encarnação do demônio, a morte de Pio XII e a subsequente flexibilidade do Vaticano diante da ideologia marxista e do Império Comunista lhes permitiu (com alívio e proveito político) entrar em sintonia com o auge do marxismo-leninismo-terceiro-mundismo na América Latina e no mundo.
12. Inclusive uma inacreditável "visita de Estado" de Fidel Castro, em 1971, durante quase um mês, em que Fidel percorreu o país de ponta a ponta, atraindo multidões como se ele, e não Allende, fosse presidente do Chile.
13. *Entretiens avec Allende*, Paris, Maspero, 1971.
14. Datada de 8 de novembro de 1973, e dirigida a Mariano Rumor, presidente do Partido Democrata Cristão italiano, e, por seu intermédio, à direção da União Mundial da Democracia Cristã.
15. *Ibid.*
16. *Ibid.*
17. *Ibid.*

18. O MIR, a VOP e o MAPU.
19. *Ibid.*
20. *Ibid.*
21. É verdade que certas fontes de crédito, principalmente o Banco Mundial e o Export-Import Bank, haviam se fechado para o Chile, em virtude da expropriação sem indenização dos bens das companhias de cobre norte-americanas Anaconda e Kennecott, mas é falsa a versão segundo a qual as dificuldades econômicas de Allende se deveram basicamente a isso. Não só a bancarrota era inevitável após as medidas econômicas iniciais, dirigidas todas, de modo absurdo, a aumentar bruscamente o consumo ao mesmo tempo em que se interferia na produção, mas que o governo da Unidade Popular conseguiu obter suficiente crédito externo de outras fontes (outros países latino-americanos e Europa Ocidental), *aumentando a dívida externa chilena em 800 milhões de dólares em três anos.* Onde o Chile da Unidade Popular teve dificuldade para obter dinheiro emprestado foi no mundo socialista (URSS, China, Europa Oriental), cujos créditos com o Chile passaram de apenas 9 milhões de dólares em 1970 a apenas 40 milhões de dólares em 1973. (Fonte: Comitê Interamericano da Aliança para o Progresso (CIAP), *El Esfuerzo Interno y las Necesidades de Financiamiento Externo para el Desarrollo de Chile,* Washington, D.C., 1974.)
22. Em setembro de 1970, no final do mandato de Frei, 20 escudos compravam um dólar no banco; em setembro de 1973, no final do mandato de Allende, eram necessários 2,5 mil escudos para comprar um dólar no mercado negro de divisas.
23. Índice, diga-se de passagem, meramente teórico, devido ao desabastecimento de inúmeros produtos, obteníveis apenas no mercado negro, onde os preços tinham uma relação verdadeira com o colapso do valor da moeda.
24. Allende teve a má sorte inicial de que o valor médio do cobre passou de 64 centavos de dólar por libra, em 1970, para 49, em 1971-1972; porém, em 1973, o valor médio saltou para 80 centavos de dólar por libra, sem que nem sequer essa quase duplicação do preço do cobre conseguisse deter o naufrágio da economia chilena.
25. A informação verdadeira sobre o que ocorreu no Chile entre 1970 e 1973 se encontra dispersa, mas não tanto como para desculpar a ignorância generalizada que se tem (ou que se finge) a respeito de dados perfeitamente verificáveis e que se encontram até mesmo em versões de simpatizantes ou participantes *sérios* na experiência da Unidade Popular chilena. Paul E. Sigmundo fez um balanço objetivo e breve de todo o processo em "Allende in Retrospect", *Problems of Communism,* Washington, D.C., maio-junho de 1974, pp. 45-62.
26. Em relação à *diplomacia,* diz Clausewitz; quer dizer, em relação à política internacional, que era a grande política, para ele da mesma forma que para Lenin.

CAPÍTULO 11

As formas de poder político na América Latina (III)

O "MODELO PERUANO"

Ao lado do Chile, no Peru, outro exército latino-americano, muito menos liberal em suas atitudes e tradições que o chileno, promove, desde 1968, um processo político com aparência de originalidade, e no qual alguns quiseram ver uma "via peruana para o socialismo".

Na realidade, o governo militar peruano parece mais responder a preocupações e motivações que se encontram em outros exércitos, latino-americanos ou não, singularizadas nesse caso em sua manifestação específica pelo contexto peruano, latino-americano e internacional, dentro do qual se gerou e se produziu o golpe de Estado de 1968.

De todos os países latino-americanos de certa importância, o Peru era o mais atrasado socialmente. Uma oligarquia *criolla* racista, arrogante e inflexível o havia dominado sem interrupção desde antes da independência; e a própria independência fora aceita pela classe dominante peruana com hesitação, e teve que ser imposta ao Peru pelos rio-platenses e venezuelanos, não dispostos a permitir a permanência de um centro de poder imperial espanhol na América do Sul.

Durante todo o tempo, as Forças Armadas peruanas foram, primeiro, uma extensão, e, mais recentemente, um instrumento dessa oligarquia. Seus frequentes golpes de Estado atendiam o propósito de manter intacto o *status quo* social e econômico toda vez que os políticos civis, representantes da oligarquia, o tinham posto em perigo com sua inépcia. Em toda a história peruana, a maior e, de fato, praticamente única ameaça para esse *status quo* fora, a partir de 1924, o partido Aliança Popular Revolucionária Americana (APRA), com seu programa de reformas antioligárquicas e anti-imperialistas de inspiração marxista, mas adaptadas à realidade econômica, social e política latino-americana.[1] Dessa maneira, de 1924 em diante, a principal função do exército peruano foi bloquear o caminho da APRA ao poder, tarefa à qual os militares peruanos se empenharam tanto que um dos primeiros episódios desse confronto produziu o massacre de todos os oficiais da guarnição da cidade de Trujillo (1932) por apristas.

Em 1932, Víctor Raúl Haya de la Torre, fundador e ideólogo da APRA, regressou do exílio e, nesse mesmo ano, apresentou-se como candidato presidencial em eleições que ganhou e que foram anuladas no ato pelo primeiro golpe de Estado dos vários que Haya estava destinado a sofrer. Trinta e um anos depois (1962), ele teve permissão de voltar a se apresentar como candidato (depois de vicissitudes que incluíram prisão, cinco anos de asilo político na embaixada da Colômbia em Lima e novos exílios) e ele venceu as eleições de novo, mas para ver seu triunfo anulado novamente pelas Forças Armadas, as quais, depois de um governo militar de um ano de duração, confiaram à presidência (mediante eleições *ad hoc*) a um civil "tecnocrata", Fernando Belaúnde Terry, que, na prática, revelou-se inepto como administrador e como político, e também se viu envolvido, em meados de 1968, em um assunto obscuro de concessões indevidas a uma empresa de petróleo norte-americana.

No ano seguinte haveria eleições, que, com certeza, a APRA ganharia novamente. Tolerar esse fato era algo insuportável para os militares, mas intervir *a posteriori*, como em 1931 e 1962, teria sido, no contexto, inadmissível. Com Belaúnde, os militares peruanos viram naufragar a última oportunidade para que um civil não aprista deixasse o aprismo sem razão de ser, realizando com êxito um programa de reformas econômicas e sociais inadiáveis. Naquela altura, era o que os militares peruanos de alta patente desejavam sinceramente. Sua formação profissional, sempre de boa qualidade, havia se aprimorado com estudos superiores no chamado Centro de Altos Estudos Militares (Caem), onde tinham adquirido, pela primeira vez, conhecimentos e perspectivas alternativas a respeito de problemas políticos, sociais e econômicos. A Revolução Cubana e a Aliança para o Progresso os tinham impressionado profundamente, fazendo-lhes ver até que ponto tinham sido, no passado, atores automáticos de um papel conservador e repressivo, assim como os riscos implícitos em semelhante roteiro para as Forças Armadas. Como seus colegas brasileiros, em 1964, e argentinos, em 1966, (e com indubitáveis influências e contatos com uns e outros), os generais peruanos chegaram à conclusão de que não existiam forças políticas civis no Peru (exceto a odiada APRA) que pudessem assumir e evitar uma crise de tanta profundidade que pusesse em perigo a unidade a até a sobrevivência das Forças Armadas.

Então, decidiram intervir, mas não para assegurar um impossível interregno entre dois governos civis não apristas (como em 1962), pois essa carta já fora jogada sem êxito, mas para, como no Brasil e na Argentina, governar indefinidamente, sem complexos, sem anúncio nem intenção de devolver o poder aos políticos civis em um espaço de tempo previsível.

No passado, os golpes militares no Peru tinham sido simples, brutais, diretos, destinados a manter uma situação social e econômica não questionada pelos militares. Mas, naquele momento, a intervenção teria que significar as Forças Armadas tomando a frente da condução política do país, com plena responsabilidade e com o propósito inevitável de adotar as reformas que os militares não estavam dispostos a permitir que a APRA adotasse, e que sucessivos governos civis não apristas demonstraram ser incapazes ou não dispostos a realizar. Dessa maneira, essa nova intervenção *militar* teria que ser claramente *política*, teria que ter estratégias e táticas *políticas*, teria que responder e se referir ao contexto *político* do Peru, da América Latina e do mundo.

Nessa nova perspectiva, as forças distintas do exército e o pessoal civil da hierarquia dirigente eram o primeiro dado a considerar. A oligarquia tradicional era o grupo cujo poder e prestígio, invariáveis ao longo de toda a história peruana anterior, deveriam ser reduzidos, e cuja imagem era preciso desvincular das Forças Armadas. Os partidos que apoiaram Belaúnde eram inconsistentes e também ficavam forçosamente excluídos, assim como os "tecnocratas" que participaram daquele governo, pelo fato de o golpe militar ser ostensivamente dirigido contra eles. A APRA estava vetada por princípio. Portanto, não eram utilizáveis como *fiadores políticos civis* de uma iniciativa que teria preconceitos desfavoráveis muito justificados contra si, associados a todo golpe de Estado militar, ainda mais na América Latina, e mais no Peru, os protagonistas de uma chamada "Unidade das Esquerdas", organizada pelo Partido

Comunista peruano para participar das eleições municipais de Lima, em 1967, e que tinha obtido cerca de 15 por cento dos votos (no país, em seu conjunto, o PC nunca havia alcançado 5 por cento).

Não se sabe quem gritou *eureca* e, com certeza, não correu nu pelas ruas de Lima o general peruano (mais provavelmente vários deles, em reflexões derivadas de seus estudos no Caem) que teve a ideia de uma aliança tática entre as Forças Armadas, agora qualificadas de "revolucionárias" (com as brasileiras em 1964) e "a classe operária organizada" (isto é, o Partido Comunista). A ideia dos militares peruanos ao estender uma ponte aos insignificantes comunistas foi uma jogada tática brilhante, destinada a produzir dividendos políticos além do imaginável. Embora fracos em número e organização, os comunistas peruanos tinham habitual influência sobre setores intelectuais, literários e artísticos prestigiosos, que normalmente teriam abominado um golpe militar, e que agora o aplaudiriam. Contudo, muito mais importante seria a indulgência internacional que os golpistas militares iam ganhar com isso. Em vez de "gorilas", seriam (e continuam sendo até hoje) admiráveis nacionalistas, revolucionários, anti-imperialistas e terceiro-mundistas.

Logicamente, o governo militar teria que pôr alguma substância da sua parte na transação, e assim o fez. De qualquer modo, os militares tinham o desejo sincero de realizar um programa reformista audacioso no interior. Para cumprir essa parte de seu projeto de governo, os militares peruanos não teriam que fazer nada muito diferente do que a APRA vinha propondo (e a oligarquia e os militares impedindo) havia 40 anos, mas utilizaram como pessoal civil de alto nível, no segundo escalão, sob controle e chefia dos militares, não os apristas (cuja exclusão seria um mérito adicional do governo militar aos olhos da comunidade filossoviética internacional, por razões que remontam a 1926-27),[2] mas os comunistas e seus "companheiros de viagem", muito pobres em prestígio popular, mas, como em qualquer lugar, ricos em "homens da máquina" com vocação de burocratas.

Como parte mutuamente proveitosa desse acordo, satisfatório psicologicamente para os comunistas e vantajoso politicamente para os militares, estes permitiriam que aqueles imprimissem o estilo, o vocabulário e os gestos rituais dos Partidos Comunistas a uma variedade de atos governamentais, o que teria, logicamente, uma correspondência em política exterior: o governo militar restabeleceria relações diplomáticas com Cuba, violando uma resolução então vigente da Organização dos Estados Americanos, que só o México não tinha acatado. O governo militar peruano faria intercâmbios de delegações comerciais e técnicas com os países do "bloco socialista". Saudaria o triunfo eleitoral da Unidade Popular chilena em 1970. Fidel Castro e Salvador Allende fariam visitas de Estado ao Peru em 1971. O governo militar peruano nacionalizaria algumas empresas norte-americanas de importância real em alguns casos e simbólica em outros, e entraria em uma disputa feroz com os EUA a respeito dos valores das indenizações e ainda se alguma indenização era devida. Por causa disso, e por declarar unilateralmente uma extensão de 200 milhas para seu mar territorial, o governo militar peruano sofreria ameaças norte-americanas de represálias econômicas. Questionaria os tratados interamericanos vigentes, e, em particular, o Tratado Interamericano de Assistência Recíproca (TIAR).[3] Compraria armas da União Soviética e da Checoslováquia. Utilizaria os serviços de técnicos iugoslavos. Adotaria em suas declarações de política exterior a retórica marxista-leninista-terceiro--mundista sobre a necessidade de romper a dependência econômica e cultural do Terceiro Mundo em relação ao imperialismo, etc., etc., etc. E, por tudo isso, receberia a indulgência plena por parte do imenso aparato propagandístico mundial pró-soviético e elogios entusiasmados por sua contribuição ao ativo da revolução mundial, não muito diferente — exceto em estilo e vocabulário, automaticamente produzidos na forma mais natural pelos secretários comunistas dos ministros militares — do que a APRA teria feito, se os militares tivessem permitido o funcionamento da democracia no Peru e *tivessem tolerado as mesmas políticas que agora apareciam iniciando.*

De forma irresistível, vem à memória aquela confissão cínica de Stalin, segundo a qual o monarca absolutista do Afeganistão era *objetivamente revolucionário em 1924*.[4] Contudo, não existem duas situações históricas idênticas, e os militares peruanos do período entre 1968 e 1975 não são comparáveis ao emir do Afeganistão em 1924. Ao decidir usurpar o poder em 1968, ganharam consciência de seu triste papel, até então, como cães de guarda de um *status quo* abominável, e, no governo, muitos de seus atos foram justos e necessários. Ao mesmo tempo, constataram para a América Latina (e para Portugal) algo que os militares ibero-americanos não tinham experimentado (ainda que os militares árabes desde Nasser, sim): em nosso tempo, o poder arbitrário das armas consegue boa repercussão na imprensa internacional caso se declare "anti-imperialista" e, evidentemente, entregue algo como prova, ainda que seja apenas (ou seja sobretudo) retórica.

COMO ASSASSINAR A LIBERDADE DE IMPRENSA E GANHAR APLAUSOS POR ISSO

Praticamente tudo digno de apreço que fizeram os generais peruanos teria sido feito, e muito antes, pela APRA (como o fez a Ação Democrática, o partido aprista venezuelano, na Venezuela) se as Forças Armadas peruanas não tivessem, durante 40 anos, frustrado a clara vontade popular de que Víctor Raúl Haya de la Torre e seu partido governassem o país. Por outro lado, os generais peruanos fizeram coisas abomináveis, como controlar (desde 1970) e, mais recentemente, liquidar radicalmente a imprensa independente (confiscada, conforme se alega, para dotar imaginários "setores sociais" de meios de expressão; mas, na realidade, para suprimi-la e, inclusive, usurpar os nomes e os logotipos dos jornais), algo que nenhum governo militar latino-americano anterior havia tentado, com a única exceção do ataque peronista ao jornal *La Prensa* de Buenos Aires, em 1951; e isso sem que esse abuso fosse atribuído a algum "gorilismo militar"; pelo contrário, é interpretado pela opinião "progressista" peruana, latino-americana e mundial como outro "golpe contra o imperialismo", a cujo serviço se assegura que os jornais independentes peruanos estavam.

Em relação à semelhante informação falsa, convém relatar o seguinte: em 1968, poucas semanas após o golpe de Estado contra Belaúnde, o novo governo publicou um livro intitulado *¿Por qué?*, que consistia inteiramente de recortes de jornais de Lima, nos quais, durante meses, foram expostas as deficiências do governo, a crise econômica e institucional, a corrupção administrativa etc. O único assunto excluído do livro, não porque os jornais tivessem deixado de publicar, mas por outras e óbvias razões, eram os detalhes de um dos elementos mais importantes do descrédito do governo derrubado: a tolerância de Belaúnde em relação a um grande esquema de contrabando, cuja denúncia da imprensa levara um ministro militar à prisão, e que antes que o golpe pusesse fim a toda a ventilação posterior do assunto, ameaçara comprometer outras figuras militares proeminentes, em altos postos no novo governo militar, o qual, dessa maneira, excluiu esse escândalo específico dentre os elementos de uma situação geral de deterioração descrita e denunciada em todas as suas facetas pela mesma imprensa que logo seria amordaçada e, finalmente, aniquilada por ser considerada "mentirosa", "oligarca" e "pró-imperialista".

É também revelador que o primeiro jornal limenho a não sobreviver à "nova situação" fosse o *La Tribuna*, propriedade da APRA. Em 1970, foi a vez do *Expreso*, para cujo confisco se deu como desculpa o fato de esse jornal ser propriedade de quem fora Ministro da Fazenda do governo derrubado dois anos antes.[5] O *Expreso* foi entregue diretamente ao Partido Comunista, em um dos gestos amistosos mais importantes (e mais bem remunerados em propaganda) do governo militar em relação ao PC.

Restavam cinco jornais importantes fora do controle do governo militar ou de seus dóceis aliados comunistas: *La Prensa, Ultima Hora, El Comercio, Correo* e *Ojo*. Contra eles, o governo iniciou uma política de intimidação e cerco, impondo controle do fornecimento de papel, proibindo o aumento dos preços de venda, apesar do aumento dos custos de produção, negando-lhes a habitual publicidade do Estado e estimulando conflitos trabalhistas. Quando nada disso foi suficiente para reduzir os jornais a uma completa submissão, realizou-se o confisco puro e simples (27 de julho de 1974).

Em um primeiro momento, o controle teórico dos jornais foi entregue aos comunistas em uma medida desproporcional; mas houve nisso, como em tantos outros aspectos da chamada "Revolução Peruana", muito mais uma astúcia dos militares do que um ganho permanente dos comunistas, porque o fato é que, desde então, os jornais ficaram totalmente submissos ao governo; e, ao completar um ano do confisco (julho de 1975), e quando seu controle deveria ter sido transferido a abstrações denominadas "Organizações Operárias, Camponesas, Profissionais, Culturais e Educativas", o governo anunciou tranquilamente uma prorrogação de um ano no *status* vigente, e, de passagem, um expurgo de todos os jornalistas (começando pelos diretores) "não plenamente identificados com a Revolução Peruana". Assim, parece que o governo militar peruano resolveu começar a reduzir a representação — até aquele momento tornada supérflua e inclusive embaraçosa após ter servido para consolidar o poder das Forças Armadas — que permitira aos comunistas deixar de lado oposições guerrilheiras e ter se glorificado internacionalmente como nacionalismo anti-imperialista.

A essa altura do processo político iniciado no Peru em 1968, a única coisa certa é que as Forças Armadas, até então as mais reacionárias da América Latina, conseguiram com seu comportamento desses anos não só governar sem inquietações, a seu bel-prazer e com o aplauso de quem normalmente teria sido seu opositor mais encarniçado, mas também se isentar, como instituição, de sua cumplicidade histórica com uma oligarquia tradicional, cuja miopia, insensibilidade social, racismo e capacidade de exploração e violência contra os fracos da sociedade peruana lhe valeu o qualificativo de "africânderes da América Latina". As Forças Armadas peruanas também conseguiram se isentar do fracasso de seu "representante" tácito, Fernando Belaúnde Terry, e se absolver não só de sua participação na origem daquele governo, mas de suas responsabilidades em seu desenvolvimento, algumas delas muito pouco claras (como a questão do contrabando em grande escala mencionado anteriormente) e outras demasiado claras, como a implacável repressão contra a guerrilha em 1965. E tudo isso, em parte, sem custo, pelo fato de os militares e os comunistas peruanos coincidirem perfeitamente no rancor contra a APRA; e, em parte, com um custo muito baixo, pelo fato de os militares não cederem nenhum poder real ou de influência futura aos comunistas, mas os satisfazendo (e a seus amigos muito mais interessantes e importantes no cenário internacional) com uma combinação de retórica terceiro-mundista e anti-imperialista, de atos verdadeiramente hostis contra os EUA (mas calibrados cuidadosamente para serem toleráveis pelos norte-americanos), e de reformas justas, úteis e importantes, que, realizadas muito antes por outros governos latino-americanos muito mais estimáveis, foram violentamente denunciadas como "reformistas", insuficientes e até "entreguistas" pelos mesmos setores que encontram virtudes insuspeitas na ditadura militar peruana.

Entre os esquerdistas atraídos e convertidos em "companheiros de viagem" do poder militar, incluem-se os assim chamados "intelectuais", espécie que outras ditaduras latino-americanas acharam necessário perseguir, mas que o governo peruano demonstrou que é muito mais prático comprar, quer fosse com gestos políticos (como o pró-cubanismo e o anti-imperialismo dosados) quer fosse com atos "culturais" bom-selvagistas (como a proclamação do quíchua como língua oficial do Peru, em igualdade com o espanhol), mas também, de modo complementar, com cargos públicos que envolvem a neutralização do antigo dissidente ou, mais melancolicamente, sua dedicação conscienciosa e eficaz à *colaboração* com a consolidação e o prolongamento da ditadura dos generais.

Entretanto, estes estão tranquilos. A tormenta de alcance continental desencadeada pela Revolução Cubana os incluía entre suas vítimas marcadas. Em 1967, Che Guevara iniciou sua aventura boliviana pelo fato de a Bolívia estar situada no centro do continente sul-americano e ser vizinha do Peru, supostamente um dos elos mais fracos do imperialismo, um dos países mais facilmente conversíveis em um dos "muitos Vietnãs". Hoje, Che está enterrado, e Fidel, desde julho de 1969 (apenas 21 meses após a morte de Che), também enterrou as ideias guevaristas a respeito da "irrecuperabilidade" dos militares, com sua declaração (no discurso sobre a "safra de 10 milhões de toneladas") de que o governo militar peruano demonstrara ser "objetivamente revolucionário" em pouco tempo.

Por outro lado, Che Guevara foi, até sua morte, inimigo irredutível dos militares latino-americanos. Em 1963, os guerrilheiros venezuelanos que o visitaram em Cuba expuseram-lhe (já naquela época) a tese que atualmente prevalece quanto à necessidade dos marxistas-leninistas latino-americanos de explorar sistematicamente a possibilidade de alianças táticas com oficiais *progressistas, nacionalistas, patriotas*. No entanto, "Che interrompe, cortante: 'No exército cubano também existiam alguns (assim), mas, em geral, todos eram uns filhos da puta [...]. Todos os exércitos latino-americanos estão mediatizados. Sua cultura, sua técnica e sua formação estão nas mãos dos ianques. É um equívoco atribuir papel revolucionário aos militares [...]. Os mecanismos de classe impedem que se produzam (conflitos políticos significativos) no exército'" [...] e, quando os venezuelanos insistiram, assinalando a participação de alguns oficiais "fidelistas" nas rebeliões em duas bases navais venezuelanas em maio e junho de 1962, Che interveio: "Veja, venezuelano: depois dessas rebeliões, o que os oficiais fizeram? Partiram (para a guerrilha)? Onde estão as armas que capturaram? Tinham planos para aproveitar a rebelião? Repito: os militares gostam da coisa fácil: quarteladas, acordos em palácios. Aqui também, quando avançávamos de Oriente (para Havana), alguns oficiais, para conservar seus empregos e salvar o sistema, rebelaram-se contra Batista. (Mas) Fidel [...] não se deixou enganar".[6]

Fidel podia ter razão, mas não Che. Contudo, ele também tanto poderia se equivocar novamente em sua análise da realidade global latino-americana quanto acertou implacavelmente na maneira instintiva de ganhar e manter o controle caudilhista de seu próprio país. Pois poderia resultar que — de acordo com as previsões de alcance geral de Che Guevara — o regime militar peruano demonstre, em perspectiva histórica, ter sido a maneira apropriada e eficaz de neutralizar, no Peru, a "grande marcha" para o castrismo que Régis Debray prenunciava na América Latina. Podia ser que, nas condições peculiares peruanas, com a desqualificação arbitrária (mas efetiva) da APRA como fator das reformas indispensáveis da sociedade mais arcaica e injusta da América Latina, somente o "partido militar" poderia, contra qualquer expectativa, realizar essas reformas; e que, quando concluir seu domínio (como tem de concluir), a revolução — considerável — que esse governo militar terá realizado seja ter deixado o terreno limpo e um Peru de onde tenham desaparecido, até por troca de gerações, os indivíduos (e suas experiências) que, na oligarquia, na APRA e nas próprias Forças Armadas, não conseguiram desbloquear a sociedade peruana entre 1924 e 1968. Talvez então o Peru tenha a possibilidade de iniciar uma nova tentativa, menos desafortunada que as anteriores, de governo democrático, civil e institucional, uma em que uma das características terá de ser o renascimento de uma imprensa independente.[7]

O ÚLTIMO CAUDILHO CONSULAR

Porfirio Díaz se manteve no poder e exerceu mais poder pessoal eficaz do que os outros caudilhos latino-americanos por ter sabido se aliar em condições não humilhantes nem erosivas para si mesmo (ainda que sim para o seu país) com o poder imperial dos EUA. Não se duvida de que James Creelman,[8] diante de Porfirio, sentiu realmente que estava na presença de um homem fora de série, admiravelmente correspondente ao contexto político deplorável que o havia produzido, representante cabal de um tipo humano eternamente imponente: o monarca primitivo, comparável, entre os homens, ao lobo chefe entre os lobos, e, dessa maneira, muito impressionante para *literatos* acostumados a crescer em sociedades onde o poder, após uma longuíssima decantação, exerce-se geralmente de forma civilizada.

O grande paradoxo latino-americano da segunda metade do século XX é que nosso governante atualmente mais célebre e mais adulado internacionalmente corresponde, em essência, ao mesmo esquema ancestral, e que é justamente isso que, junto com sua afiliação ao sovietismo (com tudo o que isso implica de exaltação automática pela máquina propagandística correspondente), torna-o fascinante para certo setor intelectual norte-americano e europeu ocidental, no qual, não por acaso, mostram-se menos cuidadosos em seu entusiasmo aqueles que, por sua relativa juventude, não sofreram pessoalmente a regressão à irracionalidade e ao primitivismo político que a Europa conheceu entre as duas guerras mundiais e até 1945. Porque, assim como Porfirio Díaz, Fidel Castro é um autêntico caudilho latino-americano; além disso, assim como Porfirio Díaz, um *caudilho consular*, agente de uma potência estrangeira, nesse caso a URSS, com cujo poder imperial Fidel teve a audácia de se aliar no que acabou sendo o bom momento, e a cujo apoio, não humilhante nem erosivo para ele pessoalmente (mas sim para Cuba), deve sua estabilidade no exercício de um poder personalista e despótico.

Originalmente, a única ideologia de Fidel parece ter sido uma forma de aprismo correspondente — em seu componente *anti-imperialista* — ao sentimento antinorte-americano generalizado em toda a América Latina. No entanto, antes de Fidel, em diferentes países latino-americanos, diversos políticos *anti-imperialistas* chegaram ao poder, os quais, ao ocupar o palácio presidencial (ou, provavelmente, antes), estabeleceram contato discreto com o embaixador norte-americano, com a convicção perfeitamente bem fundada de que só recebendo o consentimento dos EUA poderiam se manter no poder. O próprio Fidel fez isso, não em conversas com o embaixador norte-americano, que não podia ir até a Sierra Maestra dialogar com Fidel, nem Fidel ir a Havana, mas sim em encontros com jornalistas (e outros enviados) norte-americanos, cujo significado era muito claramente que o processo de "desestabilização" do desgastado Batista poderia muito bem (e até deveria) culminar com a entronização do social-democrata Fidel Castro como novo governante de Cuba.

Em seu primeiro ano no poder (1959), Fidel visitou os EUA, foi entrevistado diversas vezes e de modo amistoso pela imprensa e pela tevê, e conversou em Washington com o vice-presidente Nixon. Sua revolução teve a simpatia ativa de amplos e importantes setores norte-americanos, e, por exemplo, sem exceção, de todos os norte-americanos de boa-fé que conheciam Cuba e percebiam no sistema político cubano prevalecente em 1958 a antítese de tudo quanto eles, por seu lado, estimavam como justo ou pelo menos admissível.

Por que aconteceu o distanciamento e finalmente a ruptura entre Fidel e os EUA (ou entre os EUA e Fidel)? Uma hipótese simples seria a de que Fidel foi desde sempre um comunista convicto, um agente soviético cujo objetivo sempre foi o de criar em Cuba uma situação conflitante com os EUA e proveitosa para a URSS, e isto a qualquer preço, inclusive a intervenção militar direta norte-americana e o consequente sacrifício de Fidel e seus amigos etc. Conforme essa visão estratégica do assunto, a escalada no desafio fidelista ao poder norte-americano foi preconcebida e deliberada, e a sobrevivência de Fidel no poder, imprevista e aleatória. Essa explicação pode valer para as motivações e os atos de Che Guevara; e um dos fatores necessários a considerar nesse assunto é a influência indubitável de Che sobre Fidel nos momentos em que foram tomadas decisões fundamentais, que determinaram desenvolvimentos posteriores de forma irrevogável, como os confiscos súbitos e em grande escala de propriedades norte-americanas. Porém, não acredito que a mesma explicação sirva para Fidel, que me parece ser a quintessência do homem de poder, do caudilho; quer dizer, o tipo de homem cuja razão vital é alcançar e exercer o poder de modo *absoluto*, e quem, dessa maneira, possui um instinto quase infalível, com lampejos de magia aos olhos dos outros homens, para adivinhar vias de acesso ao poder que a outros parecem fechadas e para se manter no poder não só usando a máxima violência toda vez que seja necessário, mas também urdindo tramas *políticas*, ou dando grandes golpes *políticos*, que, em seu extremo, podem consistir em fazer o contrário do que um homem meramente sensato, unicamente racional (e, portanto, infinitamente com menos dotes para a política), faria para enfrentar uma determinada situação.

O menos arriscado e o mais simples para Fidel teria sido se entender com os norte-americanos e pactuar com a classe média cubana, forte, numerosa e, no primeiro momento, "fidelista" ao extremo. Porém, essa maneira de atuar teria posto limitações ao poder de Fidel, e ele aspirava ao poder vitalício e autocrático. É possível seguir em seus atos, a partir do próprio 10 de janeiro de 1959, um processo metódico, imprevisível em seus meandros, mas invariável e certeiro em seu objetivo estratégico de afastar todos os obstáculos ao exercício irrestrito de um poder pessoal. Houve nisso alguns acidentes (talvez sórdidos), como o desaparecimento prematuro de Camilo Cienfuegos; houve a prisão de Huber Matos; houve a ordem de Fidel de anular a absolvição, irrepreensível, dos aviadores militares acusados de "crimes de guerra", e condenados pela segunda vez em um "julgamento" que foi mais um "auto de fé", realizado no Palácio de Esportes diante de milhares de espectadores vociferantes e transmitido pela tevê; houve os fuzilamentos, em uma época cotidianamente numerosos e que totalizaram milhares. Houve a prisão de dezenas de milhares de pessoas, que continuam presas, em sua maioria, depois de 15 anos, e haveria o exílio de centenas de milhares.[9]

Tudo isso moldava uma trajetória de inevitável colisão com os EUA. Então, Fidel fez o impensável, o assombroso, o genial. Mediu sua força política interna e externa, que estava no ápice. Avaliou que não poderia encontrar apoio nos EUA, nem sequer tolerância para seus métodos e seus objetivos. Ao mesmo tempo, considerou que os EUA, em campanha eleitoral e governados de modo tíbio pelo nunca muito decidido Eisenhower (Dulles tinha morrido; Christian Herter era o secretário de Estado), seriam vacilantes em sua reação ante o inesperado. Então, decidiu-se pela aposta mais audaz e mais arriscada no arsenal da diplomacia: a inversão de alianças; o que, realizada com o êxito visível, comprometeu a outra grande potência mundial em sua defesa.

Desde então, passaram-se mais de 15 anos, e, nesse período, dissipou-se a ilusão sentimental de uma ilha socialista habitada por "bons revolucionários", reencarnação do *Bom Selvagem*, não contaminados pelo stalinismo e não capazes de reeditá-lo. Na prática, o que aconteceu talvez seja mais deprimente do que o funcionamento do marxismo-leninismo nos países da Europa Oriental. E, como nesses países, o mais revelador do que de fato acontece é a ansiedade dos supostos beneficiários da "nova sociedade" por abandoná-la e se refugiar em qualquer país onde ainda subsista a velha sociedade mais ou menos liberal, "imperfeita", e, dessa maneira, habitável; (assim como a pouca ou nenhuma disposição de se mudar para Cuba que têm os latino-americanos "fidelistas" que, por um ou outro motivo, abandonaram seus países de origem, voluntariamente ou exilados, como os náufragos da Unidade Popular chilena ou os "peronistas de esquerda" ameaçados pela AAA).

Com todas as privações e humilhações que o governo comunista cubano infligiu àqueles que aspiravam a emigração legal, piores que as sofridas pelos judeus da URSS que desejavam emigrar para Israel, e com todos os gravíssimos riscos e dificuldades necessários de encarar para fugir ilegalmente de uma ilha, centenas de milhares de cubanos (cerca de dez por cento de toda a população de 1959) se consideraram afortunados pisar em *qualquer* solo estrangeiro. Se a emigração fosse livre, não é descabido supor que o número de exilados voluntários teria sido cinco ou seis vezes maior; quer dizer, teria alcançado ou superado *a metade* de toda a população.

Se existisse racionalidade na análise dos fatos políticos, este seria um elemento de julgamento suficiente sobre todos os regimes marxistas-leninistas que o mundo conheceu (e, sem dúvida, sobre a Cuba de Fidel Castro), e que são os únicos sistemas políticos da história dos quais foi preciso impedir pela força que as pessoas fugissem, dispostas a deixar tudo para trás, não só bens, mas a família mais próxima, fazendo o exílio voluntário resultar não em um gesto excepcional, doloroso de uma ínfima minoria de princípios ou muito ativa politicamente,[10] mas em uma esperança louca de quase todos, ainda que quase impossível de alcançar, exceto para alguns poucos bem-aventurados.

No entanto, o próprio Fidel se safou. Ele ganhou. Ficou no poder de 1976 a 2008, soberano absolutista da ilha de Cuba por delegação e sob a proteção da URSS, como Herodes foi rei da Judeia por delegação e sob a proteção de Roma. No âmbito latino-americano e mundial seu prestígio diminuiu, ainda menos do que seria justo, porque continua sendo o herói que desafiou os EUA, com o que mantém um lugar no coração de todos aqueles que invejam, odeiam ou temem os norte-americanos, que são muitos no mundo, embora nem todos tenham razões boas ou claras. Na própria América Latina, essa circunstância age em favor de Fidel de uma maneira ainda mais sensível. Ele é o único líder latino-americano cujo anti-ianquismo não pode ser posto em dúvida. Certamente, uma palavra sua em favor do presidente militar do Peru ou do presidente social-democrata da Venezuela é de utilidade política para um e outro. E algo mais: possivelmente o ditador militar e o civil democrata, sintam, quando Fidel lhes reconhece algum mérito, uma emoção secreta por estarem recebendo, dessa forma, de quem tem comprovadas qualificações para dá-lo, um certificado de boa conduta antinorte-americana.

Caracas, de outubro de 1974 a agosto de 1975.

NOTAS

1. Ver seção "A desintegração da América Espanhola", no Capítulo 3.
2. Ver seção "A desintegração da América Espanhola", no Capítulo 3 e seção "Haya de la Torre e a APRA", no Capítulo 5.
3. Ver seção "A Guerra Hispano-Americana e o Canal do Panamá", no Capítulo 2.
4. Ver seção "O diagnóstico de Bolívar", no Capítulo 3.
5. Trata-se de Manuel Ulloa, ainda hoje exilado. Como resultado do fechamento pelo governo militar peruano da revista esquerdista *Marka*, em agosto de 1975, publiquei no Suplemento Cultural do jornal *Ultimas Noticias*, de Caracas, justamente o trecho deste livro que trata do "modelo peruano" (saiu em duas partes, em 17 e 24 de agosto de 1975). Por acaso de passagem por Caracas, Ulloa leu esse texto. Nós nos conhecemos. Pedi-lhe que me fizesse suas observações por escrito e, algum tempo depois, enviou-me uma carta cujos parágrafos pertinentes são os seguintes:

1) Isso de que os militares "confiaram à presidência a um civil tecnocrata mediante eleições *ad hoc*" não me parece exato. Belaúnde era uma realidade política desde 1956, o ano em que criou a Ação Popular, e, nas eleições, contribuía com um crescente fluxo eleitoral, disputando a tradicional primazia aprista. Assim como acredito que, em 1962, Haya ganhou, acho que, em 1963, Belaúnde venceu honestamente, ainda que não ignoro a real possibilidade de outro golpe militar se a APRA tivesse vencido novamente.

Creio que sua análise tende a minimizar a importância de Belaúnde e da Ação Popular na política peruana recente. Sem negar a importância capital da APRA na história contemporânea do Peru — afinal de contas, é o úbere que alimentou todas as formações políticas que sobrevivem em meu país —, acredito que perdeu o espírito de luta, não se renovou e, de certo modo, por razões que todos entendemos, mas não justifico, desenvolveu um temor por parte das forças militares, prestando um pobre serviço ao Peru.

2) A descrição de Belaúnde como administrador e político inepto é discutível, dependendo de como a questão é analisada. Como comparar seu governo com o de outros governantes peruanos? Benavides, Prado, Odria, etc. Não esqueça que Belaúnde teve que governar com um Congresso dominado pela APRA, aliada ao odrismo, que não entendia que o êxito de Belaúnde significava melhorar suas possibilidades de ter acesso ao governo e que, ao contrário, aproximava o governo dos militares, como infelizmente aconteceu. Por censura parlamentar, Belaúnde teve de trocar de ministros mais de 80 vezes em 5 anos!

Além disso, a oligarquia nos combateu ferozmente e conspirou diretamente com os militares, acreditando que estes a protegeriam novamente. Os dois principais jornais, baluartes da extrema-direita, *La prensa* e *El Comercio*, foram os nossos opositores mais ferrenhos e mantinham o país em permanente confusão.

Também não se esqueça de que, quando tivemos poderes extraordinários — leia-se, legislativos — apresentamos mais de 100 leis importantes que esses militares velasquistas, inimigos jurados, tiveram que respeitar e utilizar como estrutura de seu poder.

Belaúnde era um homem íntegro, honesto e amante apaixonado de seu país. Isso já é respeitável no plano presidencial de nossa querida América Latina.

Por esses motivos discordo fundamentalmente da afirmação de que ele se viu envolvido "em um assunto obscuro de concessões indevidas a uma empresa de petróleo norte-americana". Isso não é verdade. Belaúnde e seu governo resolveram honrosamente a situação irregular que a International Petroleum Company desfrutava desde 1922 e que *nove* governos tinham tolerado, respeitando um veredicto que a Inglaterra obtivera contra o Peru por razões óbvias.

A acusação concreta que nos fizeram foi a de deixar de cobrar 690 milhões de dólares, cifra absurda e arbitrária, em que se estimou o prejuízo econômico causado ao Peru pela empresa. Absurda e arbitrária porque era incobrável.

Tanto que Velasco e sua Junta Militar, tendo todo o poder e a América do Norte assustada, não conseguiu cobrar um único centavo dessa dívida e acabou pagando para a empresa, por meio do Departamento de Estado norte-americano, 23 milhões de dólares como indenização pela expropriação, para evitar que bloqueassem o crédito exterior do Peru.

Tudo isso, apesar de que o arranjo com a IPC foi o pretexto oficial para a revolução de 3 de outubro de 1968.

Na época de Belaúnde, jamais se deu concessão a alguém se não fosse por concorrência pública. Já nossos militares revolucionários entregaram milhões de hectares da selva peruana a empresas norte-americanas, europeias e japonesas sem licitação. Nunca foram sequer acusados de fazê-lo.

Anseio pelo lançamento de seu livro, preparando-me para comentá-lo. Perdoe essas linhas um pouco desalinhavadas e inconvenientes, com a ressalva natural que pode produzir minha condição de protagonista de muitos dos acontecimentos descritos por você.

Creia-me que só me move o desejo de que seu trabalho e sua análise tenham o êxito que você merece.

Para você e Sofía, um forte abraço.
MANUEL ULLOA

6. Rafael Elino Martínez, *Aquí todo está alzao,* Caracas, Ediciones El Ojo del Camello, 1973, pp. 273-274.

7. Em minha opinião, são superficiais as semelhanças e muito profundas as diferenças entre Peru e Portugal, ainda que, evidentemente, o êxito dos militares peruanos em obter uma boa imagem internacional declarando-se "esquerdistas" e "anti-imperialistas" é um dos antecedentes da situação portuguesa, tal como se desenvolveu a partir de abril de 1974. No Peru, não parece que tenha havido *dupla militância*, como se deu de forma importante em Portugal, o que pode fazer de um golpe militar a ponte para uma "ditadura do proletariado", por essa duplicidade ser forçosamente desfavorável à instituição militar, a qual é, evidentemente, a que sofre de uma presença estranha e inimiga em seu seio, representada por homens que se disfarçaram de militares para perseguir um objetivo que implica, para ser alcançado, a divisão e a futura destruição *dessas* Forças Armadas, basicamente irrecuperáveis do ponto de vista marxista-leninista (no que Che Guevara tinha toda a razão), e sua substituição por outras, com outros oficiais, e submetidas, como foi o caso invariável nos regimes comunistas, ao estrito e terrorista controle político que, sem dúvida, os Partidos Comunistas no poder sabem exercer sobre os militares, e que é uma de suas realizações mais irrefutáveis.
8. Ver seção "Ética católica e ética protestante", no Capítulo 6.
9. E houve, por que não dizer, a marginalização gradual de Che, e o estímulo às grandes aventuras guevaristas internacionais, primeiro no Congo e depois na Bolívia, com as consequências que sabemos.
10. Nem sequer os judeus alemães, exceto os muitos clarividentes, queriam ir embora da Alemanha, *sua pátria*, depois de 1933, até que fosse demasiado tarde.

ASSINE NOSSA NEWSLETTER E RECEBA INFORMAÇÕES DE TODOS OS LANÇAMENTOS

www.faroeditorial.com.br